Excel 2013
Manual Básico

Excel 2013 Manual Básico

Francisco Pascual

Editado por:
RA-MA Editorial
Calle Jarama, 3A, Polígono Industrial Igarsa
28860 PARACUELLOS DE JARAMA, Madrid
Teléfono: 91 658 42 80
Fax: 91 662 81 39
Correo electrónico: editorial@ra-ma.com
Internet: www.ra-ma.es y www.ra-ma.com
ISBN: 978-84-9964-503-2
Depósito Legal: M-18410-2014
Ajuste de maqueta: Gustavo San Román Borrueco
Diseño Portada: Antonio García Tomé
Impresión: Copias Centro.
Impreso en España en junio de 2014

Para Luisa y Mercedes,
por todo este tiempo de trabajo común,
con mi agradecimiento por
su buen talante y profesionalidad.

ÍNDICE

INTRODUCCIÓN

Una hoja de cálculo es un programa que se utiliza para realizar operaciones matemáticas a todos los niveles. Consiste en una serie de datos distribuidos en celdas dispuestas por filas y columnas. Estos datos pueden ser de varios tipos y son capaces de relacionarse unos con otros para la resolución final del cálculo.

En principio, una hoja de cálculo pretende sustituir a la clásica hoja de papel en la que se realizan operaciones aritméticas y otras operaciones matemáticas más complejas. La hoja de cálculo combina las capacidades de cómputo de la máquina con sus funciones de interrelación de los datos y permite conferirlas una buena presentación.

Con respecto a **Excel**, se puede decir que además incorpora otras posibilidades que la hacen más potente, como la incorporación de imágenes, representaciones de datos matemáticos mediante gráficos e intercambio de información con otros programas de **Windows** (como **Word**, **Access**, etc.).

COMIENZO

Una vez que nos encontremos en **Excel**, ofrecerá:

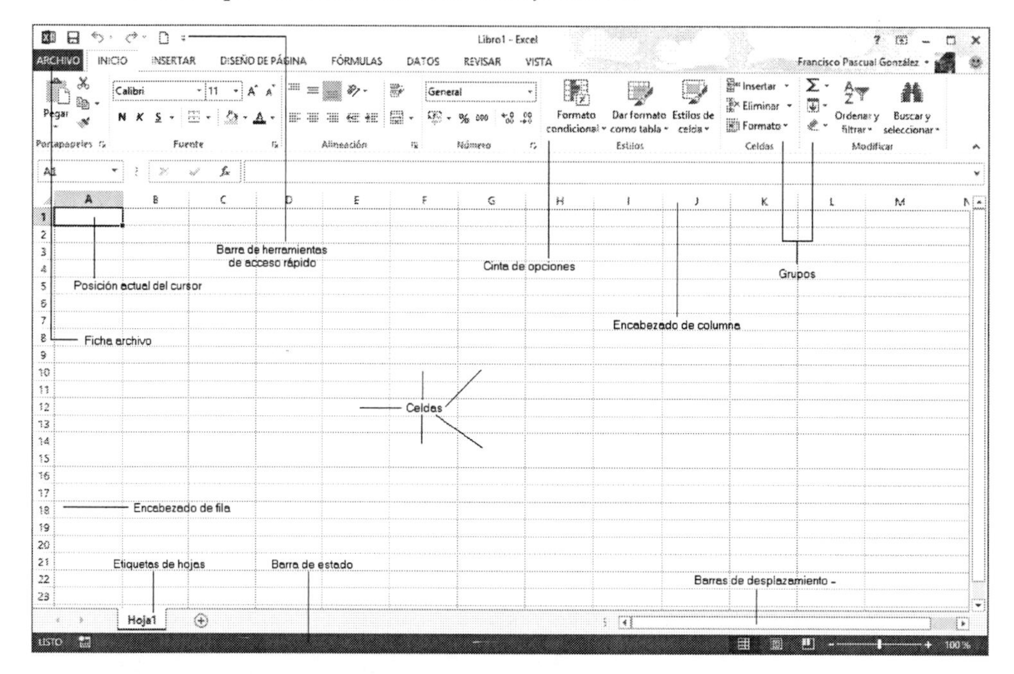

1. **Pestaña Archivo**: Contiene las opciones principales para trabajar con el documento completo (**Abrir**, **Guardar**, **Imprimir**, etc.).

2. **Barra de herramientas de acceso rápido**: Contiene botones con las funciones más utilizadas. Podemos añadir y eliminar los botones que deseemos a esta barra.

3. **Cinta de opciones**: Contiene botones con las funciones del programa organizadas por pestañas. Al pulsar sobre los botones, las tareas que tengan asociadas entran en funcionamiento. Haciendo clic en las **pestañas** se cambia de cinta para acceder a otros botones y, por tanto, a otras funciones.

4. **Grupos**: Reúnen botones cuyas funciones pertenecen a un mismo tipo de trabajo.

5. **Celdas**: Son las encargadas de albergar los datos de **Excel**. En ellas se escriben rótulos de texto, datos numéricos, fórmulas, funciones, etc.

6. **Encabezado de filas/columnas**: Los encabezados indican la numeración de las filas y columnas. También tienen otras funciones como seleccionar **filas o columnas completas** (haciendo clic en una) y ampliar o reducir la altura y anchura de las celdas (haciendo clic **entre dos** y arrastrando).

7. **Posición actual del cursor**: Indica dónde se encuentra el usuario en cada momento. Al introducir datos en **Excel** irán a parar a esa celda.

8. **Barras de desplazamiento**: Permiten moverse por la hoja de cálculo.

9. **Barra de estado**: Muestra información complementaria del programa según se suceden las diferentes situaciones de trabajo.

10. **Etiquetas de hojas**: Se emplean para acceder a las distintas hojas del libro de trabajo. Se hace clic en una para acceder a su contenido. Como se va a ver, cada hoja del libro ofrece una tabla de celdas que están distribuidas en filas y columnas numeradas: las filas de forma numérica (1, 2, 3, etc.) y las columnas de forma alfabética (a, b, c, etc.).

LA CINTA DE OPCIONES

La práctica ausencia total de menús desde la versión 2010 de los programas de **Office** hace de la cinta de opciones el elemento principal con el que se accede a todas las funciones de cada programa.

Desde dicha versión es necesario que el usuario "cambie el chip" y olvide los menús como elemento principal de acceso a las funciones. **Microsoft** apuesta en este caso por una evolución de las barras de herramientas de forma que un usuario pueda ver diferentes grupos clasificados por pestañas con los que acceder a las funciones cotidianas. Aun así, el nuevo método exige una adaptación que lleva cierto tiempo. Sin embargo, el acceso a las funciones de la cinta de opciones, sin el uso del ratón, resulta realmente simple y es recomendable que sea éste el método habitual de trabajo de todo aquel usuario que sea un mecanógrafo razonablemente rápido.

Cuando se pulsa la tecla **ALT** aparecen varias letras resaltadas superpuestas a las pestañas y elementos de la cinta, al pulsar la tecla de esa letra se activa la pestaña, momento en el cual aparecerán más letras o números, incluso a pares, que al ser pulsadas activarán la función correspondiente. Por ejemplo, si se pulsa **ALT** y luego las teclas **O** (letra o) y **1** (número uno) se activa la letra **Negrita** (aunque los atajos antiguos siguen estando vigentes, por ejemplo, también puede activar y desactivar la negrita pulsando **CONTROL+N** como siempre).

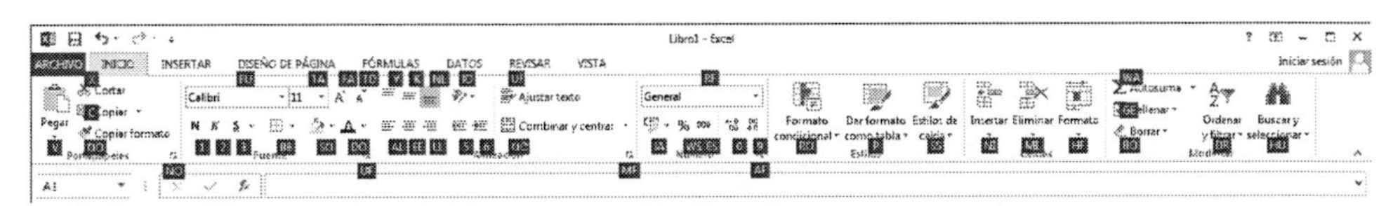

Hay un modo sencillo de acceder a los botones de la cinta. Consiste en pulsar y soltar la tecla **ALT**. Luego, se emplean las teclas del cursor para desplazarse por las pestañas y los botones hasta que se alcanza el que se desea activar, momento en el que se pulsa **INTRO**.

Además, al llevar el ratón sobre un botón u otro elemento de la cinta y mantenerlo ahí detenido unos instantes, aparece un cuadro de ayuda que informa sobre la función de ese elemento.

Personalizar la cinta de opciones

Desde la versión 2010 la cinta de opciones puede modificarse, si bien existen algunas limitaciones.

Para acceder a la función que permite realizar estos cambios, se recurre a la pestaña **Archivo** y seleccionar **Opciones**.

En la ventana que aparece, nos decantamos por la categoría **Personalizar cinta de opciones**.

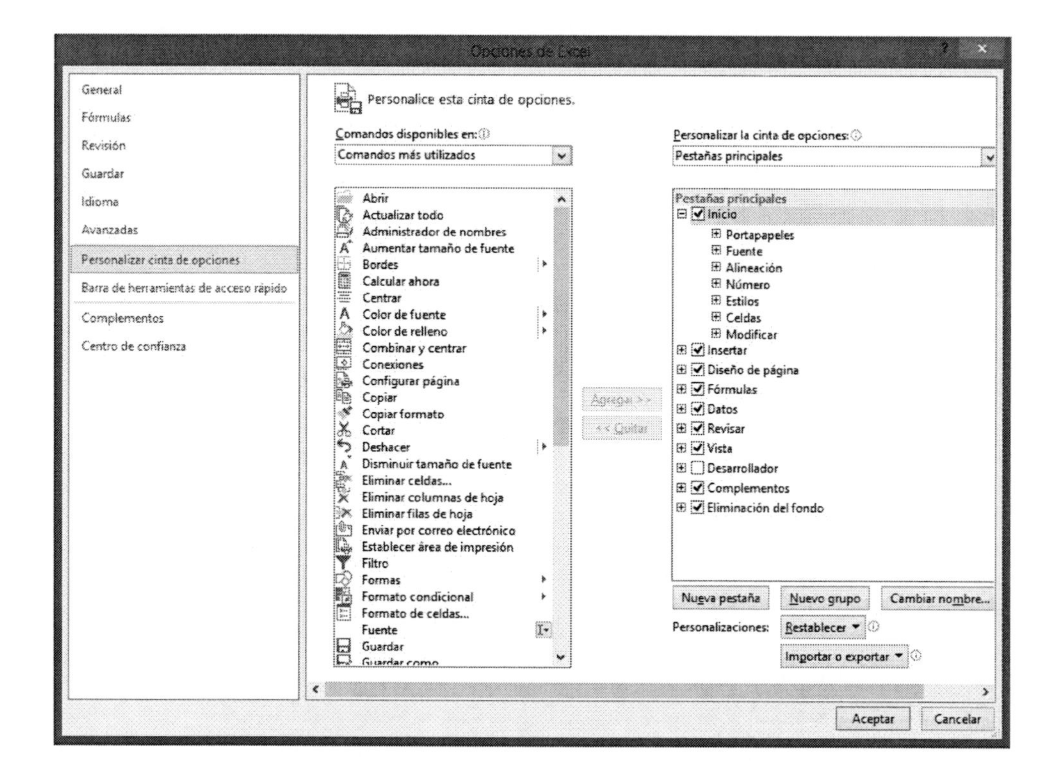

Básicamente se dispone de dos columnas para la tarea. La izquierda muestra aquello que se puede incorporar a la cinta, mientras que la derecha muestra lo que la cinta ya contiene. Entre medias, se pueden ver los botones Agregar >> y << Quitar que permiten el intercambio de botones y funciones en la cinta.

Se empieza inspeccionando la columna derecha. Si existen funciones que desea quitar de la cinta, seleccione una y pulse el botón << Quitar. Tenga en cuenta que en las pestañas originales no se pueden quitar botones aislados, sino grupos enteros de ellos. Por ejemplo, en la figura anterior puede ver que la pestaña **Inicio** contiene varios grupos: **Portapapeles**, **Fuente**, **Párrafo**, etc. Aunque puede desplegar estos grupos para ver las funciones que contienen, éstas no pueden quitarse solas, sino que han de ser retiradas en grupo. Así, podrá quitar, por ejemplo, el grupo **Párrafo** completo.

Esto último sólo se aplica a los grupos y pestañas originales del programa. Si se trata de grupos o pestañas creados por nosotros, podremos quitar sus elementos con independencia de los demás.

Tampoco podremos agregar funciones a los grupos y pestañas originales, sino a los que son personalizados o, lo que es lo mismo, los que agreguemos nosotros a la cinta.

1. Para **agregar una nueva pestaña**, se dispone del botón Nueva pestaña bajo la columna derecha. Al pulsarlo, la nueva pestaña aparece detrás de aquella en la que nos encontremos y el sistema espera a que le se la dé un nombre.

2. Dentro de una pestaña se pueden **añadir grupos** mediante el botón Nuevo grupo. También se deberá dar nombre al grupo.

3. Si éste es incorrecto, podremos **cambiarlo** pulsando el botón Cambiar nombre....

4. Una vez que se dispone de un grupo, se le pueden **agregar botones** seleccionando las **funciones una a una** en la columna izquierda y pulsando el botón Agregar >>.

5. Tanto para **quitar grupos como pestañas**, debe seleccionarse uno y pulsarse el botón << Quitar.

6. Puede **limpiar la cinta** dejándola como estaba originalmente desplegando la lista Restablecer ▾ y seleccionando **Restablecer todas las personalizaciones**. En esta misma lista puede optar por **Restablecer únicamente la pestaña de cinta seleccionada** para restaurar sólo la pestaña que haya elegido en la lista de la columna derecha.

7. Puede **guardar en el disco** la cinta de opciones tal como se encuentre (incluyendo nuevas pestañas, grupos, etc.), desplegando la lista Importar o exportar ▾ y seleccionando **Exportar todas las personalizaciones**. Esto lleva a un cuadro de diálogo en el que se selecciona la **carpeta** y el **disco** en el que se guardará el archivo con la información (al que también habrá que dar nombre). En la misma lista se dispone de la opción **Importar archivo de personalización** para abrir uno exportado anteriormente. Esto es útil cuando se necesita instalar el programa en otro equipo y se desea configurar rápidamente la cinta de opciones.

Se puede hacer clic con el botón secundario del ratón en una de las pestañas del cuadro. Se obtiene un menú con las opciones que acabamos de ver y alguna más:

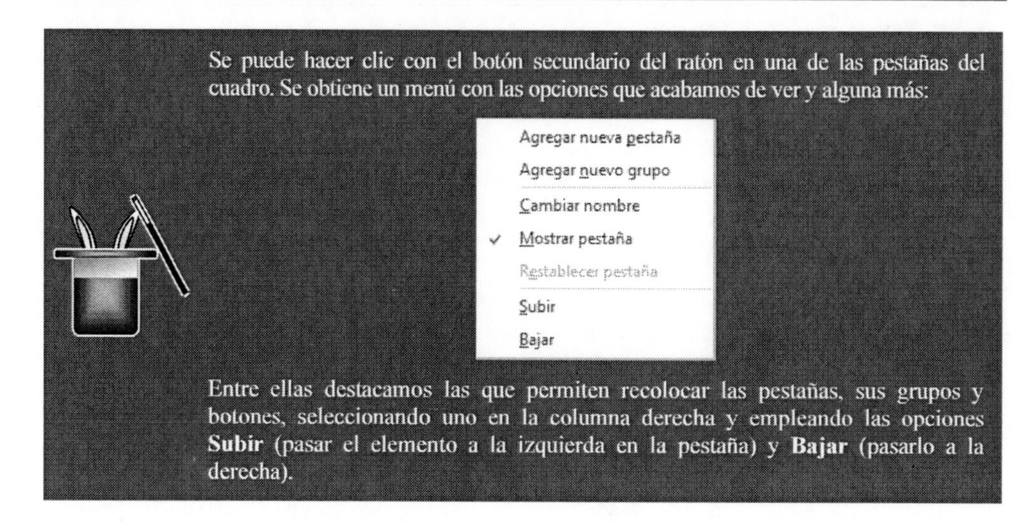

Entre ellas destacamos las que permiten recolocar las pestañas, sus grupos y botones, seleccionando uno en la columna derecha y empleando las opciones **Subir** (pasar el elemento a la izquierda en la pestaña) y **Bajar** (pasarlo a la derecha).

DESPLAZAMIENTO POR LAS HOJAS DE CÁLCULO

Para moverse a través de las celdas de una hoja de cálculo, se emplean ciertas teclas cuya finalidad ha sido siempre la misma para cualquier tipo de programa:

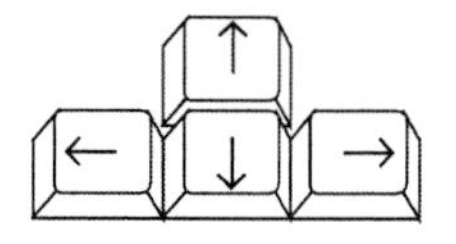

Los **cursores** le permitirán desplazarse a celdas contiguas. Por ejemplo, pulse la tecla **cursor derecha** (->) para acceder a la celda que haya a la derecha de aquélla en la que se encuentre.

La tecla **INICIO** lleva a la primera columna de la fila en la que se encuentre el cursor en ese instante.

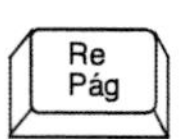

La tecla **RE PÁG** lleva unas cuantas filas de celdas hacia arriba (el número de filas que quepan en la ventana de **Excel**).

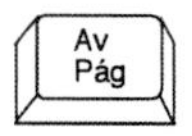

La tecla **AV PÁG** lleva unas cuantas filas de celdas hacia abajo (el número de filas que quepan en la ventana de **Excel**).

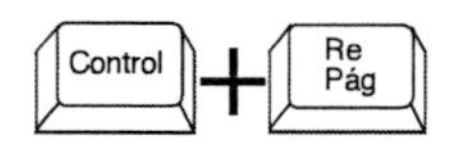

Las teclas **CONTROL + RE PAG** llevan a la hoja de cálculo anterior dentro del libro actual.

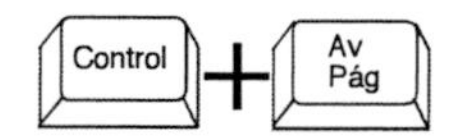

Las teclas **CONTROL + AV PAG** llevan a la siguiente hoja de cálculo dentro del libro actual.

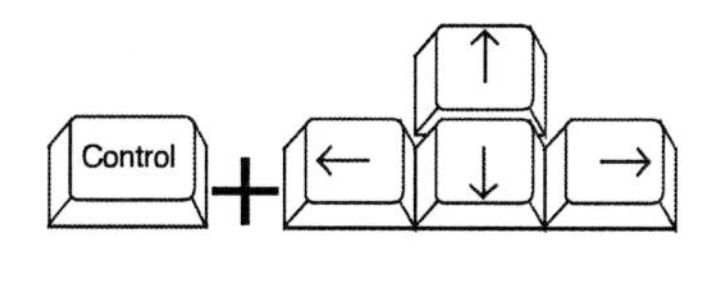

Las teclas **CONTROL + CURSORES** (o también **FIN** seguida de los **CURSORES**) llevan entre regiones de la hoja de cálculo. Las regiones son grupos de datos situados en celdas contiguas (tanto vertical como horizontalmente). Si existe alguna celda vacía (aunque solo sea una) entre dos grupos de celdas con datos, se considerará que cada grupo es una región. Se utiliza la tecla **FIN** para pasar de una región a otra. Al pulsar la tecla **FIN** y, después de soltarla, pulsar una tecla del cursor, se avanzará a la siguiente región de la hoja siguiendo la dirección que tenga la tecla del cursor elegida. Si no existe ninguna región que alcanzar, **Excel** le depositará al final de la hoja siguiendo la misma dirección.

o también

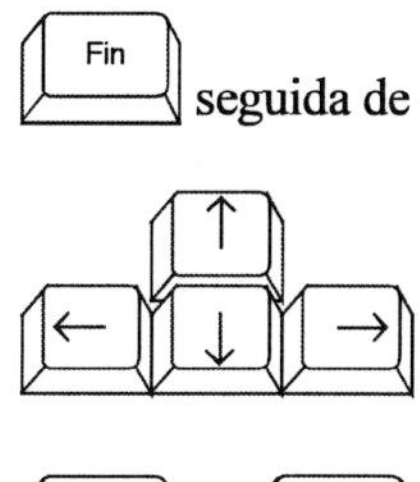

seguida de

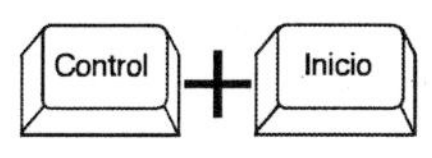

Las teclas **CONTROL + INICIO** nos llevan al principio de la hoja de cálculo (celda **A1**).

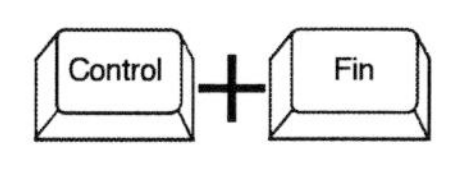

Las teclas **CONTROL + FIN** nos llevan al final de la hoja de cálculo. Para ello, se desplazará hasta situarse en la última columna y fila que posean datos.

Existe otro modo de situarse en una celda concreta, pero para ello no se utilizan teclas de movimiento. Si se pulsa la tecla **F5** o si se pulsa el botón **Buscar y seleccionar** del grupo **Modificar** de la pestaña **Inicio** en la cinta de opciones, se nos preguntará el lugar exacto de la hoja al que deseamos ir:

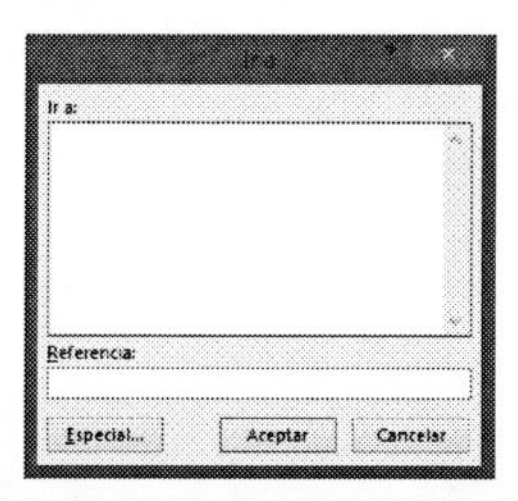

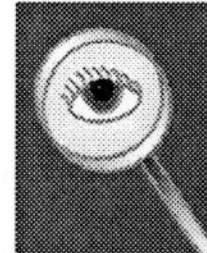

Como veremos más adelante, las celdas se nombran mediante la letra de la columna y el número de la fila, como en el juego de los barquitos.

1. Utilice el cuadro de texto **Referencia** para **indicar la dirección de la celda a la que desea desplazarse** (por ejemplo, **D6**). Pueden usarse los nombres de las hojas del libro de trabajo para acceder a celdas que se encuentren en esa hoja (por ejemplo, *Hoja3!B7*). Se estudiará esto con mayor detalle más adelante.

2. Cuando haya utilizado este cuadro de diálogo varias veces, en la lista **Ir a**, aparecerán las direcciones de las últimas celdas a las que se ha desplazado utilizando este método.

Capítulo 1

BÁSICO EN EXCEL

En este capítulo se van a exponer cuestiones elementales como qué tipos de datos podemos asignar a las celdas de una hoja de cálculo y conceptos usuales en **Excel**.

1.1 DATOS CON EXCEL

Los datos que pueden manejarse con **Excel**, así como con la mayor parte de las hojas de cálculo, podrían clasificarse fundamentalmente en dos tipos: **datos de texto** y **datos numéricos**.

Los **datos de texto** son, evidentemente, pequeños mensajes o datos textuales que se asignan a las celdas de una hoja de cálculo. Normalmente, se utilizan como rótulo para algún gráfico matemático, como títulos, o bien, para especificar datos de forma concreta utilizando nombres que los definan.

Para escribir **datos de texto**, bastará con situarse en la celda deseada y comenzar a escribir el dato. En principio, los **datos de texto** aparecen alineados a la izquierda de la celda; sin embargo, como veremos más adelante, podremos emplazarlos de otro modo.

He aquí algunos ejemplos de **datos de texto**:

- Mayo
- Sr. Alonso
- Total de meses
- Avda. del Río Jalón, nº 133

Los **datos numéricos** hacen referencia a números sencillos escritos en las celdas adecuadas. Sobre estos números se construyen los datos más complejos de la hoja de cálculo. Podremos realizar funciones más complejas utilizando como base los **datos numéricos simples**. Así pues, tendremos la posibilidad de crear fórmulas y utilizar funciones de **Excel** empleando para ello los **datos numéricos**.

Para escribir en la hoja de cálculo un dato numérico simple, basta con situarse en la celda deseada y teclear directamente el número que se desea emplear. Algunos ejemplos de **datos numéricos** simples son:

- 9
- 1200
- 350 Pts.
- 30%
- 1,25E+11 (=1,25 x 10^{11})

1.2 OPERADORES

El caso de los **datos numéricos** más complejos consiste en crear fórmulas basándose en la aritmética tradicional. Para ello, utilizaremos los siguientes operadores aritméticos:

+	para sumas. Ejemplo.: *5+825*	/	para divisiones. Ejemplo: *30/3*
-	para restas. Ejemplo.: *67-3*	^	para potencias. Ejemplo: *5^2*
*	para multiplicaciones. Ejemplo.: *5*10*	()	paréntesis: para agrupar operaciones. Ejemplo: *(6+8)/C2*

Toda fórmula en **Excel**, sea del tipo que sea, debe ir precedida del signo igual (=). Por ello, si desea comprobar alguno de los ejemplos que acabamos de exponer, comience por teclear ese carácter y, sin separación alguna, el resto de la fórmula.

Siempre que necesite eliminar un dato de una celda, haga clic sobre ella y pulse la tecla **SUPR**.

1.3 REFERENCIAS

Las fórmulas pueden contener, aparte de **datos numéricos simples**, referencias a datos de otras celdas.

Las hojas de cálculo se forman mediante datos distribuidos en filas y columnas:

1. Las filas están numeradas desde la primera (la número 1) hasta la última (la 1.048.576).

2. Las columnas se nombran mediante letras siguiendo el orden alfabético de éstas. Al llegar a la columna Z se recomienza el recuento mediante dos letras (AA, AB, AC, etc.), siguiendo un sistema similar al de las matrículas de los automóviles. En **Excel**, la primera columna es la A y la última es la XFD.

En definitiva, para localizar un dato en una celda se utiliza su número de fila y su letra de columna. En el ejemplo junto al margen, el dato *Mensaje* se encuentra en la celda **B5**.

Dentro de una hoja de cálculo, puede conocer rápidamente la celda en que se encuentra viéndolo en el **Cuadro de nombres** situado en la barra de fórmulas:

Las hojas de cálculo de **Excel** se agrupan en libros. La forma de acceder a una hoja dentro del libro es mediante su etiqueta, que aparece en forma de pestaña en la parte inferior de la ventana de **Excel**:

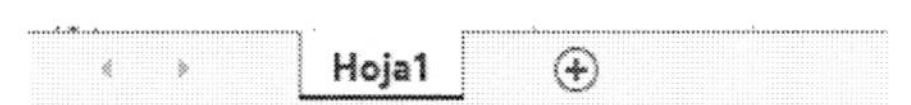

Como puede observarse, **Excel** nombra cada página del libro con el identificador *Hoja* seguido de un número de orden.

Veamos un ejemplo de trabajo con referencias:

Obsérvese que en la barra de fórmulas aparece el dato *=B2+4^C3*, que utilizará el dato contenido en **B2** (15) para sumárselo a 4 elevado a 2 (dato que aparece en **C3**). El resultado de la fórmula aparece en la celda **B5**. Observe, por otra parte, que si teclea paréntesis en la fórmula anterior el resultado variará ofreciendo un resultado diferente, ya que en ese caso **Excel** suma primero **B2** y 4 así el resultado lo eleva al cuadrado:

= *(B2+4)^2* da como resultado `361`

Si una fórmula calcula un resultado grande, es posible que la cifra que se obtenga ocupe más espacio del que quepa en la columna. En ese caso, **Excel** suele ofrecer un dato con muchas almohadillas:

########

Lo único que necesitará será ampliar la anchura de la columna hasta que el número entre dentro sin problemas. Puede ampliar una columna haciendo clic **entre sus letras** (por ejemplo, entre las letras de las columnas A y B) y, sin soltar el botón del ratón, arrastrando a la izquierda o la derecha según necesite.

1.3.1 Referencias a datos de otras hojas

Cuando se desea **utilizar una fórmula en la que hay un dato de otra hoja**, es necesario teclear el nombre de esa hoja para referirse al dato (se denomina **vincular** datos de otras hojas). Se escribe dicho nombre seguido del signo de exclamación cerrado (!) y la referencia de la celda. Por ejemplo, si se ha de multiplicar por dos el dato que hay en la celda **C7** de la *Hoja3* (suponiendo que el resultado deba aparecer en otra hoja), la forma correcta de hacerlo sería:

```
=Hoja3!C7*2
```

1.4 EDICIÓN DE CELDAS

Si una celda contiene un **dato que se desea modificar**, bastará con situarse en la celda correspondiente y rescribir el dato completo para sustituir al antiguo.

Sin embargo, puede resultar pesado en el caso de que sólo sea necesario variar mínimamente el dato antiguo para que quede escrito correctamente. Si esta es la situación, se puede situar en la celda y pulsar la tecla **F2** (o hacer doble clic en ella) lo que permitirá modificar su contenido sin tener que escribirlo de nuevo completamente.

Cuando se está tecleando, el cuadro de texto de edición en la ventana de **Excel** presenta un aspecto como este: SUMA ▾ ⋮ ✕ ✓ fx =B2+4^C3 .

1. La lista desplegable SUMA ▾ (**Cuadro de nombres**) despliega una lista de nombres o funciones que se pueden añadir a la celda o emplearse para acceder a su posición.

2. El botón ✕ (**Cancelar**) se emplea para anular la introducción o modificación del dato que se ha estado escribiendo en la celda.

3. El botón ✓ (**Introducir**) aceptará el dato que se haya estado escribiendo en la celda, añadiéndolo a la hoja de cálculo activa

4. El botón fx (**Insertar función**) permite añadir una función de **Excel**.

1.5 LIBROS DE TRABAJO

Un libro de trabajo reúne varias hojas de cálculo en un solo documento. Cuando guardamos un documento de **Excel** en el disco, realmente almacenamos un libro de trabajo completo.

La distribución de páginas (y los botones para buscarlas) puede verse en la parte inferior de la ventana de **Excel**.

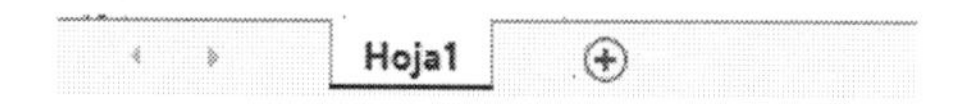

Como hemos dicho, **Excel** nombra las hojas como *Hoja1*, *Hoja2*, etc. Pero existen cuatro botones y una barra de desplazamiento a su misma altura para poder moverse entre las páginas. Si sabe que hay más hojas de las que se ven a primera vista, podrá ver el resto utilizando los botones ◂ (para pasar a la hoja anterior del libro) y ▸ (para pasar a la hoja posterior del libro).

Se podrá acceder a una hoja del libro haciendo clic en la **pestaña de su etiqueta**. Si no se puede ver la etiqueta de la hoja a la que se desea acceder, se emplean los botones anteriores.

Existen dos posibilidades si se ha de seleccionar **varias hojas**:

1. Si las hojas que se van a seleccionar están contiguas se hace clic en la **pestaña de la primera** y, manteniendo pulsada la tecla de **MAYÚSCULAS**, se hace otro clic en la **pestaña de la última**. Todas las hojas intermedias, incluyendo la primera y la última, quedarán seleccionadas:

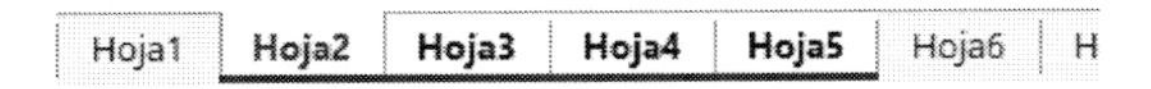

2. Pulsando la tecla **CONTROL** y haciendo varios clics en **las pestañas** de las hojas que se desea seleccionar.

Hoja1 | Hoja2 | Hoja3 | Hoja4 | Hoja5 | Hoja6 | H

1.6 BLOQUES DE CELDAS (RANGOS)

Existe un modo de referirse a un grupo de celdas contiguas, siempre y cuando formen un rectángulo de celdas. Para ello, se utiliza la referencia de dos de ellas: la **superior izquierda** y la **inferior derecha** del grupo.

Para referirse al grupo (**rango**) de celdas basta con escribir la primera, seguida de dos puntos (:) y, a continuación, escribir la segunda.

	A	B	C	D	E
1					
2					
3		Enero	2010	1	
4		Febrero	2011	2	
5		Marzo	2012	3	
6		Abril	2013	4	
7		Mayo	2014	5	
8					

En este ejemplo, puede apreciarse un rango de celdas ocupadas con datos. El rango comenzaría por la celda cuya referencia es **B3** (que contiene el dato *Enero*) y terminaría en **D7** (que contiene el dato *5*). Para referirse a este rango se indicaría *B3:D7*.

Como se verá más adelante, los rangos pueden recibir un nombre para que no sea necesario especificar sus referencias constantemente.

Los rangos se utilizan fundamentalmente en las funciones, ya que, en muchas de éstas, debe indicarse un rango de celdas que será el grupo de datos que utilice la función.

1.7 EJERCICIOS

1.7.1 Creación de una hoja de cálculo

Vamos a comenzar por escribir una sencilla hoja de cálculo para practicar el manejo básico de **Excel**. La hoja deberá contener lo siguiente:

	A	B	C	D	E	F
1	GASTOS					
2		Sr. López	Sr. Gómez	Sr. Pérez	Sr. García	Sr. González
3	Enero	1000	800	900	2000	3000
4	Febrero	1100	1000	1000	1900	2800
5	Marzo	1200	1200	1100	1800	2600
6	Abril	1300	1400	1200	1700	2400
7	Mayo	1400	1600	1300	1600	2200
8	Junio	1500	1800	1400	1500	2000
9	Julio	1600	2000	1500	1400	1800
10	Agosto	1700	2200	1600	1300	1600
11	Septiembre	1800	2400	1700	1200	1400
12	Octubre	1900	2600	1800	1100	1200
13	Noviembre	2000	2800	1900	1000	1000
14	Diciembre	2100	3000	2000	900	800

Cuando termine, archívela en el disco con el nombre *Gastos*.

1.7.2 Operaciones básicas

1. Abra el libro *Gastos* que diseñó en el ejercicio anterior. En él vamos a sumar los datos por columnas.

2. He aquí un ejemplo de la primera columna, referida a los datos del *Sr. López*. En la celda **B15**, teclee lo siguiente:

   `=B3+B4+B5+B6+B7+B8+B9+B10+B11+B12+B13+B14`

   Este método resulta pesado para sumar, pero **Excel** ofrece mejores posibilidades que veremos posteriormente. En este caso, el ejercicio tiene como objeto que se acostumbre a hacer fórmulas.

3. En **A15** teclee el texto *Total empleado*.

4. Realice la media aritmética de los datos de cada columna. He aquí un ejemplo de la primera columna, referida a los datos del *Sr. López*. En la celda **B16**, teclee lo siguiente:

   `=B15/12`

5. Observe que aprovechamos el dato que ya está sumado en la celda **B15** para no tener que sumar de nuevo.

6. En **A16** teclee el texto *Media empleado*.

7. Repita los cálculos para cada columna de la hoja que contiene datos.

1.7.3 Vincular datos de otras hojas

1. Abra un nuevo libro de trabajo.

2. Añada respectivamente los datos *2* y *3* en las celdas **A1** y **A2**.

	A
1	2
2	3
3	
4	

3. En la celda **A3** sume los dos datos anteriores (haciendo una fórmula que realice la operación, ya que si se limita a escribir el dato ya sumado no obtendrá el resultado correcto al final del ejercicio).

	A
1	2
2	3
3	5
4	

4. Acceda a la *Hoja2*.

5. En cualquier celda escriba el dato *=Hoja1!A3*, para que la suma que hizo antes se copie en la *Hoja2*.

6. Vuelva a la *Hoja1* y cambie cualquiera de los datos de la suma. El resultado variará tanto en la *Hoja1* como en la *2*.

Capítulo 2

ARCHIVOS Y DOCUMENTOS CON EXCEL

En este capítulo vamos a estudiar cómo trabajar con una hoja de cálculo completa de **Excel**. Las tareas que vamos a contemplar son:

1. **La creación de nuevas hojas de cálculo.**
2. **Opciones al archivar.**
3. **Ver previamente los datos antes de imprimirlos.**
4. **Imprimir la hoja de cálculo.**

2.1 CERRAR Y CREAR LIBROS DE TRABAJO

Si desea **abandonar su hoja de cálculo** actual sin salir de **Excel**, puede cerrarla. Para ello, basta con seleccionar la opción **Cerrar** del menú que ofrece la pestaña **Archivo** o cerrar la ventana como lo hacemos habitualmente con cualquiera.

Si el documento en cuestión fue modificado, **Excel** le preguntará si desea grabar esas modificaciones antes de cerrarlo tal y como describimos en el apartado *Archivar libros de trabajo*.

2.1.1 Nuevos libros de trabajo

Para **acceder a un nuevo libro de trabajo vacío**, hemos de utilizar la pestaña **Archivo** situado en la parte superior izquierda de **Excel** y seleccionar la opción **Nuevo**, aparecerá la siguiente ventana:

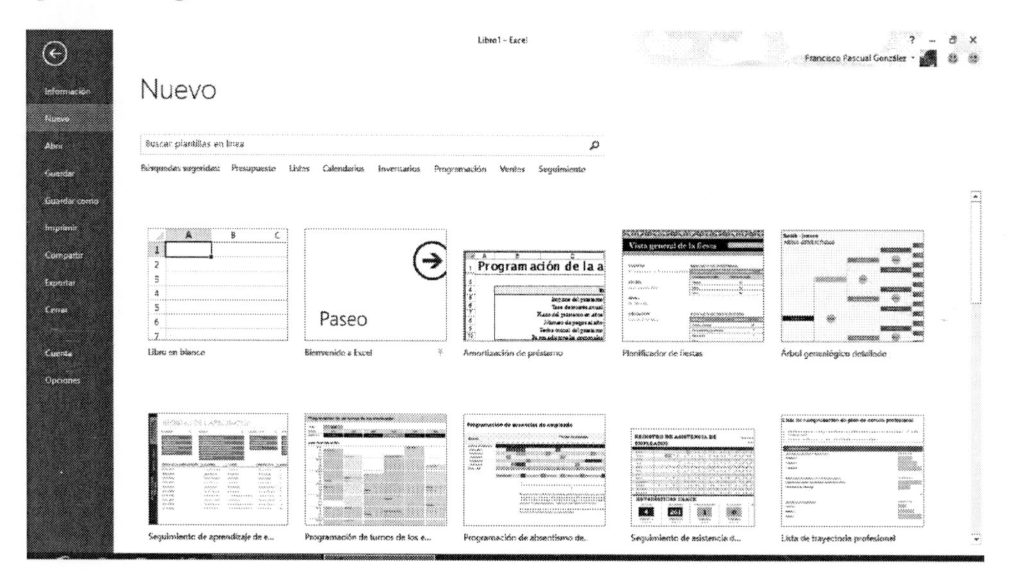

1. Si se va a tratar de una hoja vacía, se hace clic en **Libro en blanco**.

2. Si se va a crear un documento de un tipo específico, se pueden utilizar plantillas. Se trata de documentos que ya contienen cierta información que se podrá completar con nuevos datos. Por ejemplo, existen plantillas diseñadas para asistir en la creación de Presupuestos, Calendarios Ventas, etc. Se hace clic en **uno de esos enlaces** y **Excel** descarga varios modelos de Internet para que podamos seleccionar uno haciendo clic en él.

2.2 INSERTAR Y ELIMINAR HOJAS DE CÁLCULO EN UN LIBRO

Dentro de un libro, existe la posibilidad de **añadir una hoja de cálculo** pulsando el botón **Insertar** que se encuentra en el grupo **Celdas** de la pestaña **Inicio** en la cinta de opciones. Esta función inserta la hoja de cálculo entremedias de otras. Si se encuentra en la *Hoja3* en el momento de utilizarla, la nueva hoja la sustituirá desplazando la misma *Hoja3* y las posteriores hacia posiciones subsiguientes. Por tanto, antes de insertar una hoja de cálculo deberá hacer clic en **la etiqueta de otra** donde quedará añadida la nueva.

Por otra parte, si desea **eliminar una hoja del libro** a pesar de que ésta contenga datos, puede hacerlo pulsando el botón **Eliminar** que se encuentra localizado en el mismo lugar que el anterior. Al hacerlo, la hoja en la que se encuentre en ese instante desaparecerá y el hueco que deja será ocupado por las hojas posteriores, que se adelantan una posición.

Si desea **eliminar varias hojas**, puede hacerlo siguiendo este mismo método, pero deberá seleccionar primero todas aquellas **hojas del libro que desee eliminar**; aunque **Excel** pedirá, por precaución, que confirme el borrado mediante un cuadro de diálogo:

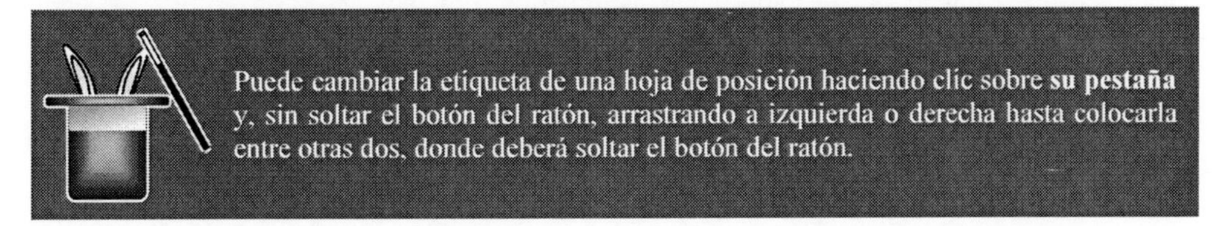

2.3 ARCHIVAR Y ABRIR DOCUMENTOS

Excel permite **almacenar en disco la información** que se desarrolla con él. De este modo, podremos grabar libros de trabajo para abrirlos posteriormente y continuar trabajando con ellos.

2.3.1 Abrir documentos

Para **abrir un documento** se selecciona la opción **Abrir** de la pestaña **Archivo**. El sistema despliega la ficha en la que se establecen los datos del documento que deseamos abrir:

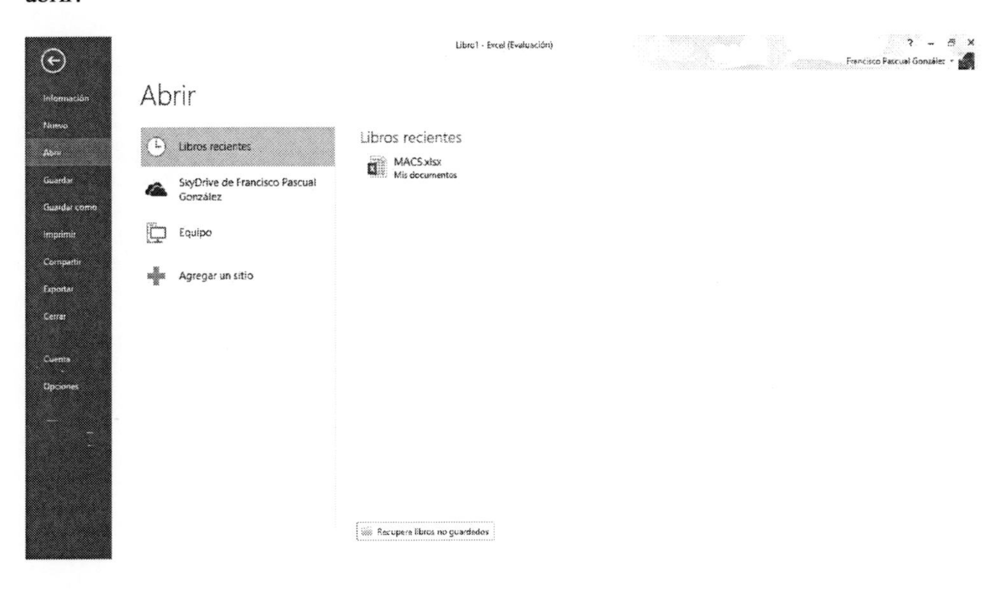

Como se puede apreciar, se ofrecen dos columnas para localizar el documento que se desea abrir. En la columna izquierda se pueden accionar diferentes modos de encontrar el documento, mientras que la derecha ofrece el contenido que haya en el lugar seleccionado en la izquierda.

1. **Libros recientes** es una opción que varía según el programa que estemos empleando. Así, en **Word** la opción se llama "**Documentos recientes**" y en **PowerPoint** "**Presentaciones recientes**". En cualquier caso, al ser seleccionada, ofrece una lista de aquellos documentos con los que hayamos trabajado últimamente. Por probabilidad, esos son los que más posibilidades tienen de ser empleados de nuevo y de ahí que tengan un apartado propio.

2. **SkyDrive de...** permite acceder a documentos que estén almacenados en el servicio **SkyDrive** de **Microsoft**. Se trata de espacio disponible para los usuarios en el que pueden alojar sus documentos en la nube, de modo que estén disponibles en cualquier parte sin tener que llevar una copia guardada en el disco de su ordenador. De este modo, en cualquier parte que haya conexión a Internet, esos documentos estarán disponibles.

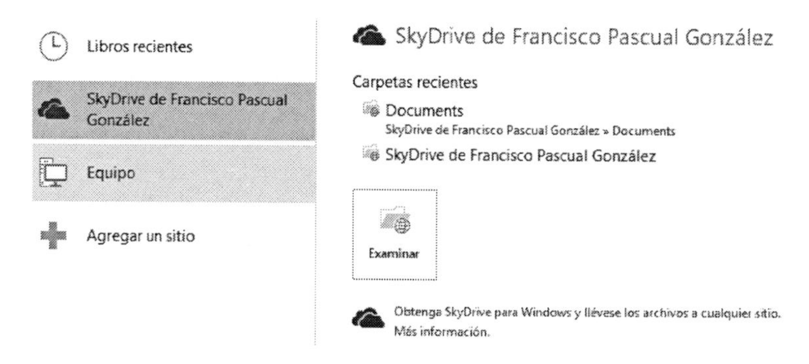

3. **Equipo** es la opción más tradicional. Muestra las diferentes carpetas del equipo en las que se suelen almacenar documentos de uso común, así como un botón **Examinar** para localizar documentos en cualquier otra carpeta o disco.

Abrir

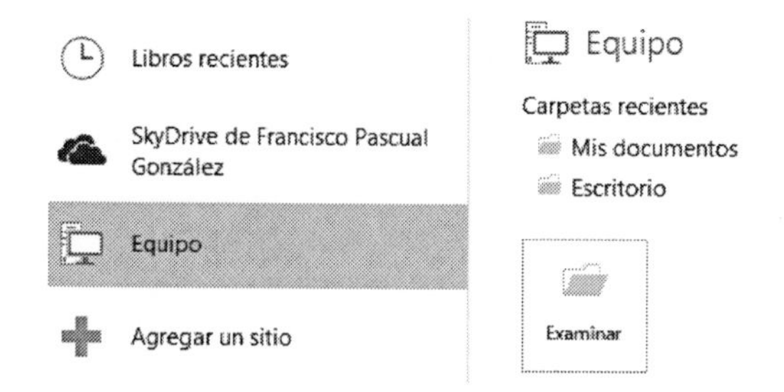

4. **Agregar un sitio**. Permite añadir otras posibles localizaciones de documentos.

Cuando se opta por **Equipo**, sus opciones llevan a un cuadro de diálogo como el siguiente:

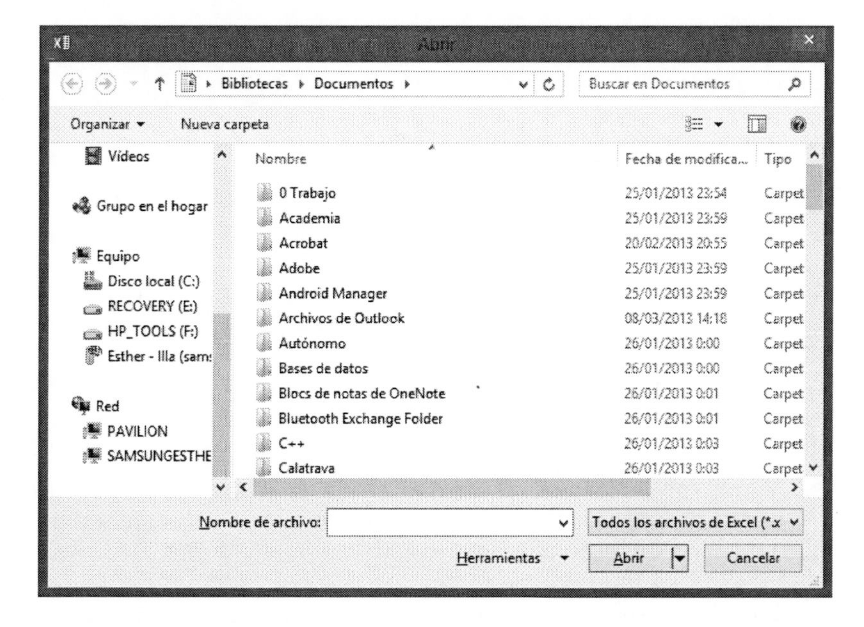

5. Se utiliza el panel izquierdo para **indicar la situación actual del documento**. Gracias a esta lista podremos elegir la unidad de disco o carpeta en que se encuentra el documento. Al hacerlo se mostrarán los archivos y carpetas encontrados ahí. Las carpetas puede distinguirlas porque aparecen junto al icono . En las carpetas puede hacerse un doble clic para acceder a su interior y ver, a su vez, los archivos y carpetas que haya en ella.

6. Puede utilizarse cualquier nombre de la lista para **abrir el documento**. Para ello, haga clic sobre **el archivo deseado**. Recuerde que si el elemento que seleccione tiene el icono , no está seleccionando un documento sino **una carpeta**.

7. Si no se utiliza ningún nombre de la lista, deberá utilizarse **Nombre de archivo** para escribir el nombre del documento que se desea abrir. En este caso, puede desplegarse la lista para obtener los últimos nombres de documentos archivados. De este modo, si se desea abrir uno de esos documentos, bastará con elegirlo en la lista.

8. Se puede **indicar el formato** en que está grabado el documento si se utiliza el botón Todos los documentos de W. En la lista aparecen los nombres de otros programas cuyo formato es soportado por el programa (documentos diseñados con versiones anteriores del programa o con otros sistemas como **WordPerfect**, **Lotus 1-2-3**, **dBase**, etc.).

9. Una vez seleccionados esos **datos** se emplea el botón Abrir para mostrar el documento y manipularlo (añadirle datos, modificarlos, borrarlos, etc.). El botón se puede desplegar y ofrecerá varias funciones extra, que difieren dependiendo del programa que se esté manejando. Por ejemplo, en la figura junto al margen puede ver las de **Word**:

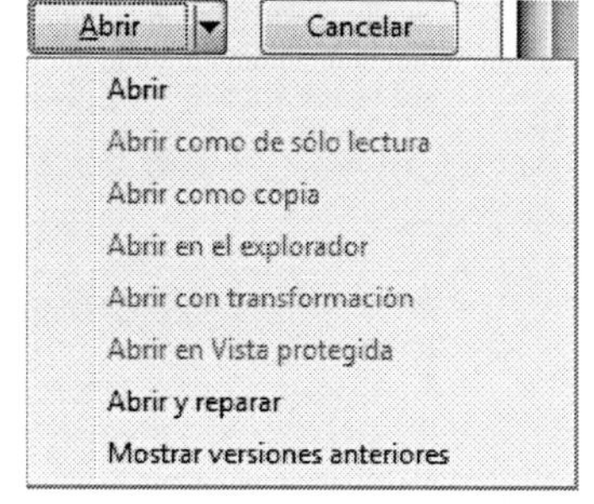

- **Abrir**: únicamente abre el documento.
- **Abrir como de sólo lectura**: abre el documento pero sin permitir grabar los cambios que hagamos en él (aunque sí podremos grabarlo con otro nombre).
- **Abrir como copia**: hace una copia del documento y la abre de modo que podremos modificar su información sin alterar el archivo original.
- **Abrir en el explorador**: se emplea únicamente con textos **HTML**, ya que abre el documento en **Internet Explorer**.
- **Abrir con transformación** permite abrir un documento **XML** que tenga transformaciones **XSL** sin emplear aquellas que no utilice. Esta función sólo está disponible al abrir un archivo **XSL**.
- **Abrir en Vista protegida** permite abrir el documento sin permitir modificarlo inicialmente, si bien, el sistema ofrece un botón en la parte superior que posibilita las modificaciones: Habilitar edición.
- **Abrir y reparar**: se emplea para abrir un documento reparando, dentro de lo posible, los errores que contenga.
- **Mostrar versiones anteriores** trata de localizar copias previas del mismo documento para abrirlas y realizar modificaciones o consultas en ellas.

Otra posibilidad más es la de seleccionar **más de un documento para abrirlo**:

1. Una de las formas de seleccionar **varios archivos** es hacer varios clics con el ratón sobre algunos textos manteniendo pulsada la tecla **CONTROL** (o **CTRL**).

2. Puede realizarse de una segunda forma si **los textos** que se van a seleccionar aparecen contiguos en la lista. En este caso, se selecciona **el primero que se desea utilizar** y, con la tecla de **MAYÚSCULAS** pulsada, se selecciona también **el último**. Quedarán seleccionados automáticamente todos los que se encuentren entre ambos (incluidos).

3. La tercera forma de seleccionar **varios archivos** consiste en emplear el ratón. Haga clic sobre **cualquier parte vacía de la lista** y, sin soltar el botón del ratón, arrastre abarcando tantos documentos como desee abrir.

2.3.2 Opciones de Abrir

Recuerde que cualquier programa de **Office** ofrece, al desplegar la pestaña **Archivo**, la opción **Abrir** que muestra los últimos documentos que haya empleado en el programa. Puede elegir cualquiera de ellos para abrirlo de nuevo fácilmente.

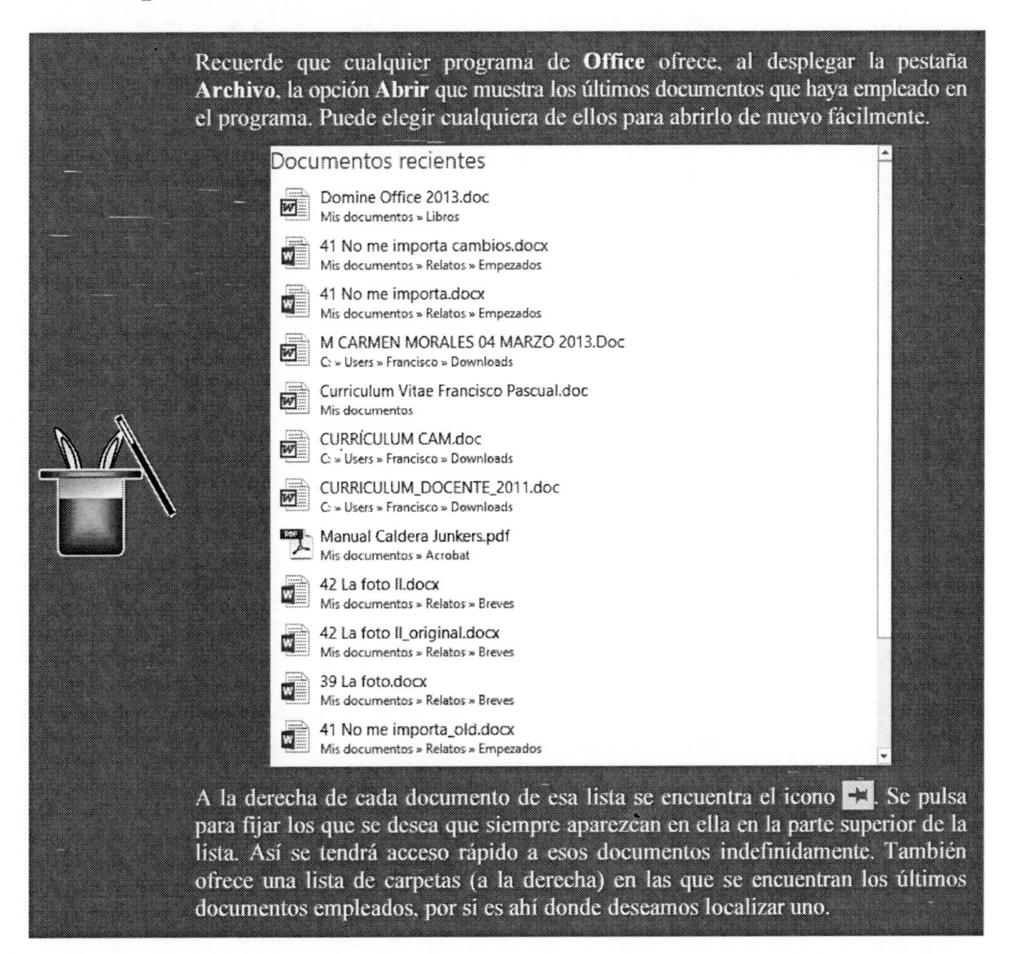

A la derecha de cada documento de esa lista se encuentra el icono . Se pulsa para fijar los que se desea que siempre aparezcan en ella en la parte superior de la lista. Así se tendrá acceso rápido a esos documentos indefinidamente. También ofrece una lista de carpetas (a la derecha) en las que se encuentran los últimos documentos empleados, por si es ahí donde deseamos localizar uno.

En el mismo cuadro de diálogo anterior hay otras funciones disponibles para esta operación:

1. El botón Organizar ▾ (sólo con **Windows 7** y **Vista**) despliega **varias funciones útiles** como crear carpetas, borrar archivos, cambiar su nombre, etc.

2. Puede emplearse el cuadro Buscar en Mis documentos para **localizar fácil y rápidamente un archivo** si conoce su nombre. Sólo hay que teclearlo ahí e incluso es innecesario pulsar la tecla **INTRO** (la búsqueda se realizará en la carpeta en que se encuentre y en las que haya dentro de ella).

2.3.3 Archivar documentos

Con **Excel**, se puede **almacenar cualquiera de sus documentos en disco** con el objetivo de poder abrir posteriormente un documento determinado y modificarlo, sustituyendo parte de su contenido, añadiendo nueva información o borrándola. Para ello se pulsan las teclas **CONTROL + G**, se utiliza el botón de la **Barra de herramientas de acceso rápido** o se activa la opción **Guardar** de la pestaña **Archivo**. Esto lleva a un cuadro de diálogo como el siguiente:

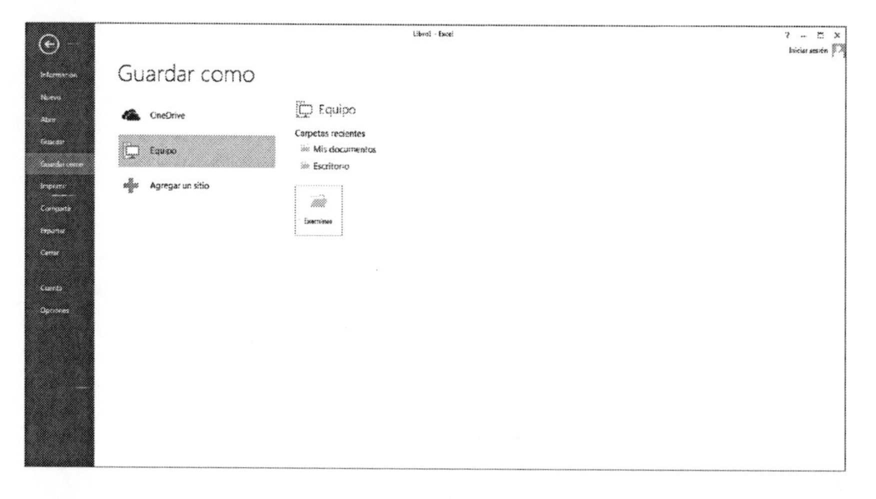

Al igual que a la hora de abrir un documento se ofrecen varias posibilidades para guardarlo.

1. Se puede **guardar en la nube**, optando por las alternativas relativas a **SkyDrive**. Por ejemplo, si elegimos **SkyDrive de...** obtenemos un cuadro de diálogo para guardar el documento en el servidor remoto al que tendremos acceso desde cualquier equipo que tenga conexión a Internet y **Microsoft Office** (o posterior) **2013** instalado. En la siguiente figura que ofrecemos como ejemplo, observe que la ruta para almacenar el documento comienza por **https**, es decir, el protocolo seguro de hipertexto que permitirá almacenar el documento en la nube de forma protegida.

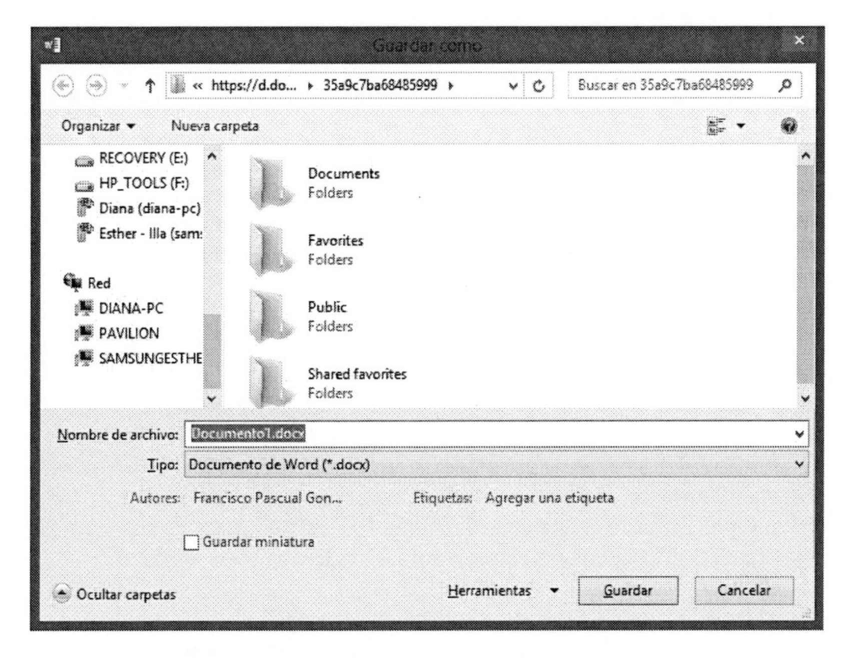

2. Se puede **guardar en nuestro Equipo**, seleccionando la **opción que lleva ese nombre**. Para ello obtendremos una lista con las carpetas recientemente utilizadas (para guardar el documento haciendo clic en una de ellas) y el botón **Examinar** para acceder al cuadro de diálogo tradicional de guardar documentos:

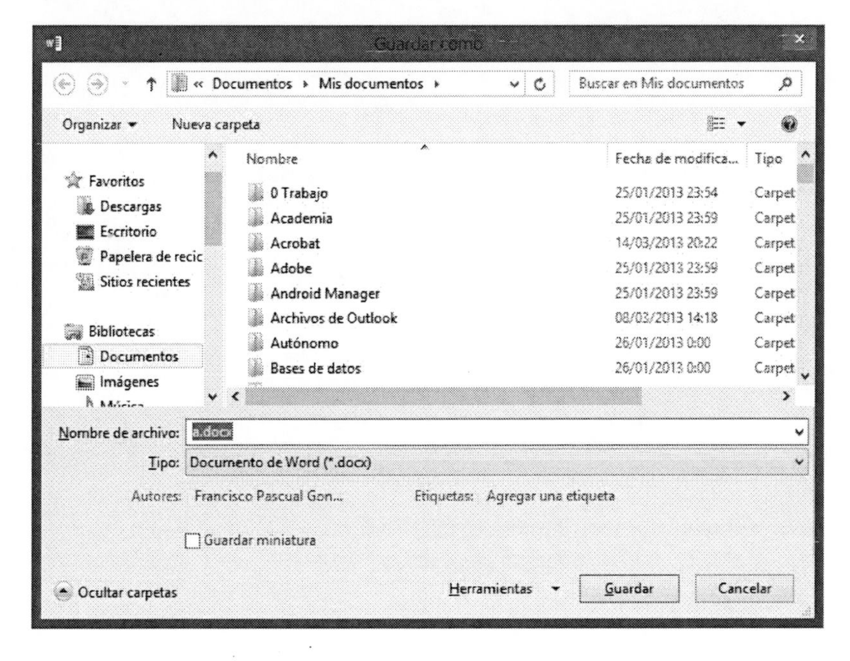

3. Se puede optar por **Agregar un sitio** para especificar más localizaciones en las que guardar el documento.

En cuanto al **manejo del cuadro de diálogo**:

1. Si no es la primera vez que se archiva el documento, no es necesario hacer nada más: el documento se almacenará en el disco con el nombre que tuviera asignado la primera vez que se grabó (de hecho, ni siquiera aparecerá el cuadro de diálogo).

2. Si es la primera vez que se archiva, hay que asignarle un nombre. Para ello, puede utilizarse cualquiera de la lista para grabar el documento, pero si se hace así, el contenido del que ya estuviese grabado con ese nombre se perderá y en su lugar obtendrá el que vaya a grabar ahora. Si no se utiliza ningún nombre de la lista, se emplea el elemento **Nombre de archivo** para teclear el nombre del documento. Al tratarse de una lista, puede desplegarse para obtener los últimos nombres de documentos archivados. Así, si desea utilizar uno de esos nombres para almacenar el documento actual, bastará con elegirlo en la lista.

3. Se puede **indicar el formato** en que se almacenará el documento si se utiliza la lista **Tipo**. En la lista aparecen los nombres de otros programas cuyo formato es soportado por **Excel**, por ejemplo, **Hoja de cálculo Open XML**.

4. Para **elegir la unidad de disco** o la **carpeta especial** en la que se quiere almacenar el archivo se ha de desplegar la lista que en nuestro ejemplo se muestra como « Documentos ▸ Mis documentos ▸, o bien, las diferentes opciones del panel izquierdo de la ventana.

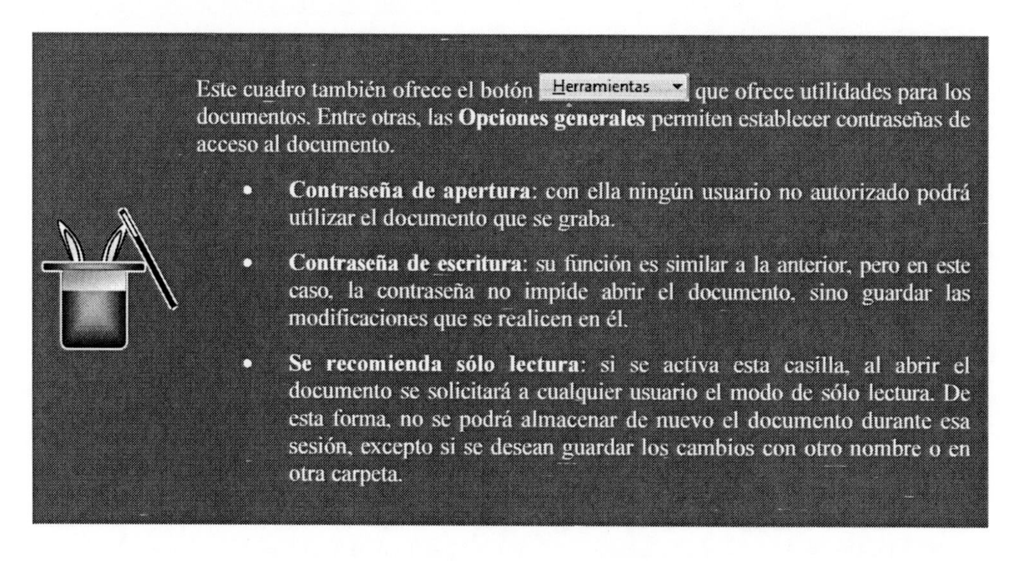

Este cuadro también ofrece el botón Herramientas que ofrece utilidades para los documentos. Entre otras, las **Opciones generales** permiten establecer contraseñas de acceso al documento.

- **Contraseña de apertura**: con ella ningún usuario no autorizado podrá utilizar el documento que se graba.
- **Contraseña de escritura**: su función es similar a la anterior, pero en este caso, la contraseña no impide abrir el documento, sino guardar las modificaciones que se realicen en él.
- **Se recomienda sólo lectura**: si se activa esta casilla, al abrir el documento se solicitará a cualquier usuario el modo de sólo lectura. De esta forma, no se podrá almacenar de nuevo el documento durante esa sesión, excepto si se desean guardar los cambios con otro nombre o en otra carpeta.

5. Una vez señalado todo lo necesario, bastará con pulsar el botón Guardar para que se almacene el documento en el disco.

Existe otra modalidad de almacenamiento del documento en el disco que ofrecen los programas integrantes de **Office** en la pestaña **Archivo**. Se trata de la opción **Guardar como**, que puede utilizarse cuando se desea **almacenar un documento con alguna variación** respecto al modo en que se estaba grabando hasta ahora (por ejemplo, grabarlo con un nombre distinto).

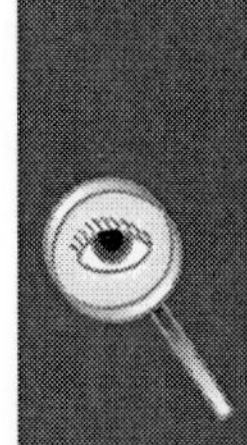

A excepción de **Access** el documento que se va escribiendo se guarda cada 10 minutos automáticamente. De ese modo, si se produce un error que fuerce al programa a terminar o nos quedamos sin suministro eléctrico inesperadamente, sabemos que como máximo hemos perdido los últimos 10 minutos de trabajo. Sin embargo, esta función se puede desactivar así como alterar la cantidad de minutos que han de transcurrir para que el sistema guarde el documento. En ciertos documentos largos, no resulta muy interesante tener que esperar una gran cantidad de tiempo a que se guarde el documento constantemente.

Para trabajar esta función se accede a la pestaña **Archivo** y se selecciona **Opciones**. En el cuadro de diálogo que se obtiene se accede a la categoría **Guardar** y encontramos la casilla **Guardar información de Autorrecuperación cada** que nos permite activarla o desactivarla así como un cuadro de texto junto a ella en el que podemos establecer los minutos que deseemos.

2.4 PLANTILLAS

Cuando se va a **emplear un mismo documento varias veces** con ligeras variaciones suele resultar muy práctico crear **una plantilla**. Así al abrir un nuevo documento basado en esa plantilla únicamente necesitaremos modificar los cambios para terminar el nuevo documento sin tener que crearlo todo de nuevo. Imagine, por ejemplo, una factura. La factura siempre tiene la misma estructura y sólo varían los datos que añadamos sobre aquellos productos que nos compran. En este caso podríamos crear una plantilla de una factura vacía y grabarla como plantilla, de modo que, cuando fuésemos a rellenar una factura abriríamos un nuevo documento basado en esa plantilla y sólo tendríamos que rellenar con los datos de los productos que nos vayan a comprar.

Para crear una plantilla tendremos que empezar por diseñarla, es decir, tendremos que crear ese documento con la estructura básica (en nuestro ejemplo, la factura vacía). Luego, accederemos a la pestaña **Archivo** y seleccionaremos **Guardar** como si fuésemos a grabar el documento en el disco. En el cuadro de diálogo que obtenemos manejamos sus elementos como vimos en el apartado anterior: sin embargo, desplegaremos la lista **Tipo** y seleccionaremos **Plantilla de Word** (o **Plantilla de Excel**, etc.). De este modo el nombre que le demos al documento quedará como un archivo de plantilla en el disco.

A partir de entonces, cuando vayamos a crear un documento similar al de la plantilla (en nuestro ejemplo, una factura), en lugar de utilizar la opción **Abrir** de la pestaña **Archivo**, seleccionaremos **Nuevo** en ese mismo menú. Se obtiene un cuadro de diálogo en el que se elige la categoría de plantillas (en su panel izquierdo) y el modelo de plantilla (en el panel central más grande):

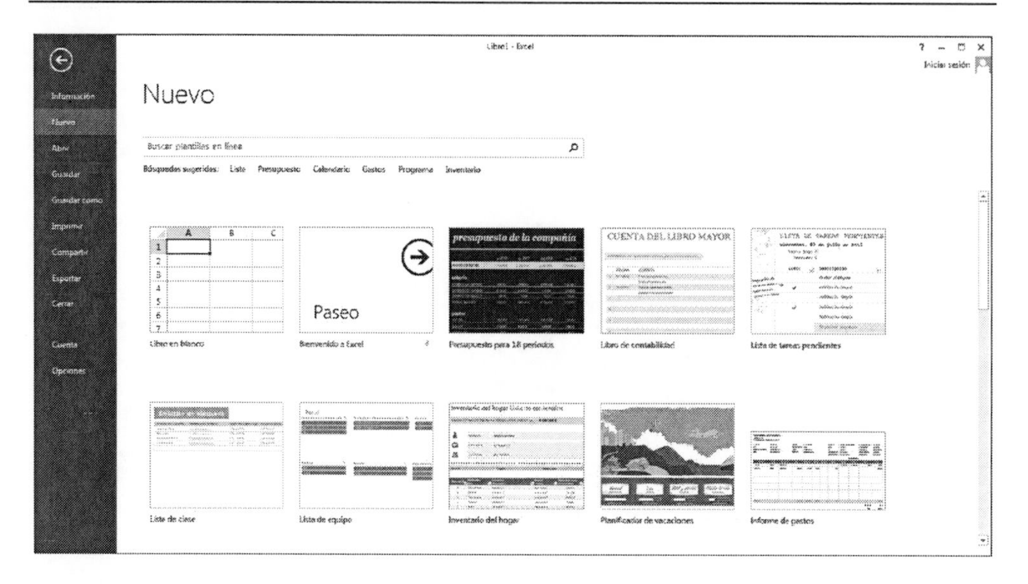

2.5 VISTA PRELIMINAR

Se puede saber **cómo aparecerá impresa una hoja de cálculo** (o parte de ella) antes de pasarla a imprimir. Para ello, se accede a la pestaña **Archivo**, se hace clic en su opción **Imprimir**. La parte derecha de la ventana mostrará el documento a imprimir:

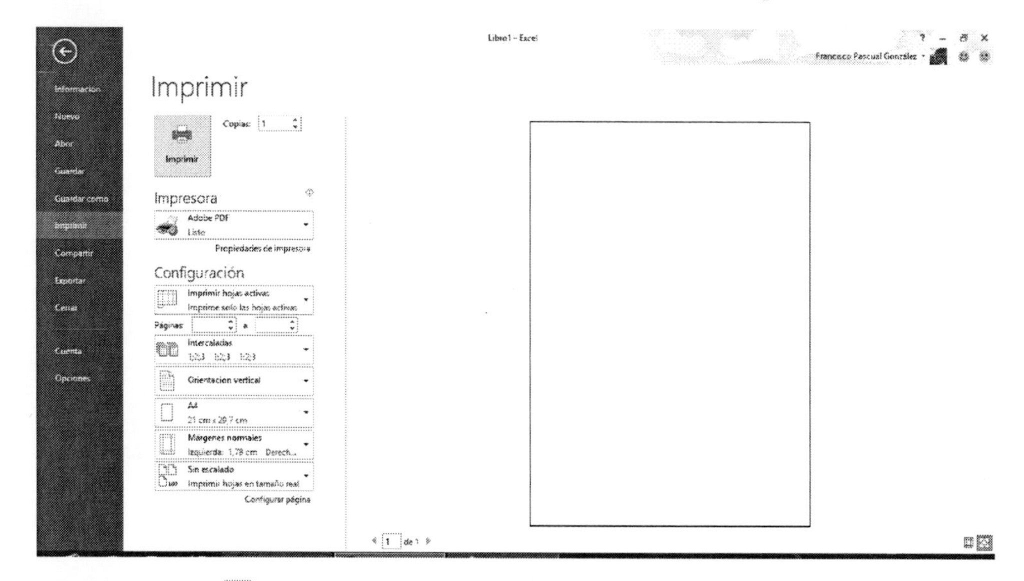

1. El botón ▶ **muestra la siguiente hoja** del libro de trabajo que será impreso. Sólo estará disponible si hay varias páginas y no nos encontramos en la última.

2. El botón ◀ **muestra la hoja anterior** del libro de trabajo que será impreso. Este botón sólo estará disponible si hay varias páginas y no nos encontramos en la primera.

3. El botón (**Toda la página**) en la esquina inferior derecha **aumenta o disminuye el tamaño** de la muestra para una mejor percepción de los detalles de la hoja.

4. El botón (**Mostrar márgenes**) **muestra las líneas de los márgenes y de los tamaños de encabezados y pies de la hoja**. Al estar activas estas líneas, pueden modificarse sus distancias fácilmente con el ratón. Sitúese con él sobre la línea que desea desplazar, pulse el botón izquierdo del ratón y arrastre.

5. Puede hacer clic en **la pestaña de otra pestaña** de la cinta de opciones o pulsar la tecla **Escape (ESC)** para volver al documento.

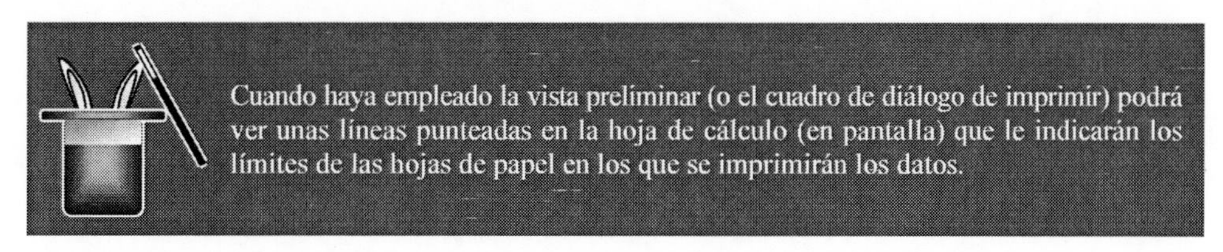

2.6 IMPRESIÓN DE DOCUMENTOS

Pasemos a ver todas las funciones que ofrece **Excel** para imprimir. Se pulsan las teclas **CONTROL + P**, o bien se selecciona la opción **Imprimir** de la pestaña **Archivo**. La citada pestaña se divide en dos paneles: uno acabamos de describirlo para la vista preliminar, y el otro (el izquierdo) contiene los elementos para controlar la impresión. Es a este último panel al que dedicamos este apartado.

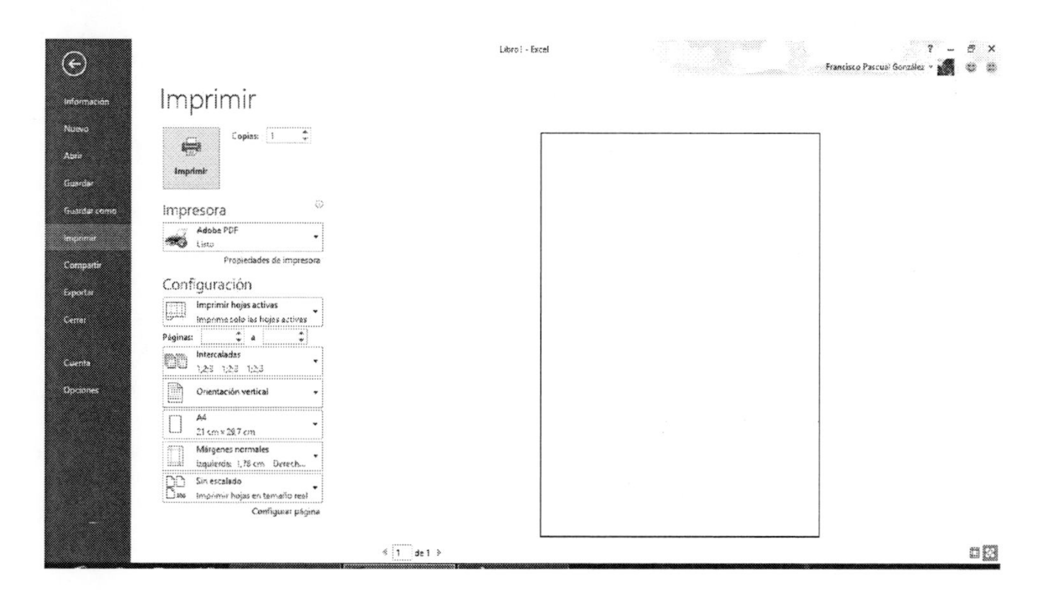

1. Con el cuadro de texto **Copias** se puede **especificar el número de ejemplares** que se desean imprimir.

2. Si se dispone de varias impresoras o si la que se tiene es compatible con otras, puede **indicarse con cuál se desea imprimir** las hojas de cálculo. En el grupo **Impresora** aparece el nombre de la que utilizará **Excel**, si no se elige otra, para reproducir los resultados. Para seleccionar otra despliegue su lista. Al hacerlo, aparecerá una relación con las impresoras instaladas, lo que significa que se podrá utilizar cualquiera de ellas para imprimir. Justo debajo, puede ver el enlace **Propiedades de impresora**, para modificar el modo en que ésta imprimirá (mayor o menor calidad, color o escala de grises, etc.).

3. La lista desplegable que aparece como **Imprimir hojas activas** permite **seleccionar qué parte del libro se va a imprimir**: **Imprimir todo el libro** imprime la totalidad del libro de trabajo, **Imprimir hojas activas** imprime sólo aquellas hojas del libro que hayamos seleccionado previamente e **Imprimir selección** únicamente imprime aquellas celdas de la hoja de cálculo que se seleccionen previamente.

4. Con los cuadros de texto de **Páginas** se puede indicar **qué parte del libro se va a imprimir** en cuanto a sus páginas.

5. El vínculo **Configurar página** lleva al cuadro de diálogo de **configurar página**. Consulte el apartado "*Formato de filas, de columnas y de hojas*" del capítulo 5: "*Formatos*".

6. El botón **Imprimir** inicia el proceso de escritura de la impresora.

Capítulo 3

TRABAJO CON BLOQUES DE CELDAS

Excel permite seleccionar **celdas de las hojas del libro de trabajo** y operar con ellas. Con estos bloques de celdas se pueden realizar varias acciones.

3.1 SELECCIÓN DE CELDAS

Para seleccionar **un rango de celdas** tenemos varias posibilidades:

1. Manteniendo pulsada la tecla de **MAYÚSCULAS**, emplear las teclas de los **CURSORES** (flechas). Al hacerlo, el bloque se irá marcando en la pantalla, como veremos claramente. También pueden emplearse, manteniendo pulsada la tecla de **MAYÚSCULAS**, todas las teclas de desplazamientos por las celdas.

2. El **bloque puede marcarse también con el ratón** llevando su puntero a una celda cualquiera, haciendo clic allí y, sin dejar de pulsar el botón, arrastrar el ratón hasta llevar el puntero al final del rango deseado. Una vez allí, y al liberar el botón del ratón, el bloque queda marcado para lo que se desee.

3. Se puede **seleccionar una columna completa** haciendo clic **sobre su cabecera** (A, B, C, etc.). Si se trata de varias columnas, se hace clic y, sin soltar el botón del ratón, se arrastra a la izquierda o la derecha hasta seleccionar **las columnas**. Esto mismo se puede hacer con las teclas **CONTROL + BARRA ESPACIADORA**.

4. Se puede **seleccionar una fila completa** haciendo clic **sobre su cabecera** (1, 2, 3, etc.). Si se trata de varias filas, se hace clic y, sin soltar el botón del ratón, se arrastra hacia arriba o hacia abajo hasta seleccionar **las filas**. Esto mismo se puede hacer con las teclas **MAYÚSCULAS + BARRA ESPACIADORA**.

5. Se pueden **seleccionar varias celdas**, **filas** o **columnas** que estén separadas manteniendo pulsada la tecla de **CONTROL** y haciendo varios clics en los lugares clave: celdas sueltas, varios bloques de celdas (haciendo el clic y arrastrando), columnas, filas, etc.

6. Se puede **seleccionar toda una hoja de cálculo** haciendo clic **en el botón** donde se cruzan los encabezados de las filas y las columnas.

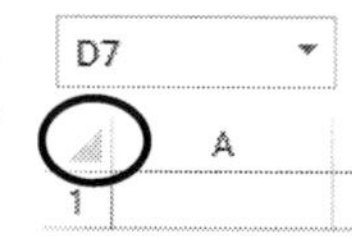

Después de haber marcado las celdas (lo veremos en pantalla porque cambian de color), hemos de pulsar una nueva combinación de teclas, o bien, activar alguna opción del menú para elegir la acción que se va a realizar en las celdas seleccionadas.

3.2 MOVER BLOQUE (CORTAR)

Para **mover un bloque** se emplean las teclas **CONTROL + X**, que marca la información memorizándola en el portapapeles. A continuación, hemos de movernos a la parte de la hoja (o de otra aplicación) a la que deseamos llevar esos datos y utilizar las teclas **CONTROL + V**.

Existe un modo más rápido para mover un rango. Una vez que se hayan seleccionado **las celdas**, bastará con situar el puntero del ratón sobre cualquiera de los bordes que forman el bloque, hacer un clic y arrastrarlo hasta el lugar deseado. El rango de celdas será depositado en el punto donde liberemos el botón del ratón. Este método resulta muy práctico si el lugar al que vamos a llevar las celdas está cerca del sitio original.

3.3 COPIAR BLOQUE

Una vez seleccionado **el bloque**, hemos de utilizar las teclas **CONTROL + C**, para copiar el rango en el portapapeles. De nuevo nos situaremos en la parte del documento en la que deseamos que aparezca el rango copiado y pulsaremos **CONTROL + V**. Si se trata de copiar el dato en varias celdas de la hoja, seleccione ese **bloque de celdas** antes de pulsar las teclas **CONTROL + V**.

Existe un modo más rápido para copiar un rango. Una vez que se hayan seleccionado **las celdas**, bastará con situar el puntero del ratón sobre cualquiera de los bordes que forman el bloque, pulsar la tecla **CONTROL** y, a continuación, hacer un clic arrastrándolo hasta el lugar deseado. Allí liberaremos el botón del ratón y el rango de celdas se copiará en ese punto. Este método resulta muy práctico si el lugar al que vamos a copiar las celdas está cerca del sitio original.

3.4 BORRAR BLOQUE

Esta función **elimina el bloque de texto marcado**. Para ello, hemos de pulsar la tecla **SUPR** una vez que hayamos seleccionado **el grupo de celdas que se va a borrar**.

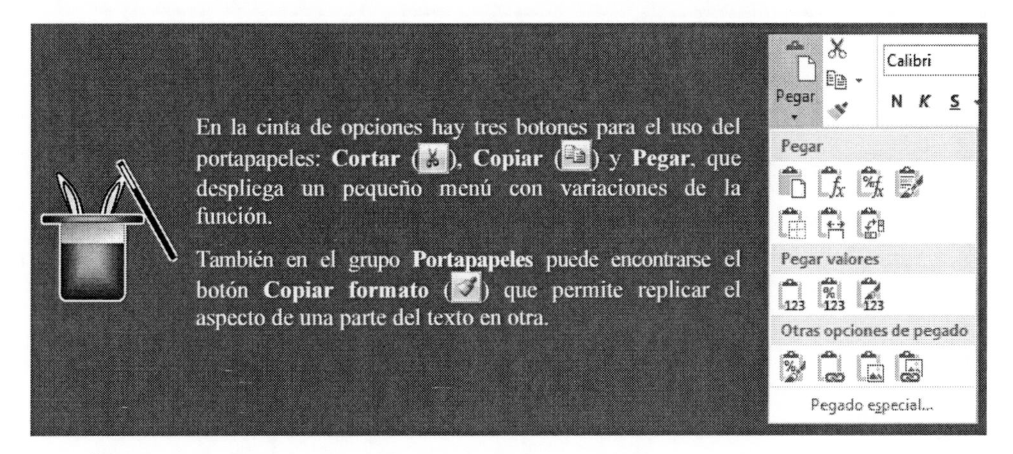

3.5 COPIAR FÓRMULAS

Cuando una hoja tiene fórmulas en sus celdas, pueden copiarse como cualquier otro dato. Resulta muy útil cuando una misma fórmula se va a aplicar a varias columnas o filas.

	A	B	C	D	E	F
1				GASTOS		
2		Sr. López	Sr. Gómez	Sr. Pérez	Sr. García	Sr. González
3	Enero	1.000	800	900	2.000	3.000
4	Febrero	1.100	1.000	1.000	1.900	2.800
5	Marzo	1.200	1.200	1.100	1.800	2.600
6	Abril	1.300	1.400	1.200	1.700	2.400
7	Mayo	1.400	1.600	1.300	1.600	2.200
8	Junio	1.500	1.800	1.400	1.500	2.000
9		**7.500**	**7.800**	**6.900**	**10.500**	**15.000**

Una misma fórmula para varias columnas (la suma de los valores)

Sólo es necesario completar la primera fórmula, copiarla y pegarla en las celdas contiguas. Así, se copia la primera celda que contiene la fórmula:

	A	B	C	D	E	F
1				GASTOS		
2		Sr. López	Sr. Gómez	Sr. Pérez	Sr. García	Sr. González
3	Enero	1.000	800	900	2.000	3.000
4	Febrero	1.100	1.000	1.000	1.900	2.800
5	Marzo	1.200	1.200	1.100	1.800	2.600
6	Abril	1.300	1.400	1.200	1.700	2.400
7	Mayo	1.400	1.600	1.300	1.600	2.200
8	Junio	1.500	1.800	1.400	1.500	2.000
9		7.500				

Y se pega en las siguientes, seleccionándolas primero:

	A	B	C	D	E	F
1				GASTOS		
2		Sr. López	Sr. Gómez	Sr. Pérez	Sr. García	Sr. González
3	Enero	1.000	800	900	2.000	3.000
4	Febrero	1.100	1.000	1.000	1.900	2.800
5	Marzo	1.200	1.200	1.100	1.800	2.600
6	Abril	1.300	1.400	1.200	1.700	2.400
7	Mayo	1.400	1.600	1.300	1.600	2.200
8	Junio	1.500	1.800	1.400	1.500	2.000
9		7.500	7.800	6.900	10.500	15.000

3.6 REFERENCIAS RELATIVAS, ABSOLUTAS Y MIXTAS

El sistema de **copiado de fórmulas** funciona dado que, cuando se pegan, **Excel** comprueba en qué dirección se hace para cambiar las referencias de la fórmula adecuadamente. Estas referencias que cambian cuando se copia la fórmula se denominan relativas. Sin embargo, existen casos en los que sería interesante que **Excel** no modifique la referencia de alguna parte de la fórmula o en todas las referencias de la misma.

Cuando esto es necesario se emplean referencias absolutas que llevan como distintivo el símbolo $ (dólar) en cada uno de los componentes de la referencia. Por ejemplo, la referencia relativa **B5** se transforma en absoluta añadiéndole dicho símbolo a la **B** y al **5**: **B5**. Cada símbolo $ representa una parte de la referencia que quedará fija cuando se copie.

Por lo tanto, cuando una fórmula tiene la referencia de una celda escrita de esta forma y es copiada en otras celdas, no cambia. Resulta útil cuando parte de la fórmula depende de un valor solitario escrito en una celda aislada, puesto que en el momento de copiar la fórmula en otras celdas, dicho valor se encuentra solo y no repetido en las celdas contiguas.

Por último, también puede **fijarse únicamente una de las coordenadas** de la referencia de una celda. Se lleva a cabo añadiendo el símbolo $ sólo en una sola de dichas coordenadas: **$B5 o B$5**. La finalidad es copiar fórmulas de forma que sólo una parte de la coordenada varíe y la otra quede fija al copiar la fórmula.

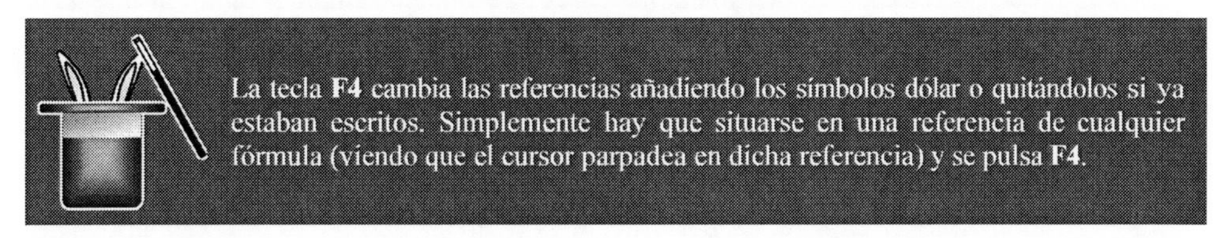

La tecla **F4** cambia las referencias añadiendo los símbolos dólar o quitándolos si ya estaban escritos. Simplemente hay que situarse en una referencia de cualquier fórmula (viendo que el cursor parpadea en dicha referencia) y se pulsa **F4**.

3.7 NOMBRES PARA BLOQUES DE CELDAS

A un grupo de celdas (incluso a una sola) se le puede **asignar un nombre**. Así, podremos utilizarlo en lugar de las referencias a esas celdas.

Para realizar los trabajos relacionados con el nombre de las celdas se accede al grupo **Nombres definidos** de la pestaña **Fórmulas** en la cinta de opciones:

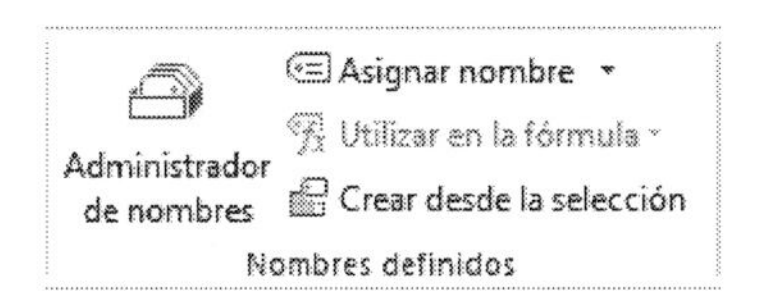

1. Con el botón **Administrador de nombres** podemos **añadir**, **modificar** y **eliminar nombres de rango**. Para ello se ofrece un cuadro de diálogo como el siguiente:

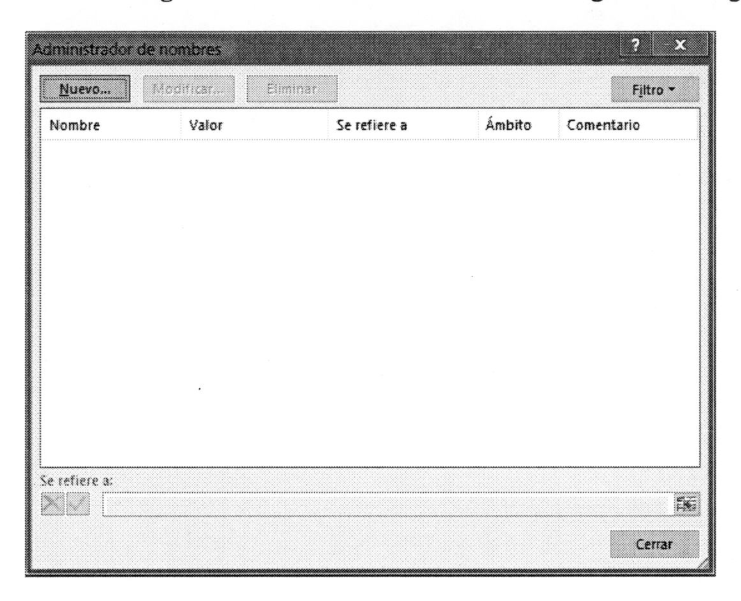

- Con el botón Nuevo... **añadimos un nombre de rango**, ayudándonos de otro sencillo cuadro (que puede verse en la figura junto al margen). En él le damos un **Nombre** al rango, establecemos a qué parte del libro va a ser aplicable (**Ámbito**), si así lo deseamos, agregamos un **Comentario** que describa los datos que abarca ese nombre y establecemos qué celdas forman el rango al que se lo damos (**Hace referencia a**).

- Con el botón Modificar... podemos **modificar el nombre del rango**. Para ello se ofrece el mismo cuadro que se ha empleado para añadir dicho nombre y lo manejamos igual para cambiar el propio nombre, o el grupo de celdas a las que hace referencia, la parte de la hoja en la que se va a poder aplicar el nombre o los comentarios que hayamos escrito para él.

- Con el botón Eliminar **eliminamos un nombre de rango**. Tenga presente que si elimina un nombre, todas las fórmulas y funciones que lo emplearan quedarán desvinculadas de los datos que empleaban para su cálculo, con lo que en ellas aparecerá el consiguiente error y habrá que corregirlo.

2. Mediante el botón Asignar nombre puede elegir **Definir nombre** para crear nuevos nombres de rango. Al seleccionar **esta opción**, se obtiene el mismo cuadro que hemos visto para esa función:

3. Con el botón Utilizar en la fórmula puede elegir **Pegar nombres** para añadir un nombre al teclear una fórmula en una celda, o bien elegir uno de esos nombres en la lista que ofrece el propio botón. Si opta por la opción **Pegar nombres**, obtendrá un cuadro de diálogo en el que deberá elegir el nombre.

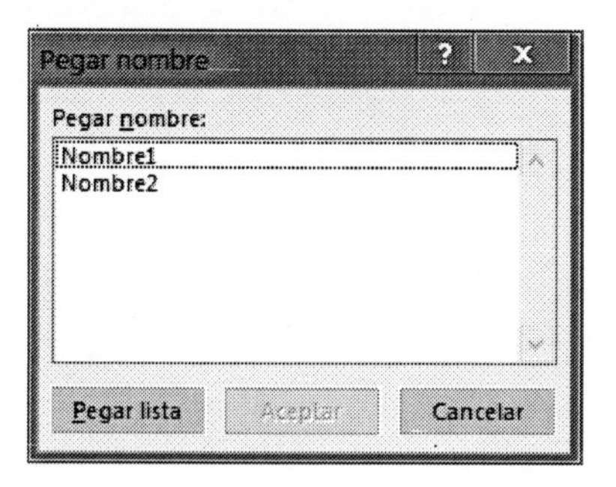

4. Con el botón Crear desde la selección se pueden **definir nuevos nombres** por columnas o filas que haya seleccionado antes. Es necesario que el bloque de celdas que seleccione tenga **datos de texto** en alguno de sus extremos (en la fila superior, en la fila inferior, en la columna derecha o en la columna izquierda), ya que esos datos serán los nombres que se asociarán a los rangos. Al utilizar esta opción, aparece un cuadro de diálogo como el que mostramos junto al margen.

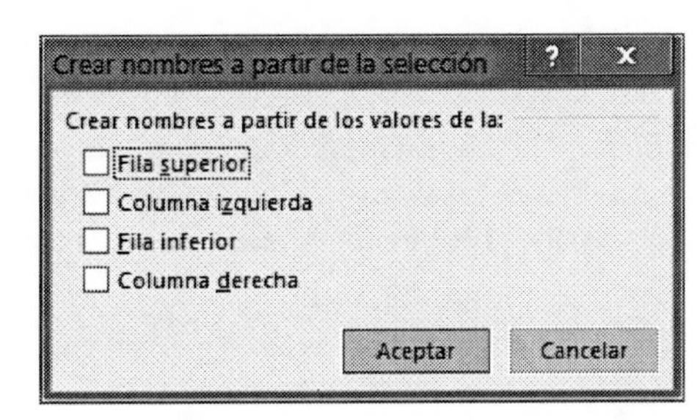

- **Fila superior** utiliza los **datos de texto** que haya en la fila superior del rango seleccionado como nuevos nombres. Cada nombre se asociará a los datos que haya inmediatamente debajo de él hasta alcanzar el final del bloque. Ejemplo:

	A	B	C	D
1				GASTOS
2		Sr. López	Sr. Gómez	Sr. Pérez
3	Enero	1.000	800	900
4	Febrero	1.100	1.000	1.000
5	Marzo	1.200	1.200	1.100
6	Abril	1.300	1.400	1.200
7	Mayo	1.400	1.600	1.300
8	Junio	1.500	1.800	1.400

- Si eligiéramos **Fila superior**, según el bloque seleccionado, obtendríamos tres nuevos nombres de bloque cuyos rangos abarcarían **B3**:**B8** para el nombre *Sr. López*, **C3**:**C8** para *Sr. Gómez* y **D3**:**D8** para *Sr. Pérez.*

- **Columna izquierda** utiliza los **datos de texto** que haya en la columna situada más a la izquierda del bloque seleccionado como nuevos nombres. Cada uno queda asociado a los datos situados inmediatamente a su derecha hasta alcanzar el final del bloque. En el ejemplo anterior, los nuevos nombres serían *Enero*, *Febrero*, *Marzo*, *Abril*, *Mayo* y *Junio*, y estarían asociados a los rangos **B3**:**D3**, **B4**:**D4**, **B5**:**D5**, **B6**:**D6**, **B7**:**D7** y **B8**:**D8**, respectivamente.

- **Fila inferior** utiliza los **datos de texto** que haya en la fila inferior del bloque seleccionado como nuevos nombres. Cada nombre se asociará a los datos situados inmediatamente encima de él hasta alcanzar el final del bloque.

- **Columna derecha** utiliza los **datos de texto** que haya en la columna de la derecha del bloque seleccionado como nuevos nombres. Cada nombre se asociará a los datos inmediatamente a su izquierda hasta alcanzar el final del bloque.

5. Según se teclea una fórmula en la que se pueda emplear un nombre, en el momento adecuado aparece una lista de posibilidades entre las que se encuentran los nombres de rango para poder aplicarlos. En ese caso, se utilizan las teclas del cursor (**flechas**) hasta llegar al nombre en cuestión y se pulsa el **TABULADOR** para que **Excel** escriba ese nombre por nosotros en la fórmula.

3.8 RELLENO AUTOMÁTICO DE DATOS

Otra posibilidad es la de **rellenar un rango de celdas automáticamente**. En primer lugar debemos establecer un valor inicial con el que comenzar el relleno y después, como hasta ahora, seleccionar el **bloque de celdas** que se va a rellenar. Por ejemplo:

	A	B	C	D
1				
2		1		
3				
4				
5				
6				
7				
8				
9				

Como podemos ver, el dato *1* aparece en la fila superior de la columna derecha del bloque marcado. Ese número será el inicial que **Excel** utilizará para el relleno. Dicho relleno podrá ser repetitivo o progresivo.

Para rellenar el rango, en la pestaña **Inicio**, en el grupo **Modificar**, despliegue el botón Rellenar y, a continuación, en **abajo**, **derecha**, **arriba** o **izquierda**.

- Hacia abajo
- Hacia la derecha
- Hacia arriba
- Hacia la izquierda
- Otras hojas...
- Series...
- Justificar
- Relleno rápido

1. Todas las opciones de este menú que comienzan por la palabra **Hacia**, **rellenan repetitivamente el rango** repitiendo el dato inicial que hayamos escrito y siguiendo la dirección que indica la propia opción (**abajo**, **derecha**, **arriba** e **izquierda**). Si en el ejemplo que hemos puesto activásemos la opción **Hacia abajo**, la columna **C** de la hoja de cálculo se rellenaría de unos hasta completar el bloque. Así:

	A	B	C	D
1				
2		1		
3		1		
4		1		
5		1		
6		1		
7		1		
8		1		
9				

2. La opción **Otras hojas** permite **rellenar las celdas de varias hojas** en el mismo rango seleccionado. Para ello, es necesario seleccionar previamente las **hojas del libro de trabajo** a las que vamos a copiar los rangos. Recuerde que esto se hace pulsando la tecla **CONTROL** (o de **MAYÚSCULAS**) y, sin soltarla, pulsar el botón izquierdo del ratón sobre la hoja que desea añadir a la selección. Una vez que haya activado la opción **Otras hojas**, aparecerá un cuadro de diálogo como el que puede verse en la anterior figura junto al margen.

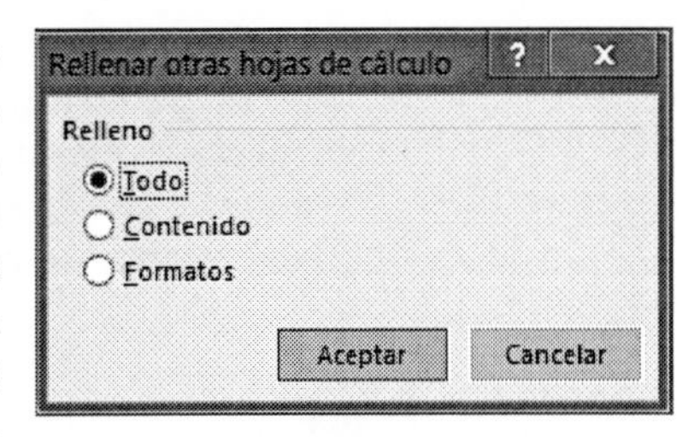

   Como se puede ver, es posible copiar **Todo**, sólo el **Contenido** de las celdas, o sus **Formatos** (de esto último hablaremos en el capítulo 5 *Formatos*.

3. Otra posibilidad es **rellenar el rango en forma de progresión**, es decir, no duplicar el dato sino crear un listado de datos correlativos. Para ello, elija la opción **Series** en el menú que hemos expuesto anteriormente y obtendrá lo siguiente:

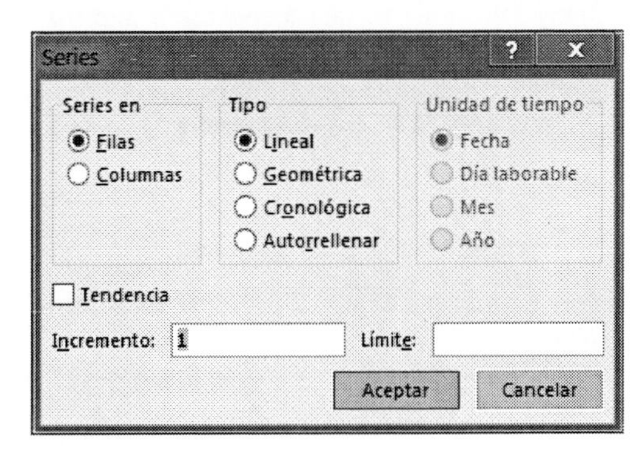

- Utilice el grupo **Series en** para **especificar** si lo rellenará siguiendo, por orden, las **Filas** o las **Columnas**.

- Utilice **Incremento** para **especificar el salto de progresión** entre una cifra y la siguiente; por ejemplo, el incremento en la lista 2, 4, 6, 8, 10 es 2.

- Con **Límite** puede **indicar el número máximo** que ha de alcanzarse. **Excel** ignorará el resto de las celdas seleccionadas una vez alcance este límite.

- El grupo **Tipo** le permite establecer **cómo será la progresión**:

  a) **Lineal**. Crea una **progresión aritmética** en la que el incremento se suma al anterior valor. Por ejemplo, si el incremento es 2 y comenzamos en el 1, obtendremos como resultado 1, 3, 5, 7, 9, etc. (de dos en dos).

  b) **Geométrica**. Crea una **progresión geométrica** en la que el incremento se multiplica al anterior valor. Por ejemplo, si el incremento es 2 y comenzamos en el 1, obtendremos 1, 2, 4, 8, 16, 32, etc. (cada cifra dobla a la anterior).

c) **Cronológica**. Crea una **progresión de fechas** que se eligen en el grupo **Unidad de tiempo**: **Fecha** crea un listado de fechas normal (**Excel** conoce en qué número de día termina cada mes incluidos los años bisiestos), **Día laborable** crea el listado sin mostrar los fines de semana (**Excel** no conoce las fiestas entre semana), **Mes** por meses y **Año** por años.

Fecha	Día Laborable	Mes	Año
31/05/2001	31/05/2001	31/05/2001	31/05/2001
01/06/2001	01/06/2001	30/06/2001	31/05/2002
02/06/2001	04/06/2001	31/07/2001	31/05/2003
03/06/2001	05/06/2001	31/08/2001	31/05/2004
04/06/2001	06/06/2001	30/09/2001	31/05/2005
05/06/2001	07/06/2001	31/10/2001	31/05/2006

d) **Autorrellenar**. Crea una **progresión automática** con datos que no son numéricos ni de fecha (fechas con números). Inicialmente, **Excel** permite crear listas de este tipo con meses del año y días de la semana, aunque podremos crear más listas nosotros. Veremos esto enseguida.

Antes de rellenar

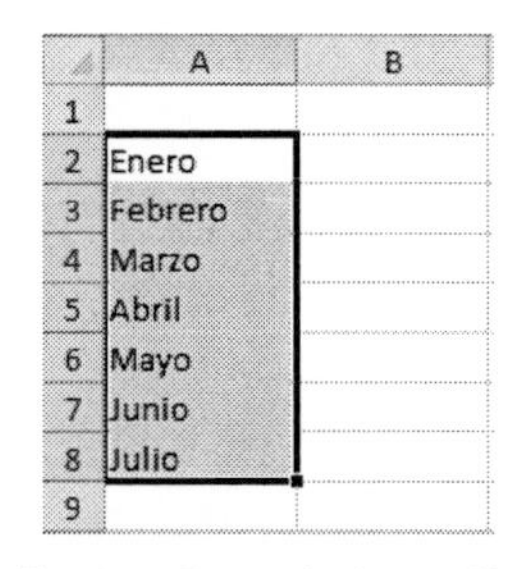

Relleno con la opción Autorrellenar

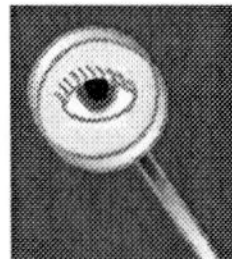

Cuando se selecciona el tipo **Autorrellenar** no disponemos de **Incremento** ni de **Límite**.

4. La última opción del menú anterior, **Justificar**, **reparte en varias celdas el texto** que no cabe en una. Si escribimos un texto y se sobrepasa el tamaño de la celda, se puede seleccionar esta y activar la función. Al hacerlo, **Excel** divide el texto tantas veces como sea necesario, consiguiendo que quepa en celdas distintas sin que cada parte sobrepase el tamaño de la columna. **Excel** puede realizar el trabajo sin seleccionar un bloque de celdas antes de la justificación, pero es conveniente elegir primero el rango en cuya celda superior deberá estar el texto que se va a justificar.

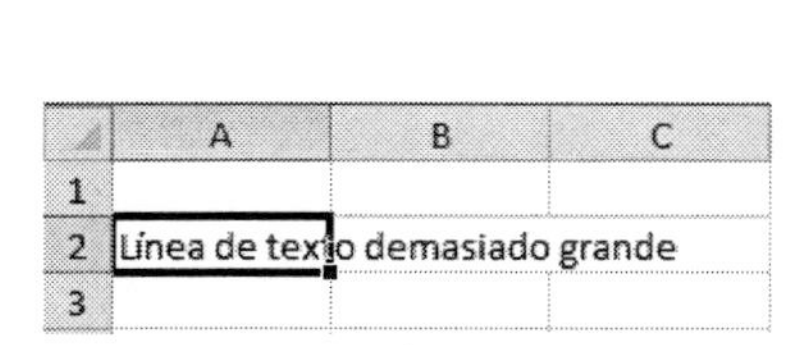

Antes de la justificación

Después de la justificación

3.8.1 Listas para Autorrellenar

Como hemos visto, el tipo **Autorrellenar** permite **generar listados de datos** que no son números ni fechas numéricas, concretamente, con los meses del año y con los días de la semana. Sin embargo, podemos crear nuestras propias listas que utilicemos con frecuencia, de forma que nos ahorremos tiempo debido a que no necesitaremos escribir todos los datos de esa lista, puesto que la función **Autorrellenar** lo hará por nosotros.

Para **crear una lista**, se accede a la pestaña **Archivo**, se selecciona **Opciones** y, a continuación, en la categoría **Avanzadas** se localiza el apartado **General**, donde se pulsa el botón Modificar listas personalizadas... . Aparecerá un nuevo cuadro de diálogo en el que podemos ver las listas que ya tenemos definidas:

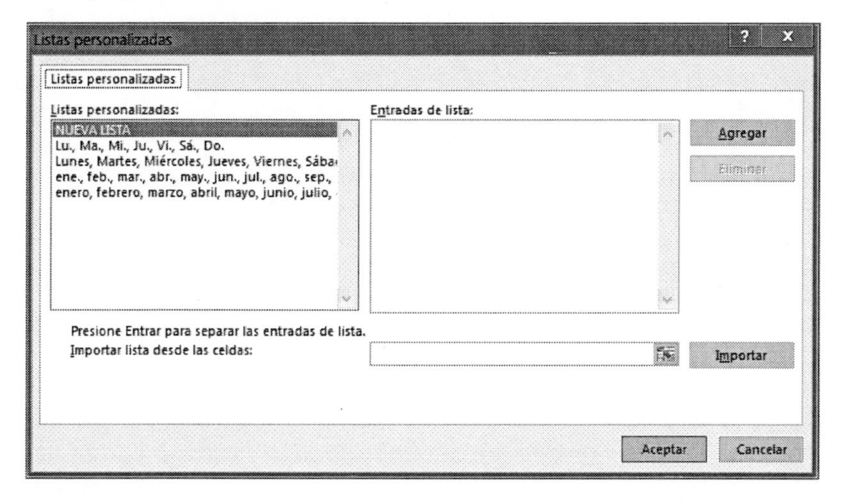

Para **crear una nueva** se hace clic en **Entradas de la lista** y se teclean los elementos que compongan la lista, en el orden adecuado, pulsando **INTRO** entre un elemento y el siguiente (por ejemplo, los números en letra: *UNO, DOS, TRES, CUATRO*, etc.). Después se pulsa el botón Agregar, y la lista ya estará terminada. A partir de entonces, se puede teclear el primer elemento de esa lista en una celda (en nuestro ejemplo, el *UNO*) y utilizar la función **Autorrellenar** para que se encargue de escribir el resto de los elementos.

Si desea **eliminar una lista**, haga clic sobre ella con el ratón (dentro del cuadro **Listas personalizadas**) y pulse el botón Eliminar (las listas originales no se pueden eliminar).

3.8.2 El controlador de relleno

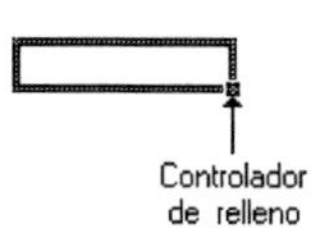

Existe otro modo de **rellenar celdas sin necesidad de utilizar el menú**. Se trata del controlador de relleno. Este elemento puede verse siempre en la esquina inferior derecha de la celda en la que se encuentra el cursor (figura de la izquierda). El controlador de relleno puede sernos útil en dos casos:

1. Si hemos escrito un valor en una celda que nos interese repetir en celdas contiguas.
2. Si vamos a crear un relleno automático de datos correlativos (como los que hemos visto antes: **Lineal**, **Geométrico**, **Cronológico** o **Autorrellenar**).

En cualquier caso deberá comenzar por escribir un dato en la celda: el que va a repetir o el que comenzará el listado correlativo. Si va a repetir ese dato en las celdas contiguas, bastará con que haga clic **en esa celda sobre su controlador de relleno** y, sin soltar el botón del ratón, arrastre en la dirección que desee.

Si va a **crear un listado de datos correlativos** pueden darse cinco casos:

1. Si se trata de una lista del tipo **Autorrellenar** (días de la semana, meses del año o cualquier otra lista personalizada que hayamos creado), sólo necesitará escribir el dato inicial (por ejemplo, *Enero*) y arrastrar su controlador de relleno en la dirección que desee. **Excel** rellenará los datos incluso teniendo en cuenta el modo en el que escribió el dato inicial (por ejemplo, si lo escribió en mayúsculas).
2. Si se trata de un **listado de fechas (cronológico)**, el modo de trabajo es idéntico al anterior: escriba la fecha inicial y arrastre el controlador de relleno de la celda en la que la ha escrito.
3. Si se trata de un **listado numérico**, escriba al menos dos valores en dos celdas contiguas que le sirvan a **Excel** para saber qué progresión debe generar. Por ejemplo, si va a crear un listado de números naturales escriba los valores *1* y *2* en dos celdas contiguas (aunque puede escribir otros valores que no sean el *1* y *2*, si necesita que el listado comience en otra cifra). Otro ejemplo: si desea un listado progresivo de dos en dos partiendo del 5, escriba los datos *5* y *7* en dos celdas contiguas. Una vez escritos ambos valores seleccione las **dos celdas** y arrastre el controlador de relleno.
4. Si se trata de **datos que pueden listarse** (números, fechas o datos de listas de **Autorrellenar**) pero que contienen otros datos entre medias, se selecciona todo y se arrastra el controlador de relleno. Ejemplo:

	A	B
1		
2	Enero	
3	IVA	
4	Con IVA	
5		
6		
7		
8		
9		
10		
11		
12		
13		

Datos seleccionados para el listado

	A	B
1		
2	Enero	
3	IVA	
4	Con IVA	
5	Febrero	
6	IVA	
7	Con IVA	
8	Marzo	
9	IVA	
10	Con IVA	
11	Abril	
12		
13		

Una vez hecho el relleno arrastrando el controlador

5. Si se trata de **una fórmula**, **Excel** calculará automáticamente los resultados en el relleno, lo que nos ahorra escribir una misma fórmula en celdas contiguas y será suficiente con escribirla una vez. Ejemplo:

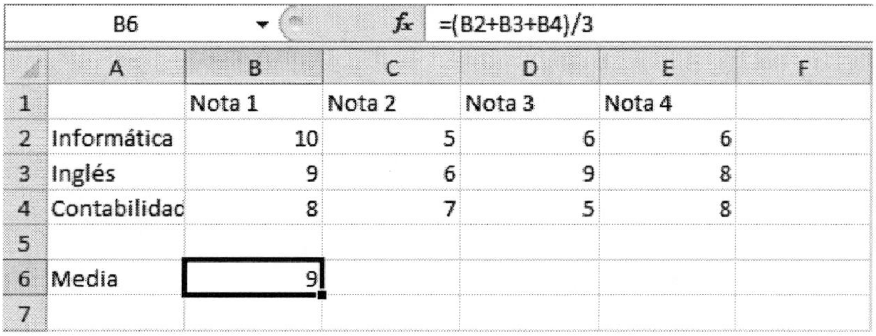

B6 fx =(B2+B3+B4)/3

	A	B	C	D	E	F
1		Nota 1	Nota 2	Nota 3	Nota 4	
2	Informática	10	5	6	6	
3	Inglés	9	6	9	8	
4	Contabilidad	8	7	5	8	
5						
6	Media	9				
7						

Se escribe una vez la fórmula (en nuestro caso una media aritmética que puede verse en la barra de fórmulas: =(B2+B3+B4)/3)

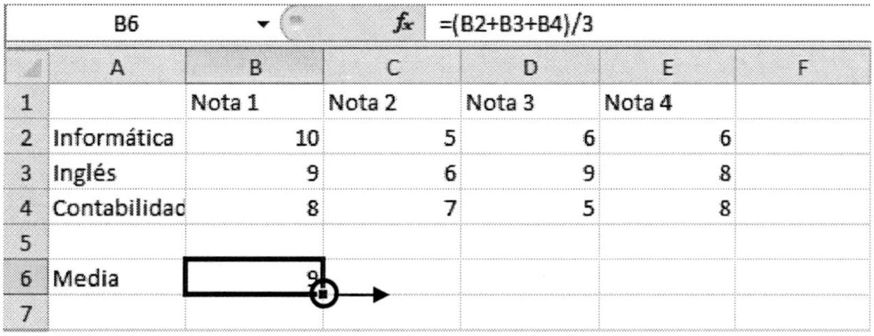

B6 fx =(B2+B3+B4)/3

	A	B	C	D	E	F
1		Nota 1	Nota 2	Nota 3	Nota 4	
2	Informática	10	5	6	6	
3	Inglés	9	6	9	8	
4	Contabilidad	8	7	5	8	
5						
6	Media	9				
7						

Luego se emplea el controlador de relleno para repetir la fórmula en otras columnas

B6 | f_x | =(B2+B3+B4)/3

	A	B	C	D	E	F
1		Nota 1	Nota 2	Nota 3	Nota 4	
2	Informática	10	5	6	6	
3	Inglés	9	6	9	8	
4	Contabilidac	8	7	5	8	
5						
6	Media	9	6	6,66666667	7,33333333	
7						
8						

El resultado

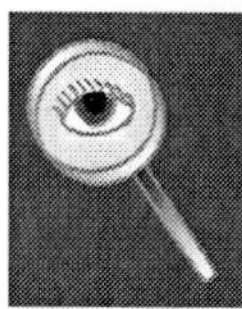

Esta última opción sólo aparece en el menú si hemos tecleado el nombre de un mes como dato inicial para la lista. Si hemos escrito en su lugar el nombre de un día de la semana, aparece **Rellenar días de la semana**, y no aparece si hemos escrito cualquier otro dato.

3.9 PEGADO ESPECIAL

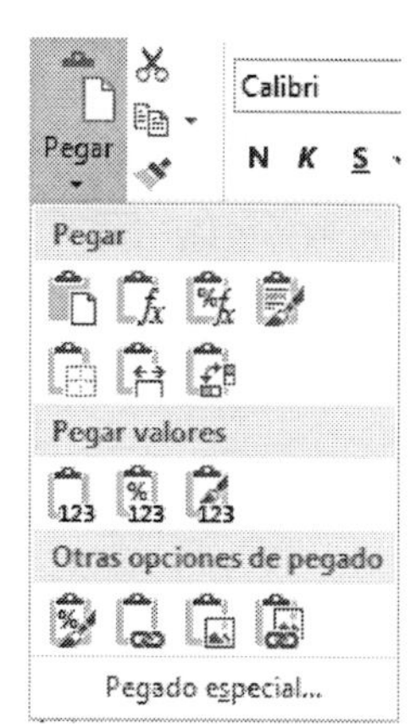

Excel incorpora una función **de pegado** que amplía las posibilidades del portapapeles. Suele ser especialmente útil cuando se han copiado varios datos.

Al desplegar el botón **Pegar** disponemos de varios botones para colocar los datos copiados en la hoja:

1. **(Pegar)** realiza la función normal de pegado.

2. **(Fórmulas)** pega los datos manteniendo las fórmulas de las celdas que las tengan.

3. **(Formato de fórmulas y números)** pega una fórmula o un valor, tal y como esté en la celda original.

4. **(Mantener formato de origen)** mantiene los valores de las celdas en las que se pega, pero éstos adquieren el formato de aspecto de las celdas en las que se aplicó la función de copia.

5. **(Sin bordes)** pega los datos pero no el borde que pudiesen tener en el original.

6. **(Mantener ancho de columnas de origen)** replica el aspecto de las celdas originales incluyendo la anchura de las columnas en las que estén.

7. **(Trasponer)** pega los datos intercambiando filas por columnas.

8. (**Valores**) pega los datos como cifras, incluso en las celdas que contengan fórmulas.

9. (**Formato de valores y números**) pega una fórmula o un valor, tal y como esté en la celda original.

10. (**Formato de valores y origen**) mantiene los valores de las celdas en las que se pega, pero éstos adquieren el formato de aspecto de las celdas en las que se aplicó la función de copia.

11. (**Formato**) mantiene los valores de las celdas, sean del tipo que sean, en las que se pega, pero éstos adquieren el formato de aspecto de las celdas en las que se aplicó la función de copia.

12. (**Pegar vínculos**) pega los datos incluyendo la información de vínculos que permite al usuario hacer clic para acceder a otro lugar.

13. (**Pegar imagen**) pega los datos transformándolos en una imagen antes.

14. (**Imagen vinculada**) igual que el anterior pero, además, vincula la imagen a la celda que contiene el valor original.

15. La opción **Pegado especial** lleva a un cuadro de diálogo en el que se pueden aplicar las mismas funciones anteriores y alguna más:

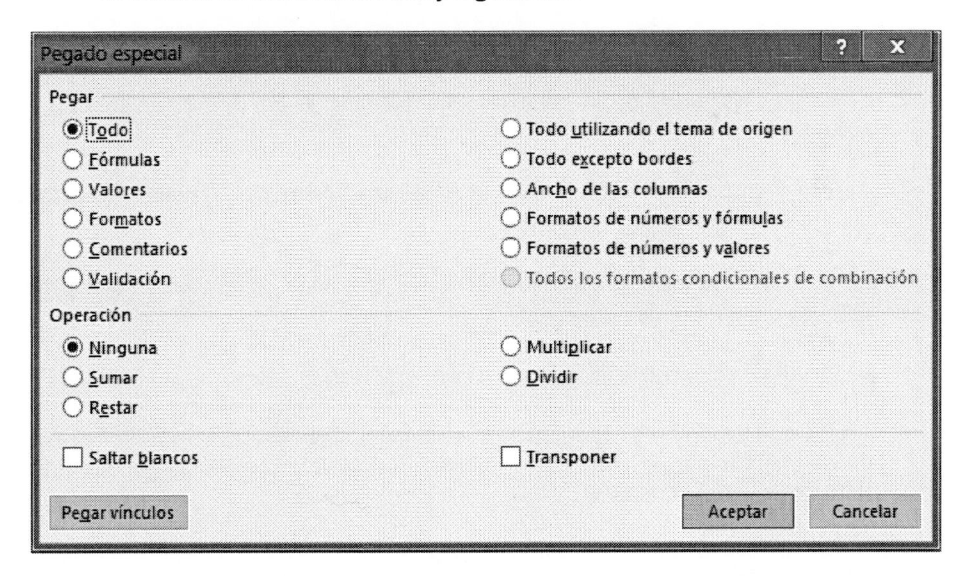

Por ejemplo, puede utilizar los botones del grupo **Operación** para que el resultado consista en pegar un valor resultado de **Sumar**, **Restar**, **Multiplicar** o **Dividir** entre sí los valores de las celdas que se copiaron.

3.10 EJERCICIOS

3.10.1 Mover y copiar datos

1. Abra el libro de *Gastos* que creó en un ejercicio anterior y seleccione **todos los datos** que tenga.

2. Lleve el puntero del ratón hasta el borde de la selección y arrastre hasta una zona libre de la hoja de cálculo.

3. Ahora haga lo mismo manteniendo pulsada la tecla de **CONTROL**.

4. Seleccione **los datos de nuevo** y active el botón **(Copiar)** del grupo **Portapapeles** en la pestaña **Inicio** de la cinta de opciones.

5. Acceda a la *Hoja2* haciendo clic sobre **su etiqueta**.

6. En el mismo grupo de la cinta de opciones pulse el botón **Pegar**.

7. Repita este ejercicio en otras hojas y celdas.

3.10.2 Poner nombre a un rango

1. Abra el libro *Gastos*.

2. Seleccione **los datos de la columna** perteneciente al *Sr. López* (incluyendo ese mismo nombre).

3. Acceda al grupo **Nombres definidos** de la pestaña **Fórmulas** en la cinta de opciones y pulse el botón Crear desde la selección.

4. En el cuadro de diálogo que obtendrá active el botón Aceptar. Ahora ya tiene definido un nombre de rango.

5. En cualquier celda vacía de la hoja escriba *=SUMA(*.

6. Teclee la letra *S* y, bajo lo que está escribiendo, aparecerá una lista de datos que puede emplear para escribir entre los paréntesis y que comienzan por la letra *S*. Entre ellos, se encontrará *Sr._López*.

7. Utilizando las teclas del cursor alcance ese dato y pulse la tecla del **TABULADOR**.

8. Cierre el paréntesis y pulse **INTRO**. Deberá obtener como resultado la suma de las cifras correspondientes al *Sr. López*.

3.10.3 Referencias absolutas

1. Abra el libro *Gastos* que guardó en el ejercicio anterior.

2. Escriba los datos *Descuento* en la celda **A18** y *10%* en la celda **B18**.

3. En la celda **B16** teclee la fórmula *=B15*B18* para calcular el descuento del *Sr. López*. Observe que, si se copia la fórmula en las celdas de su derecha, el resultado es erróneo, debido a que es necesario establecer una referencia absoluta, sustituyendo **B18** por **B18** (por ejemplo, pulsando la tecla **F4** al situarse en el dato **B18** de la fórmula). Si así se hace, al copiar la fórmula en las celdas siguientes se obtendrá un resultado correcto.

4. Guarde el resultado en el disco una vez que haya modificado la referencia. Emplearemos el libro en ejercicios posteriores.

3.10.4 Relleno automático de datos

1. Escriba los siguientes datos en la *Hoja1* de un nuevo libro de trabajo con **Excel**.

	A	B	C	D	E	F
1	MUEBLES					IVA
2		MESAS	SILLAS	SOFÁS	CAMAS	18%
3	*Enero*	10000	7500	21000	20000	
4	*IVA*	*1800*	*1350*	*3780*	*3600*	
5	*Suma*	11800	8850	24780	23600	

2. En la celda **B4** escriba la fórmula *=B3*G2*. Con esto calculará el **IVA** de las *MESAS*.

3. En **B5** sume las celdas **B3** y **B4** para calcular el precio con **IVA**.

4. Seleccione las celdas **B4** y **B5** y, haciendo clic en **el controlador de relleno del bloque**, arrastre hasta alcanzar la columna de los *ARMARIOS*.

5. Seleccione las celdas **A3** a **A6** y, haciendo clic en **el controlador de relleno del bloque**, arrastre hasta generar un listado del primer semestre del año.

6. Escriba valores (los que desee) en las celdas correspondientes a cada fila de meses (*Febrero*, *Marzo*, etc.) para cada artículo (*MESAS*, *SILLAS*, etc.).

7. Utilice el mismo procedimiento de cálculo que hemos empleado en los pasos 2 a 4 para calcular los **IVA** y sumas de cada mes. Un ejemplo:

	A	B	C	D	E	F
1			**MUEBLES**			**IVA**
2		MESAS	SILLAS	SOFÁS	CAMAS	18%
3	*Enero*	10000	7500	21000	20000	
4	*IVA*	*1800*	*1350*	*3780*	*3600*	
5	*Suma*	11800	8850	24780	23600	
6						
7	*Febrero*	48700	48800	33500	45200	
8	*IVA*	*8766*	*8784*	*6030*	*8136*	
9	*Suma*	57466	57584	39530	53336	
10						
11	*Marzo*	37300	44100	48200	25900	
12	*IVA*	*6714*	*7938*	*8676*	*4662*	
13	*Suma*	44014	52038	56876	30562	
14						
15	*Abril*	47000	27400	28700	15400	
16	*IVA*	*8460*	*4932*	*5166*	*2772*	
17	*Suma*	55460	32332	33866	18172	
18						
19	*Mayo*	47900	39700	30200	47100	
20	*IVA*	*8622*	*7146*	*5436*	*8478*	
21	*Suma*	56522	46846	35636	55578	
22						
23	*Junio*	19900	42700	39400	30400	
24	*IVA*	*3582*	*7686*	*7092*	*5472*	
25	*Suma*	23482	50386	46492	35872	

8. Guarde el libro de trabajo con el nombre *Muebles*.

Capítulo 4

FORMATOS

Una de las características que más hace resaltar la presentación y legibilidad de una hoja de cálculo es la de **añadir formatos a los datos que haya en las celdas**. Gracias a ellos, se puede **añadir color, cambiar tipos de letra, poner formatos numéricos** y otras funciones similares.

4.1 FORMATO DE CELDAS

Existen funciones de formato que pueden afectar a una sola celda y aplicarse igualmente a varias si antes se seleccionan.

Para **trabajar con los formatos para celdas** se pulsan las teclas **CONTROL + 1** (uno). También se puede acceder pulsando el botón en cualquiera de los grupos **Fuente**, **Alineación** o **Número** de la pestaña **Inicio** en la cinta de opciones. Se obtiene un cuadro de diálogo en el que se especifican los datos de formato.

Si se está escribiendo en una celda (puede saberse porque el cursor de texto estará parpadeando dentro de ella), lo único que podrá cambiarse serán las fuentes y sus funciones derivadas, de las cuales hablaremos un poco más adelante.

El cuadro de diálogo se divide en fichas, cada una de las cuales tiene funciones de trabajo diferentes.

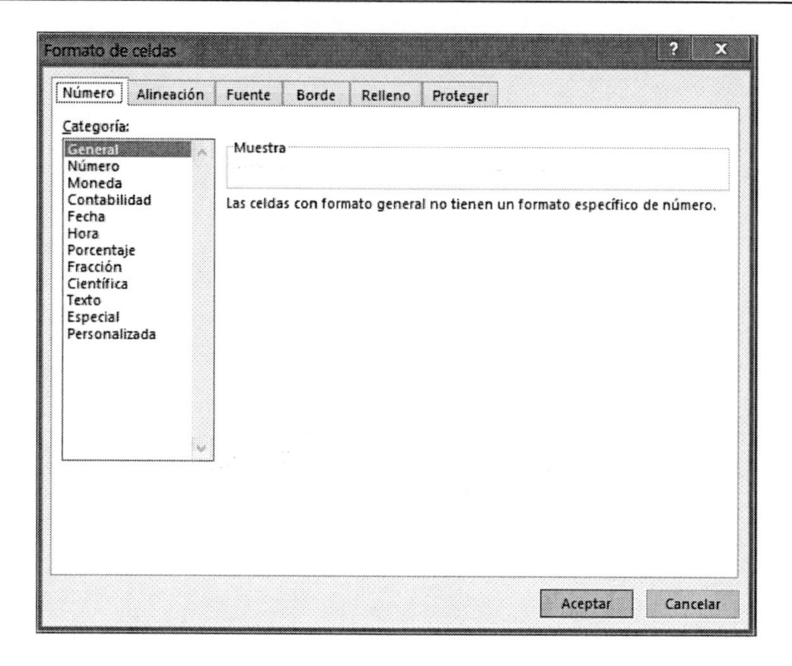

1. La ficha **Número** contiene los datos necesarios para que **Excel muestre las cifras con un aspecto que mejore su presentación y legibilidad**. Así, aunque el usuario teclee en esas celdas un valor escrito de forma simple, el formato se encargará de añadir caracteres y colores para que resulte más completo (separador de millares, un número fijo de decimales, una coletilla con unidades –euros, centímetros, etc. –).

- Lo primero que obtenemos es una lista titulada **Categoría**, con la que podrá especificar el nombre del formato (por ejemplo, *Moneda*). En el grupo **Número** de la pestaña **Inicio**, observará que existen varios botones para trabajar con los formatos numéricos. Estos botones son: (**Formato de número de contabilidad**), % (**Estilo porcentual**) y 000 (**Estilo millares**).

- Cada uno de los formatos de la lista puede generar más datos añadidos al cuadro de diálogo. Por ejemplo, si elegimos **Contabilidad**, aparecen en el cuadro dos botones más: **Posiciones decimales**, que permite indicar cuántos decimales aparecerán en las celdas, y **Símbolo**, que permite elegir un símbolo monetario para los números de las celdas. Al igual que **Contabilidad**, el resto de las opciones de la lista pueden generar otros datos similares para concretar aún más el formato que tendrán los números en las celdas. Hay dos botones relacionados con este tema en el grupo **Número** de la pestaña **Inicio**: , que aumenta el número de cifras decimales, y , que lo disminuye.

- No obstante, si ninguno de los códigos de formato le satisface, puede crear uno propio con el elemento **Personalizada**, gracias al cual podrá diseñar sus plantillas escribiéndolas en el cuadro de texto **Tipo**. Las plantillas personalizadas pueden borrarse de la lista seleccionándolas y pulsando el botón Eliminar, que aparece al elegir **Personalizada**.

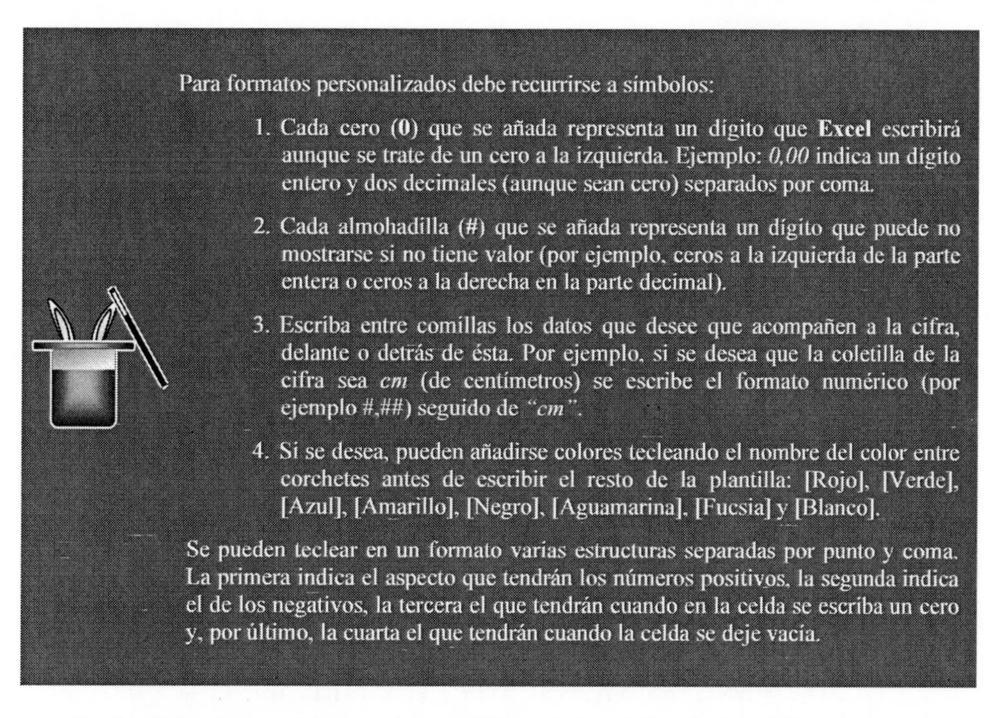

Para formatos personalizados debe recurrirse a símbolos:

1. Cada cero (**0**) que se añada representa un dígito que **Excel** escribirá aunque se trate de un cero a la izquierda. Ejemplo: *0,00* indica un dígito entero y dos decimales (aunque sean cero) separados por coma.
2. Cada almohadilla (#) que se añada representa un dígito que puede no mostrarse si no tiene valor (por ejemplo, ceros a la izquierda de la parte entera o ceros a la derecha en la parte decimal).
3. Escriba entre comillas los datos que desee que acompañen a la cifra, delante o detrás de ésta. Por ejemplo, si se desea que la coletilla de la cifra sea *cm* (de centímetros) se escribe el formato numérico (por ejemplo #,##) seguido de *"cm"*.
4. Si se desea, pueden añadirse colores tecleando el nombre del color entre corchetes antes de escribir el resto de la plantilla: [Rojo], [Verde], [Azul], [Amarillo], [Negro], [Aguamarina], [Fucsia] y [Blanco].

Se pueden teclear en un formato varias estructuras separadas por punto y coma. La primera indica el aspecto que tendrán los números positivos, la segunda indica el de los negativos, la tercera el que tendrán cuando en la celda se escriba un cero y, por último, la cuarta el que tendrán cuando la celda se deje vacía.

2. La ficha **Alineación** permite **establecer la posición de los datos dentro de las celdas** que los contienen. Su aspecto es éste:

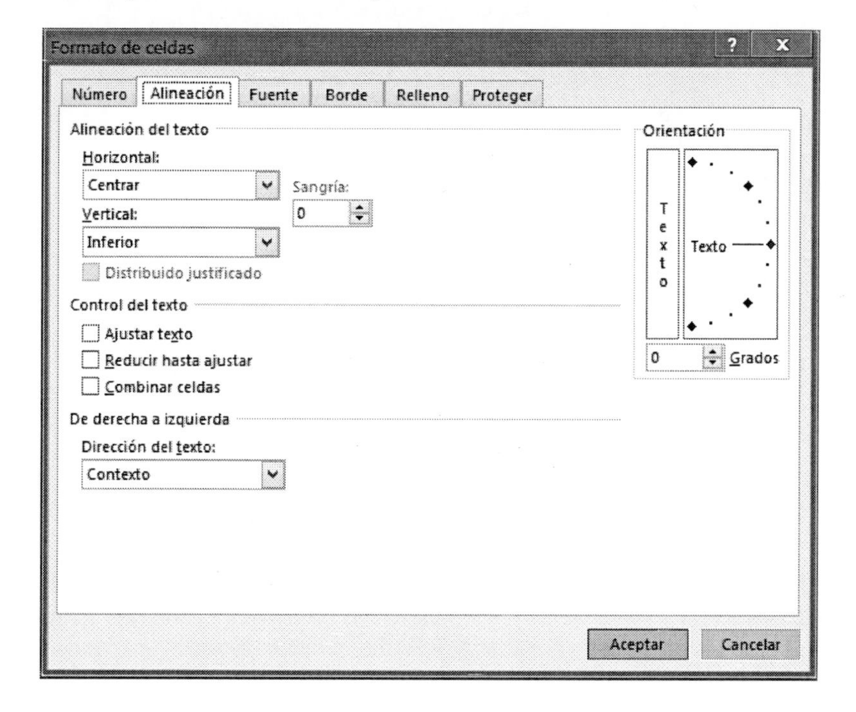

- La lista desplegable **Horizontal** le permite **especificar la alineación de izquierda a derecha**. La opción **General**, permite **alinear los datos dependiendo de su tipo**: los textos a la izquierda de la celda y los números a la derecha (para preservar la concordancia de unidades, decenas, centenas, etc.). En el grupo **Alineación** de la pestaña **Inicio** existen tres botones relacionados con estas funciones: (**Alinear texto a la izquierda**), (**Centrar**) y (**Alinear texto a la derecha**).

- En el grupo **Vertical** se especifica la **alineación de arriba abajo**. Por ejemplo, **Superior** acerca el texto a la parte superior de la celda.

- Con el cuadro de texto **Sangría** se podrán **sangrar los datos en las celdas** según la medida que teclee en él (colocándolos ligeramente hacia dentro de la celda).

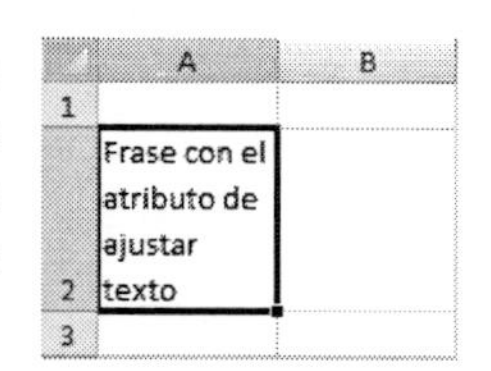

- Con el grupo **Orientación** se establece la **inclinación de los datos de las celdas**. Desplace el punto rojo arriba o abajo por el semicírculo para establecer la inclinación, o bien, escriba el ángulo en **Grados**. También se puede escribir el texto de forma vertical.

- Si se activa la casilla **Ajustar texto, Excel, distribuirá un texto** que es más ancho que una celda de modo que no sobresalga de la columna, para lo cual, amplía la altura de la fila y coloca el exceso de texto en varias líneas dentro de la misma celda.

	A	B
1		
2	Frase con el atributo de ajustar texto	
3		

- **Reducir hasta ajustar**. Si el texto de una celda es lo bastante grande como para sobresalir de la columna, esta función **reduce el tamaño de la letra hasta que encaje** todo dentro de la celda.

- **Combinar celdas**. Permite **unir varias celdas** que hayamos seleccionado en una sola. Gracias a esta función se podrán colocar datos como en el ejemplo de la figura junto al margen.

	A	B	C
1	Primer curso	Olga Zana	
2		Eva Porada	
3		Ana Tomía	
4		Blas On	
5			

El dato Primer curso está escrito en una celda combinada

- **Dirección del texto**. Permite **elegir el flujo de texto** en cuadros de texto y controles de edición. Podremos elegir como dirección **De izquierda a derecha** o **De derecha a izquierda**, aunque también se puede basar la dirección en el **Contexto** de la primera letra fuerte que se encuentre. Esta función no es útil si no emplean cuadros de texto o controles de edición.

El botón Combinar y centrar también está relacionado con estas funciones, pero de un modo especial. Se encuentra también en el grupo **Alineación** (pestaña **Inicio** de la cinta de opciones).

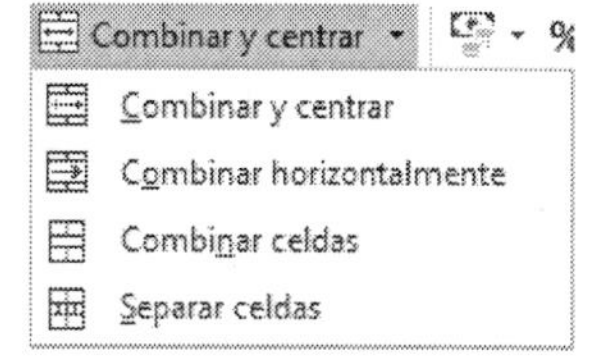

Este botón permite **centrar el dato** cuando se han seleccionado **varias columnas**, de modo que el texto queda situado entre ellas.

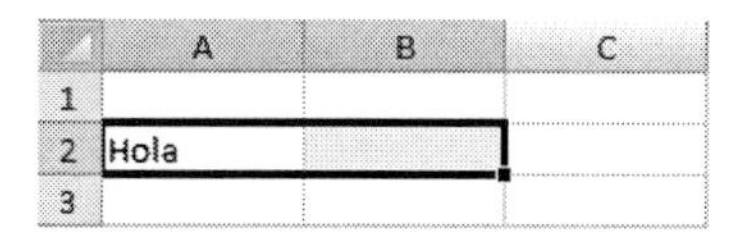

Se seleccionan las columnas y se pulsa el botón

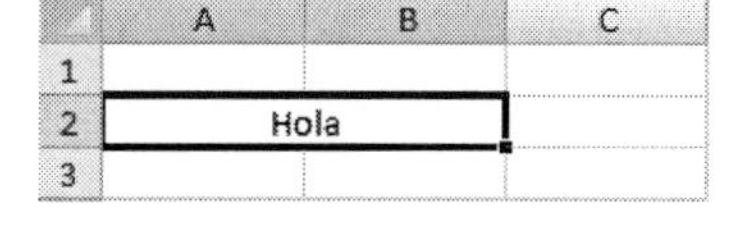

El resultado

3. La ficha **Fuentes** permite **cambiar los tipos de letra** de los datos de las celdas. El aspecto que presenta esta ficha es el siguiente:

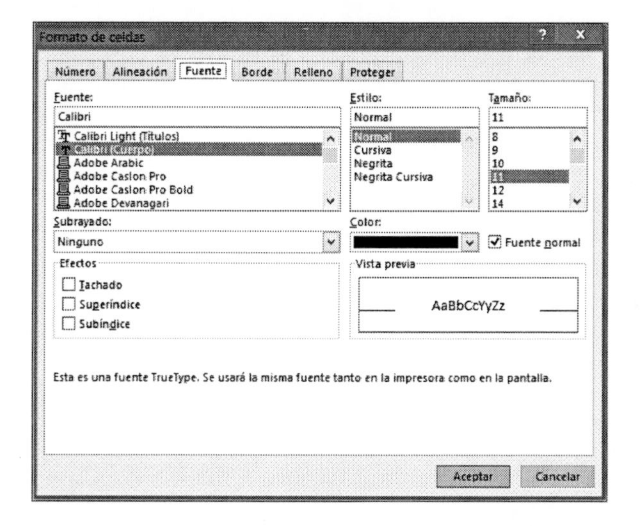

- La lista **Fuente** ofrece una **relación con todos los tipos de letra**. Puede elegir uno de ellos para aplicar a las celdas seleccionadas. El tipo de letra básico puede elegirse también desde la barra de herramientas.

Si se necesita escribir parte del texto de una celda con un tipo de letra, tamaño, color, etc. y otra parte con un aspecto distinto, según se acabe de escribir (en el modo de edición, es decir, mientras vea parpadear el cursor en la celda) se selecciona una parte con el ratón y se eligen luego las características para él mediante la opción **Celdas** del menú **Formato**. A continuación se repite el proceso para la otra parte de la celda que deba llevar un aspecto diferente.

- Con **Estilo** puede **modificarse el aspecto del tipo de letra** que se haya elegido en la lista **Fuente**, dándole atributos como negrita, subrayado, etc. Puede utilizar estos tres botones del grupo **Fuente** (cinta de opciones, pestaña **Inicio**) para modificar los estilos: N (**Negrita**), K (*Cursiva*) y S (Subrayado).

- **Tamaño** se emplea para **ampliar o reducir las dimensiones de la letra**. El tamaño se ofrece medido en puntos y su valor inicial es de 10 puntos. Un número mayor amplía el tipo de letra mientras que uno menor lo reduce. En el grupo **Fuente** (de la pestaña **Inicio** en la cinta de opciones) se puede modificar el tamaño de la letra: la lista 11 muestra el tamaño actual de la letra (por ejemplo, 11 puntos).

- Se puede **modificar el Subrayado** con línea **Simple**, **Doble**, **Simple contabilidad** y **Doble contabilidad**. Los subrayados de contabilidad subrayan hasta el final de la celda, aunque el texto sea tan corto que no alcance el borde derecho de ésta.

- Elija un **Color** de tinta para la letra utilizando la lista que lleva ese nombre. Puede accederse también a esta función mediante el botón A que existe en la parte inferior derecha del grupo **Fuente** (en la pestaña **Inicio** de la cinta de opciones).

- Si se activa la casilla **Fuente normal**, **Excel eliminará todos los atributos**, **subrayados**, etc., que se hubiesen añadido a la celda o celdas, de modo que su texto tendrá el tipo de letra normal.

- Tres atributos más son los **Efectos**: ~~Tachado~~, ^{Superíndice} y $_{\text{Subíndice}}$.

- El cuadro de **Vista previa** presenta una muestra en la que se puede **ver el resultado** de trabajar con esta ficha.

4. La ficha **Bordes** permite **asignar un marco a las celdas**:

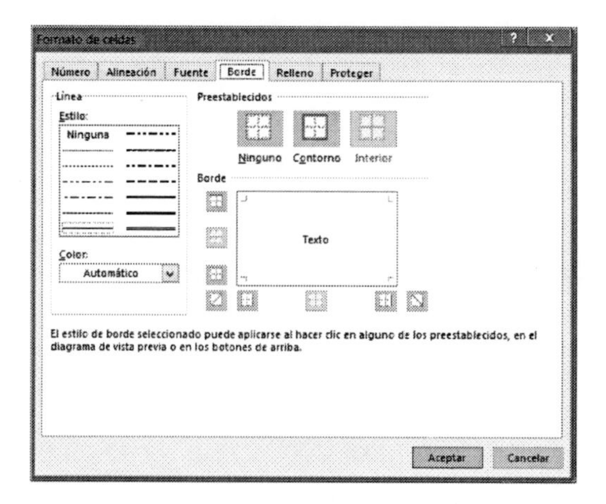

- Para que esta ficha funcione correctamente hay que comenzar por elegir el **Estilo**. Puede establecerse el aspecto de las líneas que conformarán los bordes, eligiendo, entre otras, líneas más gruesas o construidas a base de guiones o puntos.

- Se continúa seleccionando el **Color** de los bordes.

- Por último, se elige qué **bordes** de la(s) celda(s) se van a cambiar: **Ninguno** (elimina todo tipo de bordes), **Contorno** (los cuatro bordes), **Interior** (bordes internos de las celdas seleccionadas), o uno de los botones del grupo **Borde**, que permiten activar la línea de borde por ciertos lugares de la celda. Para este trabajo podemos utilizar igualmente el botón de **Bordes** ( ) del grupo **Fuente** (pestaña **Inicio** de la cinta de opciones).

5. La ficha **Relleno** se utiliza para **modificar el color** y **tramado de fondo** de las celdas:

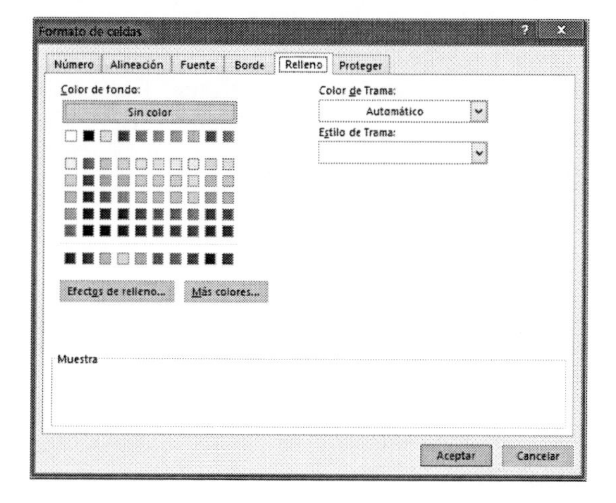

- Se utiliza **Color** para **establecer uno de fondo** para la(s) celda(s). Puede asignar colores a las celdas mediante el botón **Color de relleno** ( ) del grupo **Fuente** (pestaña **Inicio** de la cinta de opciones). Puede eliminar el color de relleno mediante el botón **Sin color**.

- **Trama** le permite **aplicar un tramado al fondo** de las celdas con el color elegido (un fondo rayado, punteado, en red, etc.).

6. La ficha **Proteger** tiene dos funciones, que se utilizan cuando se trabaja con datos importantes. Estas funciones se utilizan mediante dos casillas de verificación:

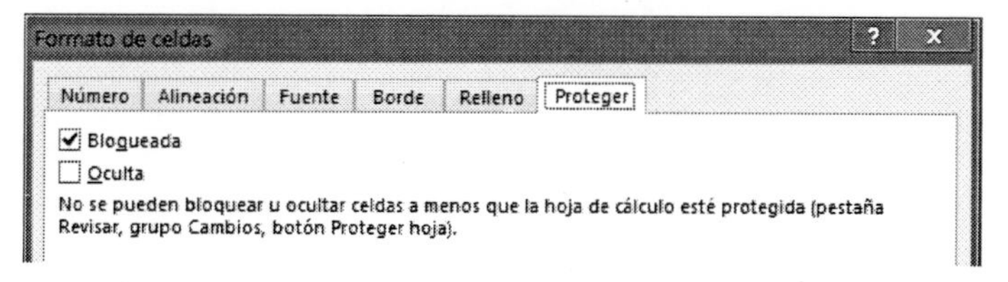

- Si se activa **Bloqueada**, no se podrán modificar o borrar los datos de las celdas seleccionadas.

- Si se activa **Oculta**, no se podrán ver las fórmulas de esas celdas.

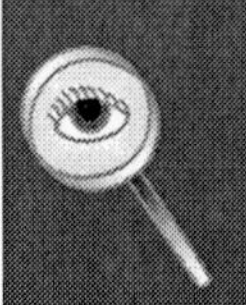

Como el mismo cuadro advierte, estas dos casillas no funcionan si no se protege la hoja de cálculo completa. Para ello, se accede a la pestaña **Revisar**, y se pulsa el botón **Proteger hoja** de su grupo **Cambios** (siempre en la cinta de opciones). Lo estudiaremos con más detalle en el apartado *Protección de datos* del capítulo 6: *Herramientas más útiles de Excel.*

4.2 FORMATO DE FILAS, DE COLUMNAS Y DE HOJAS

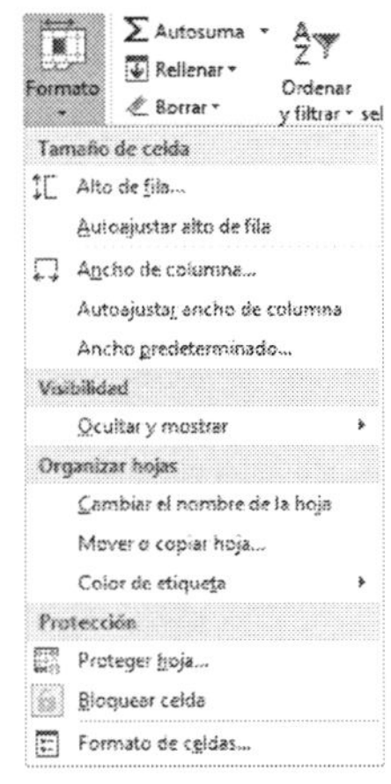

Otra posibilidad que ofrecen los formatos es la de **modificar las características de una fila completa de celdas, una columna o una hoja**. De hecho, pueden modificarse varios de estos a la vez si los seleccionamos previamente. Las opciones que se ofrecen para este trabajo se pueden activar seleccionando el botón **Formato** del grupo **Celdas** de la pestaña **Inicio** en la cinta de opciones (vea la figura junto al margen derecho). Esta opción ofrece el siguiente submenú con todas las funciones que pueden utilizarse para variar las características de una fila completa de celdas:

1. La opción **Alto de fila** se utiliza para **ampliar o reducir la altura de la fila** (o filas) en que nos encontremos. Esta función ofrece un cuadro de diálogo para su modificación en el que sólo hemos de utilizar el cuadro de texto **Alto de fila** para ampliar o reducir su tamaño (**15** puntos es el valor normal de altura para filas).

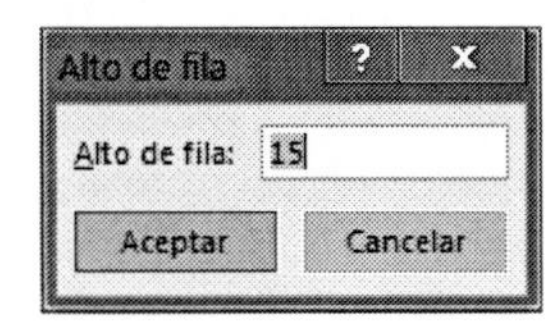

Para cambiar la altura de las filas, también puede utilizar las líneas que separan las filas en el encabezado:

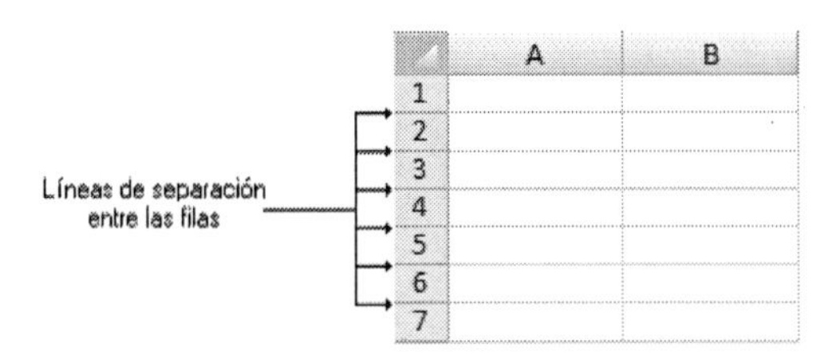

Sitúe el ratón en una de estas líneas, haga clic sobre ella y, sin soltar el botón del ratón, arrástrelo hacia arriba o hacia abajo hasta que obtenga el tamaño deseado. Al liberar el botón del ratón, la fila adoptará el tamaño indicado.

2. Con la opción **Autoajustar alto de fila** se **amplía o reduce la altura de las filas automáticamente** hasta que el texto contenido en sus celdas encaja perfectamente.

3. Utilice **Ancho de columna** para **ampliar o reducir la anchura de la columna** o columnas seleccionadas.

Como con la altura de filas, se puede utilizar el cuadro de texto **Ancho de columna** para variar ésta. Su valor por defecto es **10,71** puntos.

La anchura de las columnas puede modificarse utilizando las líneas que separan las columnas en el encabezado:

Líneas de separación entre las columnas

Lleve el ratón hasta una de estas líneas y arrástrela hacia la izquierda o derecha hasta que obtenga el tamaño deseado. Al liberar el botón del ratón, la columna adoptará el tamaño indicado.

4. Con **Autoajustar ancho de columna** puede acomodar automáticamente el ancho de la columna con respecto a su contenido. Esta función también puede realizarse haciendo doble clic en **una línea de separación entre las columnas** (en el encabezado). La columna de la izquierda se autoajustará.

5. **Ancho predeterminado** permite **especificar cuál será la anchura normal** para todas las columnas de la hoja de cálculo. Recuerde que el tamaño normal de una columna es de **10,71** puntos. Si se cambió antes el ancho de alguna columna, ésta no variará.

6. **Ocultar y mostrar** ofrece un pequeño submenú con el que se pueden hacer **desaparecer y reaparecer filas**, **columnas** y **hojas**. En el caso de columnas y filas, después de ocultarlas, es necesario seleccionar las que las rodean para poder hacerlas

reaparecer a la vista (ellas mismas no pueden seleccionarse, ya que no se ven en ese momento). En el caso de las hojas, simplemente aparece un cuadro de diálogo en el que se seleccionan las **hojas ocultas** que se desean volver a mostrar.

7. **Cambiar el nombre de la hoja** permite **modificar el nombre de las etiquetas de las hojas** (*Hoja1*, *Hoja2*, etc.). **Excel** nos lleva a la pestaña esperando a que cambiemos el nombre actual por otro. También se puede realizar haciendo doble clic en **la etiqueta**, escribiendo el nuevo nombre y pulsando **INTRO**.

8. **Mover o copiar hoja** permite **cambiar de posición una hoja con respecto a las demás**, o bien, duplicar una (en este último caso si se necesitan dos o más hojas muy parecidas, ya que entonces sólo deberán realizarse los cambios en lugar de crear y diseñar todo de nuevo).

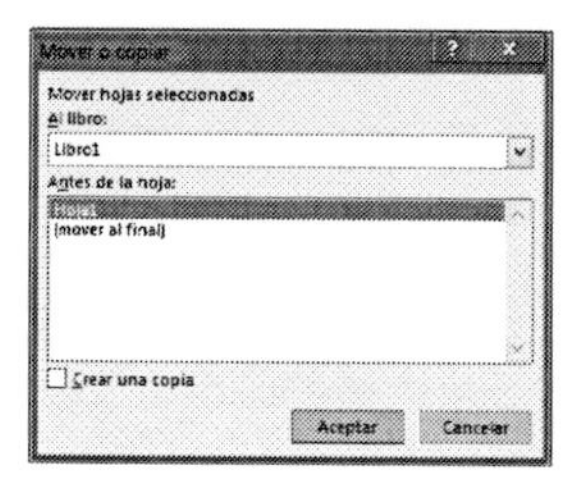

Se elige la hoja en la lista para **indicar la posición en la que aparecerá** la que se va a mover (o copiar). No hay que olvidarse de activar la casilla **Crear una copia** si se va a copiar la hoja en lugar de moverla. Se puede llevar al mismo libro con el que estemos trabajando o a otro que esté abierto, lo que se indica desplegando la lista **Al libro**.

9. **Color de etiqueta** permite **elegir un color con el que marcar** la etiqueta de la hoja. Para ello, **Excel** ofrece un listado de colores en un cuadrito de diálogo en el que bastará hacer clic **sobre un color** para elegirlo.

En la pestaña **Diseño de página**, en el grupo **Configurar página**, haga clic en **Fondo** y podrá añadir una imagen que aparecerá como fondo en la hoja de cálculo.

Como puede verse, el cuadro que se obtiene es idéntico al de abrir libros de trabajo y se emplea para elegir la imagen que irá de fondo de la hoja, rellenándola (como si se tratase de azulejos en una pared). Sería recomendable que seleccione **una imagen que tenga colores uniformes** (todos claros o todos oscuros) para que no interfiera con los datos de la hoja. Si necesita **eliminar el fondo de una hoja de cálculo**, vuelva a acceder a la pestaña **Diseño de página** de la cinta de opciones en el grupo **Configurar página** y, donde antes existía el botón **Fondo**, ahora podrá ver **Eliminar fondo**. También deberá hacer esto si va a **cambiar un fondo por otro**, puesto que primero deberá eliminar el antiguo para luego aplicar el nuevo.

4.3 ELIMINAR FORMATOS

Puede **eliminarse cualquier tipo de formato** utilizando el botón Borrar del grupo **Modificar** y la pestaña **Inicio** en la cinta de opciones. Recuerde que puede seleccionar **varias celdas** antes de eliminar sus formatos. Esta opción genera un pequeño submenú como el que mostramos en la figura junto al margen derecho:

1. Elija **Borrar todo** para **eliminar** tanto los **formatos** como los **datos escritos** en las celdas seleccionadas.

2. Elija **Borrar formatos** para **eliminar sólo los formatos** de las celdas seleccionadas, dejando escritos los datos que hayamos tecleado en ellas.

3. Elija **Borrar contenido** para **eliminar únicamente los datos escritos** de las celdas dejando sus formatos activos.

4. Elija **Borrar comentarios** para **eliminar las anotaciones** de la hoja de cálculo (éstos se añaden en el grupo **Comentarios** de la pestaña **Revisar** en la cinta de opciones, haciendo clic en el botón **Nuevo comentario** y aparecen como una esquinita amarilla en la celda en la que se insertan).

5. Elija **Borrar hipervínculos** (o **Quitar hipervínculos**) para **eliminar un hipervínculo** que se haya asignado a las celdas seleccionadas.

4.4 ESTILOS

Una operación relacionada con los formatos que hemos ido estudiando a lo largo de todo el tema es la de **Estilos**.

Gracias a los estilos se puede **dar nombre a una serie de formatos**. El resultado será un modelo que podremos aplicar a cualquier parte de las hojas de cálculo en un libro.

Los estilos ahorran trabajo extraordinariamente, ya que nos evitan definir una y otra vez los mismos formatos.

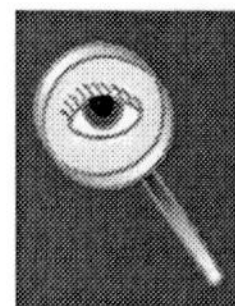

Si sólo va a definir un estilo no necesita seleccionar **celdas**, mientras que si va a aplicar un estilo (que ya esté definido) a unas celdas, entonces sí será necesario seleccionarlas primero.

Para trabajar con esta función se despliega el botón **Estilos de celda**, que se encuentra en la pestaña **Inicio** de la cinta de opciones, grupo **Estilos**.

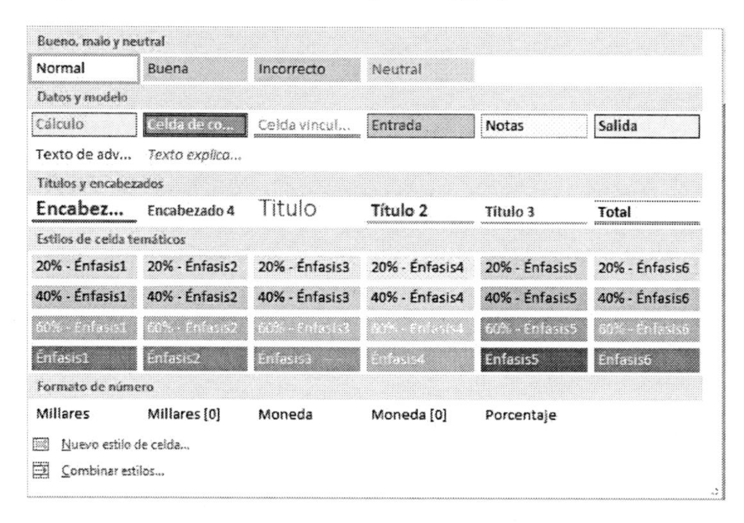

Haciendo clic en **uno de los estilos**, su aspecto se aplicará automáticamente a las celdas que se hayan seleccionado antes.

Si, por el contrario, se selecciona **Nuevo estilo de celda** (hacia el final de la lista), se obtiene un cuadro de diálogo en el que se establecen ciertos datos antes de asignarlos al grupo de celdas elegido. El cuadro puede verlo en la figura junto al margen:

1. En el cuadro de texto **Nombre del estilo** se puede escribir un modelo predefinido por **Microsoft** o crear uno nuevo tecleando ahí el nombre que deseamos darle.

2. Una vez que se ha añadido un estilo se pueden modificar los formatos que aplicará a las celdas con el botón Formato... . Al pulsarlo, aparece el cuadro de diálogo con las seis fichas de formatos (**Número**, **Alineación**, **Fuentes**, **Bordes**, **Diseño** y **Protección**) para elegir lo que deba quedar registrado en el estilo.

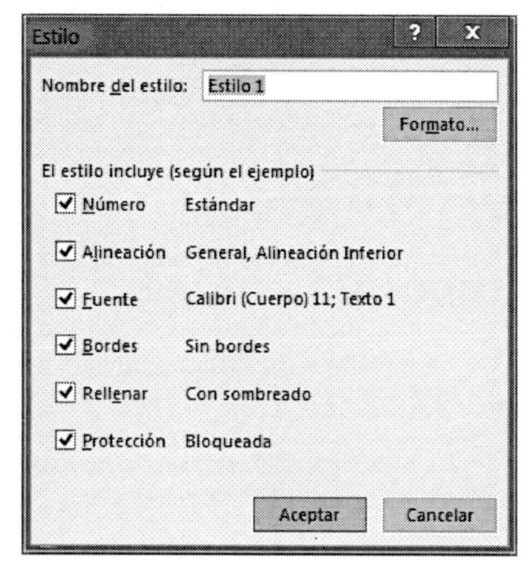

3. Cuando se pulsa el botón [Aceptar] las celdas seleccionadas adquieren el aspecto que hayamos elegido.

La opción **Combinar estilos** permite **obtener los estilos de otras hojas de cálculo** para aplicarlos a la actual. Esta opción genera un nuevo cuadro de diálogo en el que debemos elegir la hoja de cálculo que contiene el estilo que deseamos utilizar (sólo se mostrarán aquellas que se encuentren abiertas en ese momento). El cuadro de diálogo en cuestión es el que le ofrecemos en la figura junto al margen derecho.

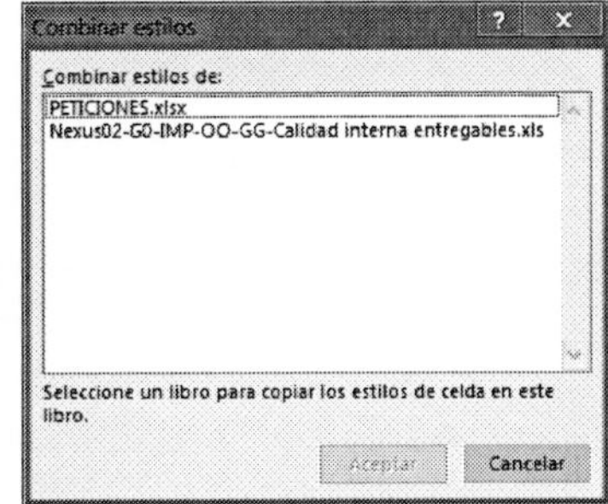

4.5 FORMATOS CONDICIONALES

Mediante los formatos condicionales se podrán **aplicar ciertos formatos únicamente a aquellas celdas** (de entre las seleccionadas) **que cumplan un criterio determinado**. Se accede a ellos desde la pestaña **Inicio** de la cinta de opciones, en su grupo **Estilos**, pulsando el botón **Formato condicional**. Al hacerlo se despliega un menú con opciones como el que puede ver en la figura junto al margen.

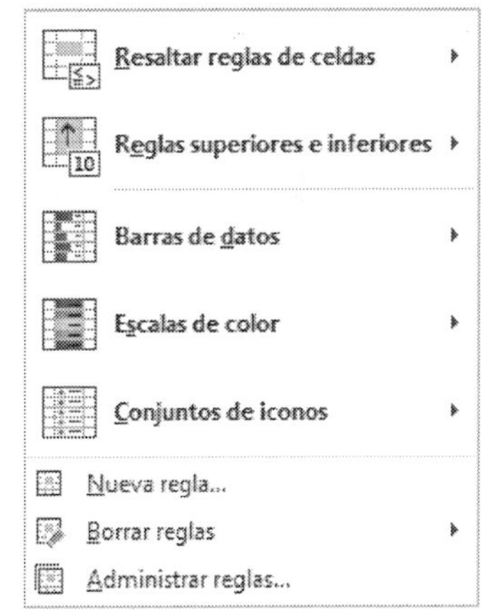

Las cinco primeras opciones de la lista permiten **crear el formato condicional con opciones visuales sencillas**. Sin embargo, el modo más completo de crear las condiciones consiste en emplear las tres últimas de la lista:

1. Con **Nueva regla** se crea la condición mediante un cuadro de diálogo. Lo veremos en seguida.

2. Con **Borrar reglas** se pueden **eliminar reglas** de condiciones.

3. Con **Administrar reglas** se pueden **crear**, **modificar** y **eliminar** reglas. El modo de creación es idéntico al que ofrece la opción **Nueva regla**, llevando al mismo cuadro de creación de reglas (lo mismo pasa con la modificación) y el modo de eliminación también funciona de modo similar a la opción **Borrar reglas**.

4.5.1 Creación de reglas

Para **diseñar las condiciones** en las que las celdas seleccionadas cambiarán de aspecto, podemos **diseñar reglas** en las que especificamos las circunstancias bajo las que debe producirse ese cambio.

Cuando seleccionamos **Nueva regla** en el menú anterior se obtiene un cuadro de diálogo como el siguiente para definir esas condiciones:

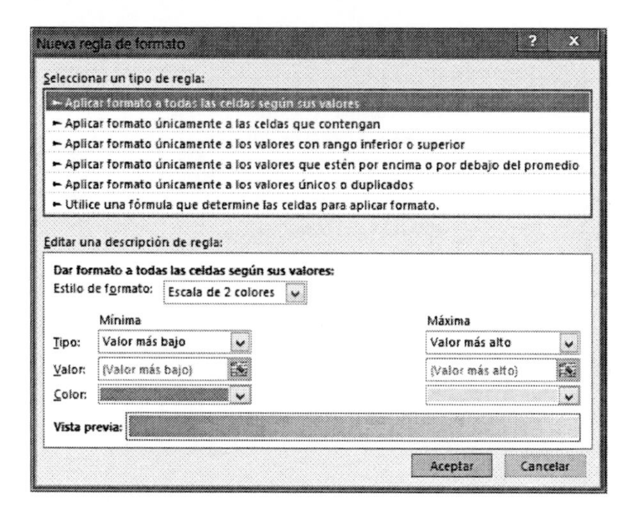

Este cuadro está dividido en dos secciones bien diferenciadas. En la primera (**Seleccionar un tipo de regla**) se elige qué tipo de condiciones desean manipularse para que se produzca el cambio (si los valores serán más o menos altos, si deben contener ciertos valores concretos, etc.), mientras que la segunda (**Editar una descripción de regla**) es variable y se adapta a lo seleccionado en la primera con el fin de concretar la información con la que se define la condición.

1. Si en **Seleccionar un tipo de regla** se elige **Aplicar formato a todas las celdas según sus valores** (la primera opción), la sección **Editar una descripción de la regla** ofrece los siguientes elementos:

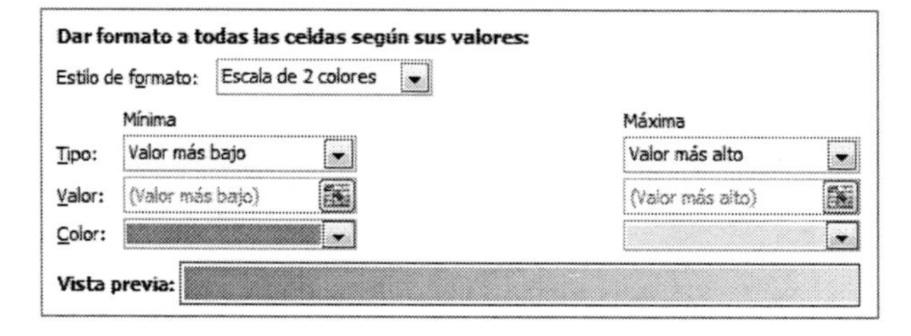

- Con la lista **Estilo de formato** puede elegir **cómo se resaltarán** las celdas seleccionadas que cumplan la condición.

- Con **Mínima (Tipo, Valor** y **Color)** se establece el dato a partir del cual debe cambiar el aspecto la celda (aquellas cuyo contenido sea mayor que el valor en cuestión). También se establece el color que mostrarán esas celdas.

- Con **Máxima (Tipo, Valor** y **Color)** se establece el dato que indica el límite superior hasta el que las celdas cambien su aspecto (aquellas cuyo contenido sea menor que él). También se establece el color que mostrarán esas celdas.

2. Si en **Seleccionar un tipo de regla** se elige **Aplicar formato únicamente a las celdas que contengan** (la segunda opción), la sección **Editar una descripción de la regla** ofrece los siguientes elementos:

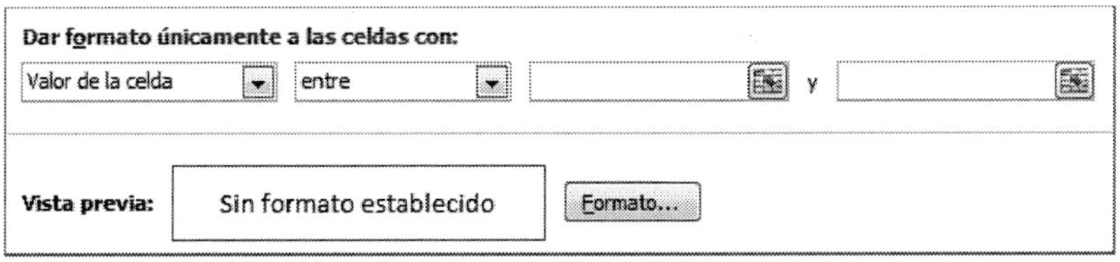

   La primera lista desplegable permite **elegir la clase de condición que vamos a establecer**. Así, dependiendo de si el dato de la celda es un número, una fecha, un texto, etc., cambiará o no el aspecto de la celda.

   En la segunda lista se **establece si lo elegido en la primera ha de ser mayor**, **menor**, **igual**, etc., que lo que escribamos en el siguiente cuadro. Un ejemplo:

   Esta condición exige que la celda tenga un valor comprendido entre 1000 y 5000

   El botón Formato... lleva al cuadro de diálogo de **formatos** con el fin de que se elijan los **datos de formato** que se aplicarán a las celdas que cumplan la condición (tipo de letra, formato numérico, tramado, etc.).

3. Si en **Seleccionar un tipo de regla** se elige **Aplicar formato únicamente a los valores con rango inferior o superior** (la tercera opción), la sección **Editar una descripción de la regla** ofrece los siguientes elementos:

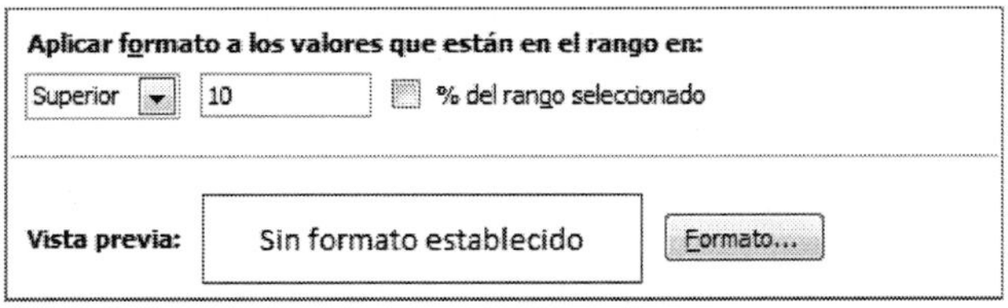

   Se trata de resaltar los datos que estén incluidos en un rango de valores. En la primera lista se elige si el **valor de las celdas** deberá ser **Superior** o inferior (**Abajo**) al que escribamos en el cuadro que hay a su derecha. Se puede establecer si ese valor es un porcentaje, activando la casilla **% del rango seleccionado**. Luego se indica el aspecto que tendrán las celdas que lo cumplan pulsando el botón Formato... .

4. Si en **Seleccionar un tipo de regla** se elige **Aplicar formato únicamente los valores que estén por encima o por debajo del promedio** (la cuarta opción), la sección **Editar una descripción de la regla** ofrece los siguientes elementos:

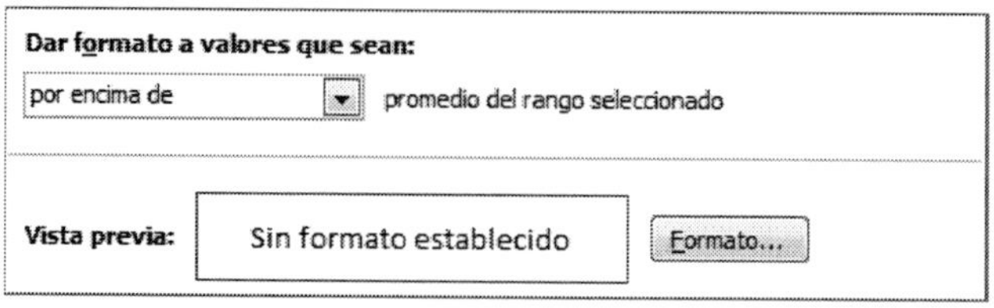

Dar formato a valores que sean:
por encima de ▾ promedio del rango seleccionado
Vista previa: Sin formato establecido Formato...

Se trata de comparar los valores de las celdas con su propia media aritmética y, en caso de que estén **por encima de, debajo de**, etc., cambien de aspecto (que establecemos mediante el botón Formato...).

5. Si en **Seleccionar un tipo de regla** se elige **Aplicar formato únicamente a los valores únicos o duplicados** (la quinta opción), la sección **Editar una descripción de la regla** ofrece los siguientes elementos:

Dar formato a todo:
duplicado ▾ valores en el rango seleccionado
Vista previa: Sin formato establecido Formato...

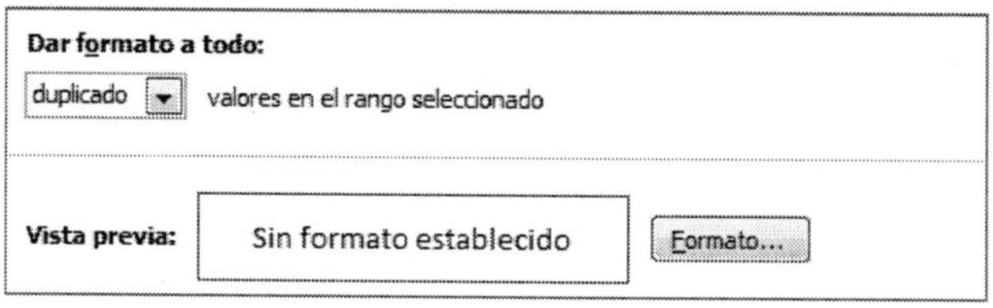

Se trata de **resaltar los datos** de las celdas seleccionadas **que estén repetidos**. La forma en que se resaltan se establece mediante el botón Formato... . También se pueden **resaltar los datos que no se repitan** en el rango de celdas seleccionadas, es decir, los que sean únicos.

6. Si en **Seleccionar un tipo de regla** se elige **Utilice una fórmula que determine las celdas para aplicar formato** (la sexta y última opción), la sección **Editar una descripción de la regla** ofrece los siguientes elementos:

Dar formato a los valores donde esta fórmula sea verdadera:
Vista previa: Sin formato establecido Formato...

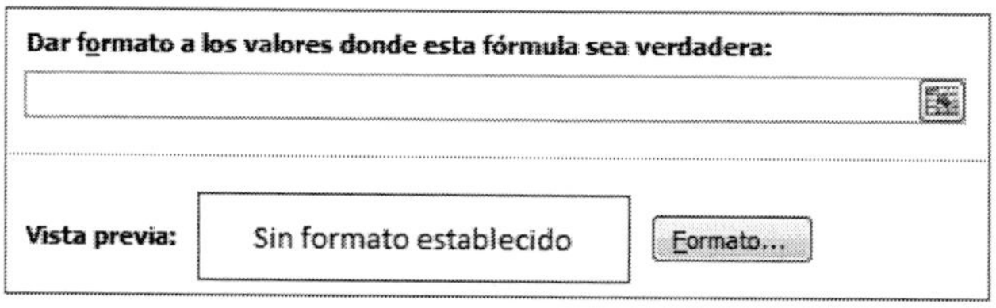

Se trata de **resaltar las celdas cuyo valor sea un resultado válido para la fórmula** que escribamos en el cuadro de texto. Como antes, la forma de resaltar esas celdas se realiza con el botón Formato... .

4.6 CONFIGURAR PÁGINA

Se podría decir que una de las funciones relacionada con los formatos es **Configurar página**, que contiene varios elementos relativos al aspecto general de cualquier hoja de cálculo pensados para **mejorar su presentación** a la hora de realizar una impresión. Sus funciones se encuentran en la pestaña **Diseño de página** de la cinta de opciones:

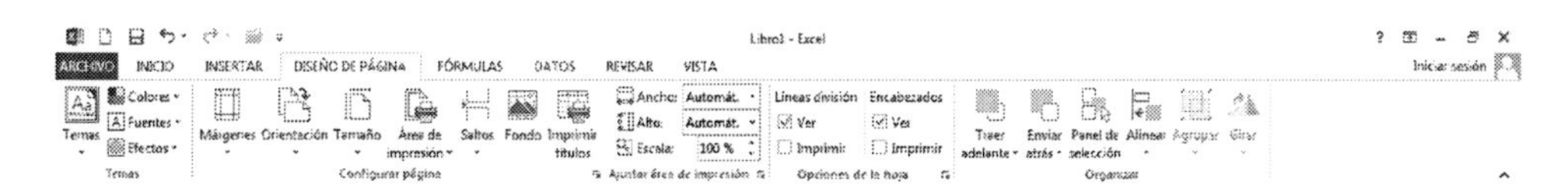

En el grupo **Configurar página** se manejan datos acerca de **cómo se imprimirán los datos** de la hoja de cálculo en las de papel. Aparte de los botones que ofrece el grupo en sí, disponemos del botón en su esquina inferior derecha que lleva a un cuadro de diálogo con todas las funciones disponibles:

1. El grupo **Orientación** permitirá **establecer cómo se desea que aparezcan los datos** en la hoja de papel: de forma **Vertical** (que es el modo normal) o apaisada (con el botón **Horizontal**).

2. El grupo **Ajuste de escala** permite **ampliar o reducir proporcionalmente el tamaño de los datos** en la página, generalmente para ajustarlos a las hojas de papel. Esto se realiza mediante un porcentaje (con **Ajustar al**) en el que 100% es el tamaño normal, o bien con el botón **Ajustar a** en el que indicaremos cuántas páginas deseamos obtener por cada hoja.

3. Puede elegirse el **tamaño de la hoja de papel**, según sus dimensiones, con la lista que ofrece **Tamaño del papel**.

4. **Calidad de impresión** ofrece datos para **realizar una impresión de mayor o menor calidad**. Para una mejor impresión hay que establecer un valor más alto en **ppp** (puntos por pulgada).

5. Se puede establecer cuál será el **Primer número de la página** con el cuadro de texto que lleva su nombre. Normalmente suele activarse el modo **Automático**, pero sustituyendo esa palabra por un número se indica cuál será el encargado de iniciar la numeración.

Si se accede a la ficha **Márgenes** se pueden **modificar las distancias** de éstos:

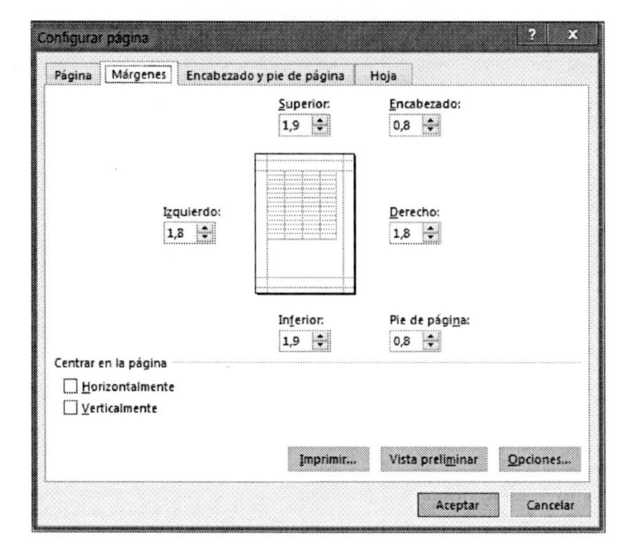

1. Se utiliza **Superior**, **Inferior**, **Izquierdo** y **Derecho** para establecer las **distancias correspondientes de los márgenes** de la hoja.

2. También pueden **establecerse las medidas** que separan el **Encabezado** del borde superior de la hoja, así como el **Pie de página** del borde inferior de la misma.

3. Si se desea **que los datos** de la hoja de cálculo **aparezcan centrados** en la hoja, se deben activar las casillas **Horizontalmente** y **Verticalmente**.

Con la ficha **Encabezado y pie de página** puede añadirse un encabezado y un pie de página que se repetirá en todas las páginas que contengan datos que se vayan a imprimir:

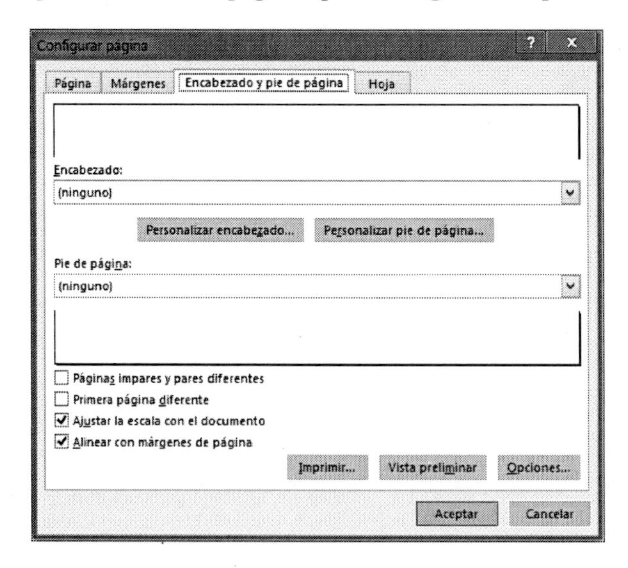

1. Se despliega la lista **Encabezado** para **elegir el texto que se repetirá en la parte superior** de todas las hojas de papel. Puede verse una muestra del resultado en el cuadro en blanco que aparece en la parte superior del cuadro de diálogo (este resultado sólo se ve al imprimir o al consultar el modo vista preliminar).

2. Igualmente, en la lista **Pie de página** puede **elegirse el texto que se repetirá en la parte inferior** de las hojas de cálculo (el resultado aparece únicamente al imprimir o al consultar el modo vista preliminar).

3. Si ninguno de los elementos de estas listas es adecuado, pueden **añadirse un texto personalizado y sus atributos** de aspecto mediante los botones Personalizar encabezado... y Personalizar pie de página..., que llevan a un cuadro de diálogo en el que se añade el texto en una de las secciones (**Sección izquierda**, **Sección central** o **Sección derecha**) para que el texto aparezca alineado así en la hoja de papel. También se utiliza la hilera de botones sobre dichas secciones para aplicar funciones como la fuente para el texto, añadir el número de página, añadir la fecha, añadir el nombre de la hoja, etc.

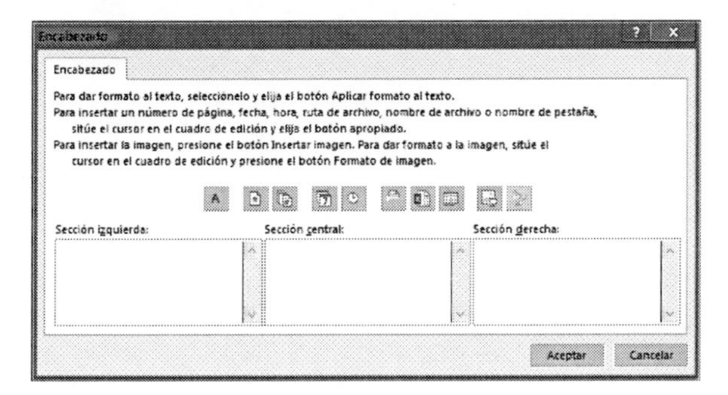

La ficha **Hoja** permite **especificar las zonas de la hoja que se imprimirán** y regula datos como los títulos que se imprimirán, otros detalles para imprimir las hojas de cálculo o el orden en que aparecerán las páginas, si bien, maneja también otras funciones que pasamos a ver:

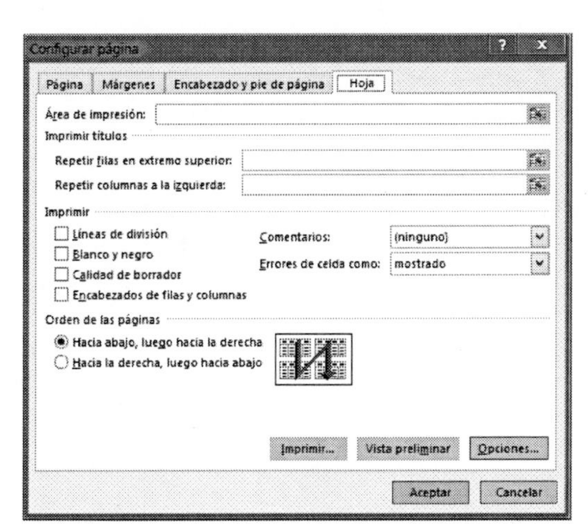

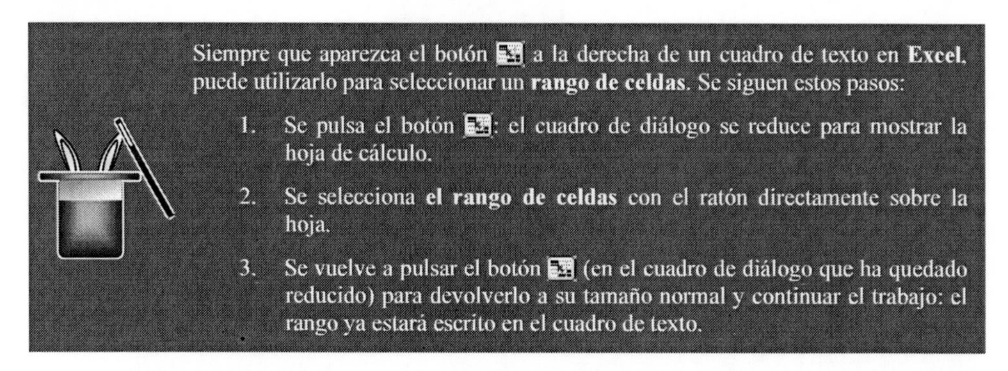

Siempre que aparezca el botón a la derecha de un cuadro de texto en **Excel**, puede utilizarlo para seleccionar un **rango de celdas**. Se siguen estos pasos:

1. Se pulsa el botón : el cuadro de diálogo se reduce para mostrar la hoja de cálculo.
2. Se selecciona **el rango de celdas** con el ratón directamente sobre la hoja.
3. Se vuelve a pulsar el botón (en el cuadro de diálogo que ha quedado reducido) para devolverlo a su tamaño normal y continuar el trabajo: el rango ya estará escrito en el cuadro de texto.

1. El cuadro de texto **Área de impresión** permite **establecer un rango de la hoja de cálculo** cuyo contenido será lo único que se imprimirá.

2. El grupo **Imprimir títulos** tiene dos cuadros de texto para **imprimir títulos en filas y columnas** (en la parte externa de la hoja). Con **Repetir filas en extremo superior** debe **establecerse la fila que se utilizará como título**, aunque se puede indicar la dirección de una celda o de un grupo de ellas si son contiguas. Los pasos que se deben seguir son los mismos con **Repetir columnas a la izquierda**, y el resultado es que los títulos aparecen en las columnas en lugar de en las filas.

3. Con el grupo **Imprimir** pueden especificarse varios datos que **Excel** tendrá en cuenta a la hora de proporcionar datos por la impresora:

   - Si se activa la casilla **Líneas de división**, **Excel** imprime las líneas que separan las celdas en las hojas de cálculo. Se desactiva si no se desea que aparezcan en el papel.

   - Con **Blanco y negro** se imprimen todos los datos de la celda en blanco y negro. Es aconsejable utilizar este botón si se utiliza una impresora en blanco y negro, ya que la calidad de los datos impresos será mayor. Si la impresora es en color, suele ser aconsejable no activar este botón para obtener una mayor calidad.

   - Se activa **Calidad de borrador** para obtener el resultado impreso en una calidad inferior. Las líneas que dividen las celdas no se imprimen y se consigue una mayor rapidez a la hora de imprimir.

   - Con **Títulos de filas y columnas** se puede indicar si se desea que se impriman éstos o no. Suele ser aconsejable imprimirlos como guía para el papel de la hoja de cálculo que se imprime.

   - En la lista desplegable **Comentarios** se puede elegir si se imprimen las anotaciones de celda de la hoja en la parte inferior de la hoja (**Al final de la hoja**), en las mismas celdas en que se encuentren (**Como en la hoja**), o bien, si no se imprimen (**ninguno**).

- Desplegando la lista **Errores de celdas como** se puede elegir si se desea que también aparezcan en el papel los errores que obtengamos en pantalla y en qué forma deben mostrarse. Por ejemplo, se selecciona **<espacio vacío>** para que los errores no aparezcan en el papel.

4. Los botones del grupo **Orden de las páginas** se emplean para **establecer el orden en que se numerarán las páginas** y la forma en que aparecerán impresos los datos cuando éstos excedan más de una página. Puede verse el esquema del cuadro que muestra cómo será el resultado.

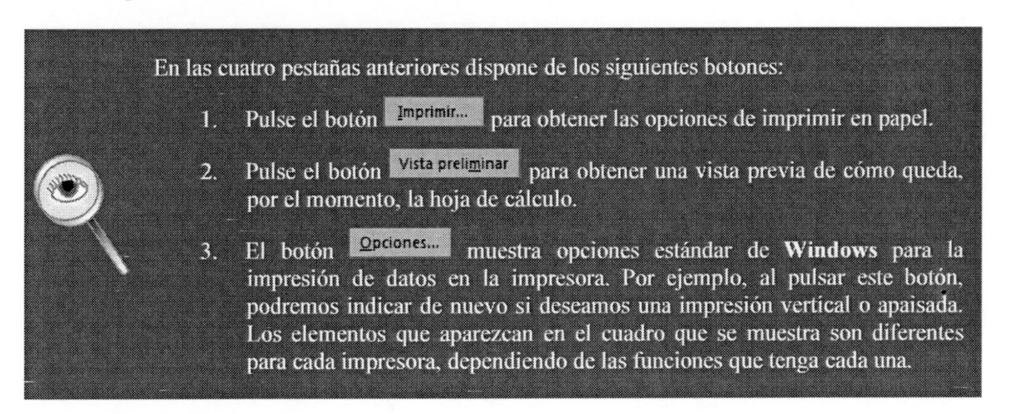

4.7 EJERCICIOS

4.7.1 Formatos para Gastos

1. Abra el libro *Gastos*.

2. Utilice los formatos para realizar una mejor presentación de los datos: cambie tipos de letra, añada colores de fondo, aplique bordes a las celdas, etc. Nosotros le sugerimos lo siguiente:

	A	B	C	D	E	F
1	GASTOS					
2		Sr. López	Sr. Gómez	Sr. Pérez	Sr. García	Sr. González
3	Enero	1.000,00 €	800,00 €	900,00 €	2.000,00 €	3.000,00 €
4	Febrero	1.100,00 €	1.000,00 €	1.000,00 €	1.900,00 €	2.800,00 €
5	Marzo	1.200,00 €	1.200,00 €	1.100,00 €	1.800,00 €	2.600,00 €
6	Abril	1.300,00 €	1.400,00 €	1.200,00 €	1.700,00 €	2.400,00 €
7	Mayo	1.400,00 €	1.600,00 €	1.300,00 €	1.600,00 €	2.200,00 €
8	Junio	1.500,00 €	1.800,00 €	1.400,00 €	1.500,00 €	2.000,00 €
9	Julio	1.600,00 €	2.000,00 €	1.500,00 €	1.400,00 €	1.800,00 €
10	Agosto	1.700,00 €	2.200,00 €	1.600,00 €	1.300,00 €	1.600,00 €
11	Septiembre	1.800,00 €	2.400,00 €	1.700,00 €	1.200,00 €	1.400,00 €
12	Octubre	1.900,00 €	2.600,00 €	1.800,00 €	1.100,00 €	1.200,00 €
13	Noviembre	2.000,00 €	2.800,00 €	1.900,00 €	1.000,00 €	1.000,00 €
14	Diciembre	2.100,00 €	3.000,00 €	2.000,00 €	900,00 €	800,00 €
15	Total empleado	16.712,00 €	20.212,00 €	15.612,00 €	16.312,00 €	21.612,00 €
16	Media empleado	1.392,67 €	1.684,33 €	1.301,00 €	1.359,33 €	1.801,00 €

Deberán tenerse en cuenta los bordes de las celdas, colores de fondo, del texto, alineaciones, formato de números y los estilos negrita y cursiva.

4.7.2 Plantilla para facturas

1. A continuación le ofrecemos una muestra final de una plantilla de factura (aunque **Excel** ya dispone de una plantilla confeccionada). En ella podrá ver los datos que se deben teclear.

	A	B	C	D
1	*Compañía Achaco S.A.*			
2	C/ Tristeza, 1			
3				
4				
5				
6				
7				
8				
9				
10	Factura Número			
11	**Cantidad**	**Concepto**	**Precio unitario**	**Precio Total**
12				
13				
14				
15				
16				
17				
18				
19				
20				
21				
22				
23				
24				
25				
26				
27				
28				
29				
30				
31				
32				
33				
34				
35				
36				
37				
38				
39				
40				
41				
42				
43				
44				
45				
46				
47				
48				
49				
50				
51			PVP sin IVA	
52			IVA 16%	
53			PVP	

2. Prepare las fórmulas en los lugares adecuados: por ejemplo, la primera fórmula puede ir en la celda **D12** y su contenido sería *=A12*C12*, ya que debe contener como resultado la multiplicación entre la *Cantidad* y el *Precio unitario*. Habrá que copiarla en las celdas inferiores.

3. A continuación deberá sumar todos los datos que correspondan al **Precio total**, ya que éste es el **Precio sin IVA** (todo ello debajo de la columna de **precios totales**).

4. Después, la celda del **IVA** (debajo de la anterior) debe contener la suma de toda la columna multiplicado por 16 y dividido por 100.

5. El **Total** debe contener la suma de toda la columna incluyendo el **IVA**.

Capítulo 5

HERRAMIENTAS MÁS ÚTILES DE EXCEL

Algunas de las funciones que más se utilizan con **Excel** no están directamente relacionadas con la creación de los datos, sino con su manejo. **Excel** proporciona una serie de accesorios para un empleo más cómodo y rápido de los datos que se añaden a una hoja.

5.1 DESHACER Y REHACER

Se pueden **anular las operaciones** que se van desarrollando. Esto es útil en casos en los que, por equivocación, se opera incorrectamente. En ese caso se pulsa el botón de la barra de herramientas de acceso rápido. Al activarla, lo último que haya hecho será anulado como si nunca lo hubiese realizado. Si a pesar de todo decide que lo primero estuvo bien, podrá volver a reactivarlo con el botón de la misma barra de herramientas.

Se trata de botones desplegables. Si se despliega el primero, aparece una lista con las últimas funciones que se han realizado en el documento para poder deshacerlas. Si, en la lista que aparezca, se elige alguna función intermedia, se anularán todas ellas desde la primera hasta esa que se selecciona en la lista.

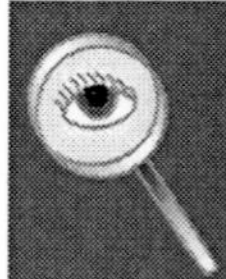

Existen ciertas acciones que no pueden deshacerse, por lo que este comando está más limitado, puesto que si se realiza una de ellas, ya no se podrán deshacer ni esa ni las anteriores.

5.2 EL BOTÓN DERECHO DEL RATÓN

En **Excel** existe la posibilidad de **acceder rápidamente a las funciones más comunes** relacionadas con un elemento pulsando **el botón secundario**, el derecho, del ratón sobre él (si es zurdo y así lo ha hecho notar a **Windows**, en su caso, será el botón izquierdo).

Al situar el puntero sobre una imagen del texto y pulsar ese botón del ratón en ella, aparece un menú en el que elegir opciones relacionadas con las imágenes.

Igualmente podremos utilizar el botón secundario sobre texto o, incluso, sobre los elementos que no pertenezcan al propio documento como, por ejemplo, la cinta de opciones.

Siempre que desee realizar alguna función de las más comunes para algún elemento de **Office**, antes de decidirse a utilizar la barra de menú o la barra de herramientas, pulse sobre el mencionado elemento **el botón secundario del ratón**, ya que obtendrá la correspondiente lista con las funciones más comunes para ese elemento. Esta sencilla operación puede ahorrarle el tiempo de búsqueda de opciones en el menú o en la barra de herramientas, sobre todo si aún no ha memorizado con la práctica la posición de las opciones en la barra de menú o la de herramientas.

5.3 BÚSQUEDA Y REEMPLAZO AUTOMÁTICO DE DATOS

Se trata de funciones cuyo uso se aplica, sobre todo, en hojas de cálculo de gran tamaño en las que es difícil localizar información.

Como su nombre indica, se utiliza para **buscar palabras o grupos de caracteres**. Con grupos de caracteres nos referimos, no sólo a letras o números, sino también a otros datos.

Cuando se desea **encontrar una palabra** (o una frase o cualquier dato similar) en una hoja de **Excel**, se pulsan las teclas **CONTROL + B**, o se accede a la pestaña **Inicio** de la cinta de opciones en la que disponemos del botón **Buscar y seleccionar** dentro del grupo **Modificar**. Al pulsarlo, se obtiene un menú que contiene las funciones de búsqueda más habituales.

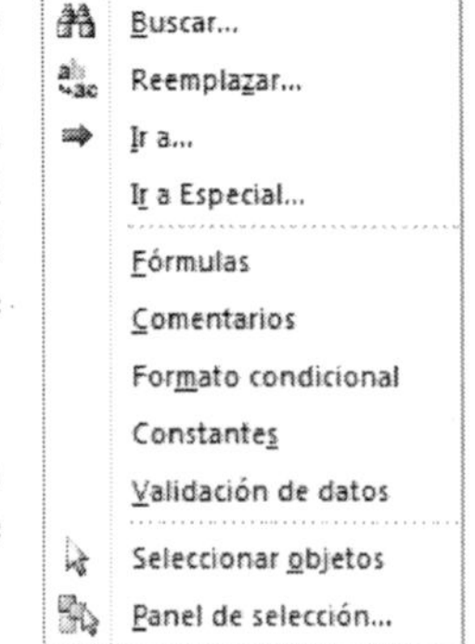

La opción **Buscar** de dicho menú permite **realizar la búsqueda tradicional** de **Excel**, es decir, lleva a un cuadro de diálogo en el que se indica lo que se quiere localizar:

Las opciones del menú anterior desde **Fórmulas** hasta **Validación de datos** llevan a las celdas de **Excel** que contengan esas funciones. Por ejemplo, si se selecciona **Formato condicional**, **Excel** nos lleva a la primera celda de la hoja que tenga asignado un formato condicional. Algunas de estas funciones las veremos más adelante.

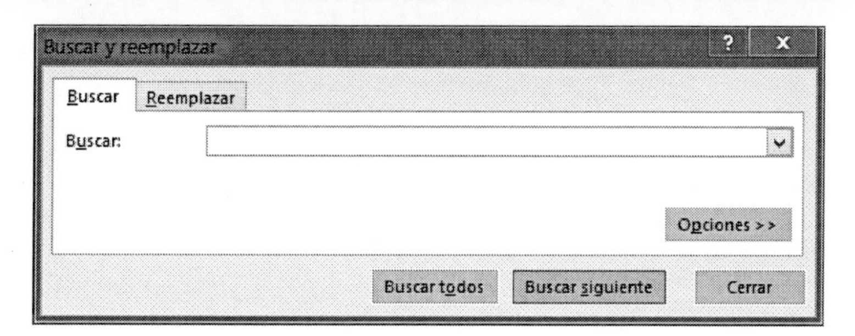

1. En el cuadro de texto **Buscar** se escriben los caracteres que se buscan. Si se habían buscado otros con anterioridad, aparecerá ya escrito el último en este cuadro de texto (también puede desplegar la lista para volver a buscar un dato que ya buscó anteriormente). Si **Excel** encuentra alguna celda que contiene el dato en cuestión, se situará sobre ella para que se pueda trabajar con el dato. **Excel** sólo busca el dato en la hoja de cálculo que en ese instante tengamos activa y, por tanto, ignorará el resto de las hojas de cálculo del libro de trabajo. Si desea buscar en varias hojas del libro, deberá seleccionarlas primero. Por otra parte, **Excel** buscará por defecto en toda la hoja de cálculo, salvo si se ha seleccionado previamente un bloque de celdas, en cuyo caso sólo buscará el dato en las celdas seleccionadas.

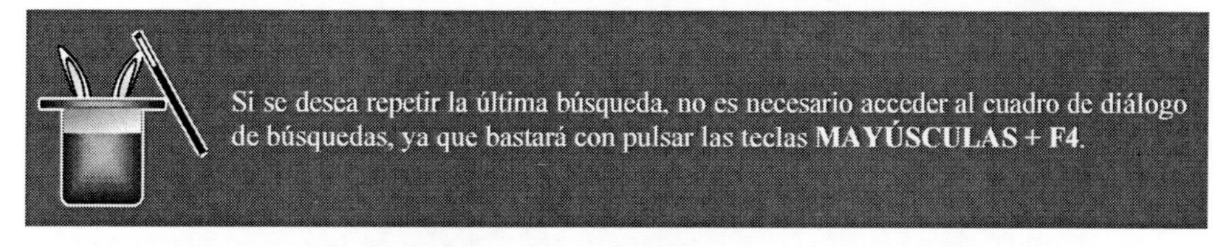

2. Pulse el botón Opciones >> para **acceder a otras posibilidades de búsqueda**. Cuando lo haga, el cuadro de diálogo se ampliará mostrando lo siguiente:

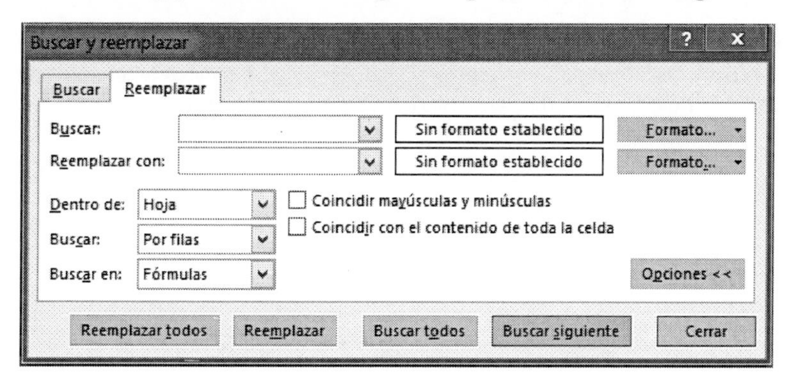

3. Si se despliega el botón Formato..., se pueden **elegir atributos del texto** que busca (si está en negrita, con un color o un tamaño determinado, etc.). Se obtiene el mismo cuadro de diálogo con el que se aplican los formatos al documento. Este mismo botón se puede desplegar y elegir **Borrar formato de búsqueda** para que se vuelva a localizar el dato independientemente del formato que tenga en el documento.

4. Mediante la lista **Dentro de** se indica **si se desea buscar sólo en la Hoja** en la que se encuentra, o bien, si se debe **buscar en todo el Libro**.

5. Mediante la lista **Buscar** se **establece el orden** que seguirá **Excel para buscar los datos** en la hoja. Seleccione **Por filas** si desea que la dirección de búsqueda se realice siguiendo las filas de celdas, o bien elija **Por columnas** si desea realizarla siguiendo las columnas de celdas.

6. Mediante la lista **Buscar dentro de** se **elige en qué tipo de datos debe buscar Excel**: al elegir, por ejemplo, **Fórmulas**, **Excel** buscará en primer lugar en las fórmulas que haya en la hoja de cálculo. De este modo, se agiliza considerablemente la búsqueda.

7. Si se busca **texto**, puede localizarse tal y como se haya escrito indicando que se diferencie entre mayúsculas y minúsculas. Al activar la casilla **Coincidir mayúsculas y minúsculas**, **Excel** sólo localizará el dato que coincida exactamente con el de búsqueda no sólo en cuanto a contenido, sino también, letra por letra, en sus mayúsculas y minúsculas.

8. Con la casilla **Coincidir con el contenido de toda la celda Excel** localizará el texto únicamente cuando el dato a buscar rellene la celda por sí solo.

9. Pulse el botón Buscar siguiente para **comenzar la búsqueda o continuarla** si ya se ha encontrado el dato pero no es el que se buscaba.

10. Es posible **indicar la dirección hacia la que deseamos buscar** los datos. En principio, el botón Buscar siguiente busca desde la celda en que se encuentre hasta el final de la hoja, pero se puede buscar **hacia atrás** manteniendo pulsada la tecla de **MAYÚSCULAS** mientras se hace clic en el botón Buscar siguiente.

11. Si se pulsa el botón Buscar todos, el cuadro se ampliará **mostrando todas las celdas del libro** en las que se encuentre el dato en cuestión. Al seleccionar una de ellas, **Excel** le llevará esa celda, mostrando el dato que se busca.

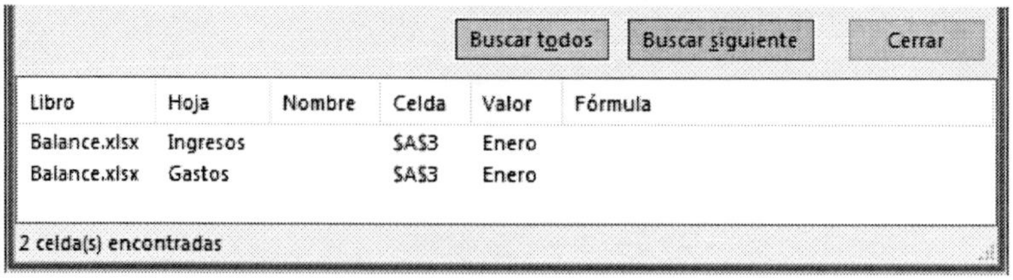

Buscar todos | Buscar siguiente | Cerrar

Libro	Hoja	Nombre	Celda	Valor	Fórmula
Balance.xlsx	Ingresos		A3	Enero	
Balance.xlsx	Gastos		A3	Enero	

2 celda(s) encontradas

12. Se pueden **reemplazar automáticamente varios datos** (iguales) activando la pestaña **Reemplazar**, o bien directamente desde la hoja de cálculo desplegando el mismo botón de la cinta de opciones que hemos empleado para las búsquedas y eligiendo su opción **Reemplazar**:

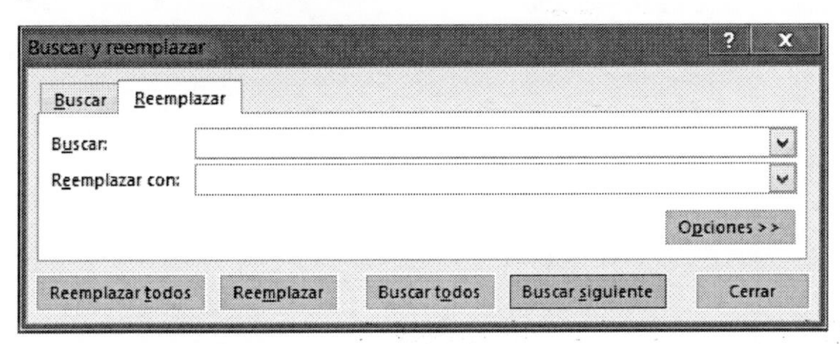

- Como puede observarse, se trata del mismo cuadro que el que hemos empleado para las búsquedas aunque con algún elemento más, como el cuadro de texto **Reemplazar con**, en el que debemos especificar la palabra (o dato) que sustituirá a la que se haya escrito en el cuadro de texto **Datos a buscar**. Por tanto, se escribe el dato o datos a reemplazar en el cuadro de texto **Datos a buscar** y en el campo **Reemplazar con** el dato que sustituya al que se busca.

- Se empieza pulsando el botón Buscar siguiente para **localizar el dato en la hoja** y, llegado a este punto, existen dos posibilidades:

a) Utilizar el botón Reemplazar, con lo que **Excel sustituirá el dato por el nuevo**. Además, **Excel** localizará automáticamente el siguiente lugar de la hoja en el que se encuentre el dato para que podamos volver a pulsar el mismo botón e intercambiarlo por el nuevo.

b) Utilizar el botón Reemplazar todos, con lo que **Excel sustituirá el texto que se busca en la totalidad de la hoja** de cálculo automáticamente. No pide ningún tipo de confirmación, de modo que, al pulsarlo, se modifican los cambios de una vez.

5.4 CORRECTOR ORTOGRÁFICO

Excel puede **comprobar el texto escrito** en sus celdas, deteniéndose en aquella palabra que no figure en su diccionario (en principio porque ésta no estará bien escrita) y proporcionando una lista de posibles palabras correctas, de las cuales habremos de seleccionar la adecuada (si la hay) para sustituirla por la errónea.

Para activar el corrector se accede a la pestaña **Revisar**. En su grupo **Revisión** se pulsa el botón **Ortografía**.

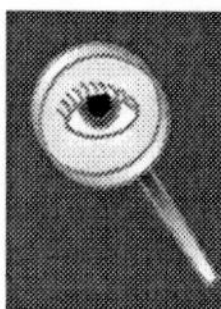

En **Access** el corrector ortográfico se pone en marcha desde la pestaña **Inicio**, mediante el botón **Revisión ortográfica** del grupo **Registros**.

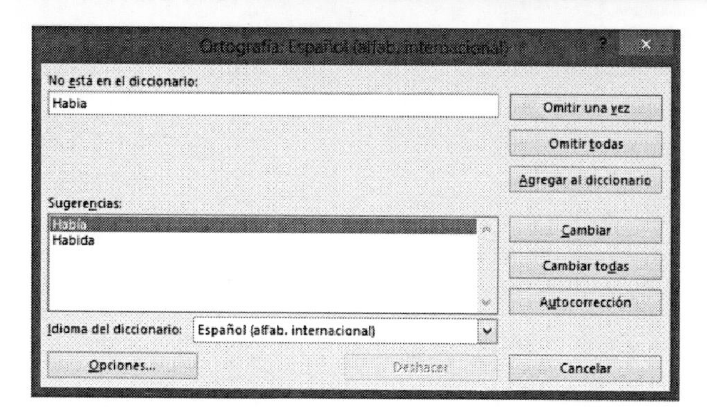

Si el corrector encuentra una palabra escrita de forma incorrecta, aparecerá el cuadro de diálogo o el panel de tareas mostrando la palabra que es posiblemente incorrecta. Se puede escribir otra que la sustituya en caso de que en la lista de sugerencias no aparezca ninguna adecuada. Por el contrario, si alguna de las que aparecen es aceptable, se hace clic en ella y se pulsa el botón Cambiar. Más aún, si en su lugar se pulsa Cambiar todas (o Cambiar todo), el corrector intercambiará ambas palabras en todo el texto.

Puede darse el caso de que el corrector ofrezca como errónea una palabra bien escrita ortográficamente debido a que ésta no conste en el diccionario de palabras del idioma que se esté empleando, en cuyo caso, disponemos de varias posibilidades:

1. Omitir (o Omitir una vez) **acepta como válida la palabra en cuestión**, pero se detendrá de nuevo si vuelve a encontrarla.

2. Omitir todas **acepta como válida la palabra en todo el texto** (pero sólo en el documento en el que se encuentre, mientras no se cierre).

3. Si pulsa el botón Agregar (o Agregar al diccionario), **la palabra supuestamente incorrecta se añadirá al diccionario** (no al diccionario general sino a un diccionario personalizado). De ese modo, siempre que el corrector la encuentre de nuevo en cualquier texto será aceptada, al igual que el resto de las que ya estaban en el diccionario.

El sistema de corrección ortográfica también contempla el caso en el que se hayan escrito en el texto dos palabras iguales seguidas. En este caso, el corrector también se detendrá informándonos de ello, y en el cuadro de diálogo obtendremos que el botón Cambiar es sustituido por Eliminar, que borra automáticamente la segunda de las dos palabras repetidas.

Para terminar en las versiones con cuadro de diálogo disponemos de dos botones más con otras tantas funciones:

- El botón Autocorrección lleva a otro cuadro de diálogo en el que se puede **modificar el sistema de corrección** de texto según se escribe. Este tema lo detallamos en seguida.

- El botón Opciones... se emplea para **establecer datos relativos al diccionario y la corrección en general**, como, por ejemplo, la selección del diccionario al que irán a parar las palabras que se añadan mediante el botón Agregar al diccionario. El diccionario al que van a parar estas palabras es **PERSONAL.DIC**, de forma predeterminada.

5.5 AUTOCORRECCIÓN

La Autocorrección se encarga de **comprobar aquellas palabras en las que es más frecuente equivocarse** al teclear según se escribe, de modo que si es así, la palabra errónea se corregirá automáticamente. Si existía anteriormente en el texto alguno de los casos que vamos a exponer, **no serán corregidos**, ya que sólo se ejecutará la corrección automática a partir del momento en que ésta se active.

Para manipular esta función se accede a la pestaña **Archivo** y se selecciona **Opciones**. Esto lleva a un cuadro de diálogo en el que hay que localizar la categoría **Revisión**, lo que cambia el contenido del cuadro ofreciendo, entre otros, el botón Opciones de Autocorrección... . Lo pulsamos y obtenemos el cuadro de diálogo siguiente:

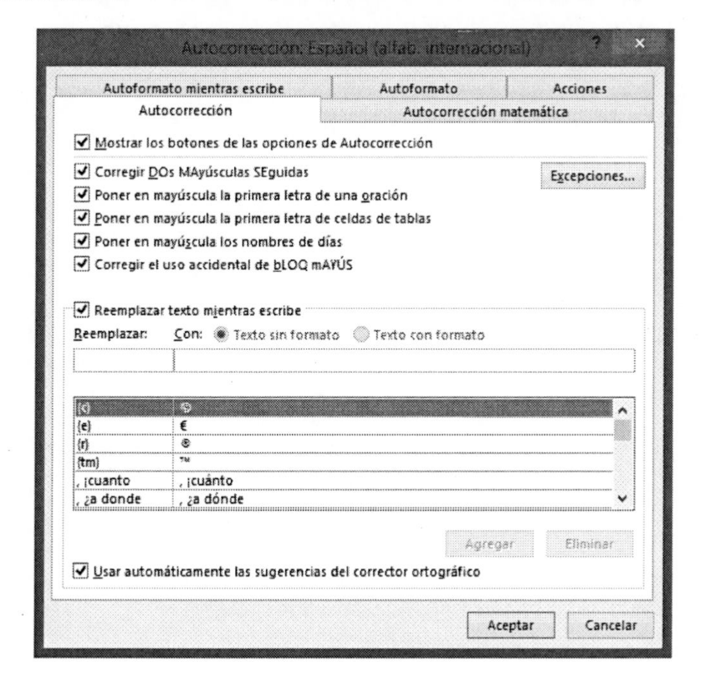

Mostramos el cuadro que ofrece **Word**. En los demás programas es muy similar, aunque con algunas funciones sencillas diferentes.

1. La casilla **Mostrar los botones de las opciones de Autocorrección** activa una función automática que muestra un cuadrito azul (▭) cada vez que se autocorrige algo en el texto. Si esto ocurre, puede llevarse el ratón hasta dicho cuadrito con lo que aparecerá un botón ( ) que, al ser desplegado, ofrece algunas opciones relativas a la corrección que se ha realizado en ese lugar (por ejemplo, podremos anularla con la opción **Deshacer**... o **Volver a**...).

2. **COrregir DOs MAyúsculas SEguidas**. Un error tipográfico bastante común es comenzar una palabra escribiendo con mayúsculas sus dos primeras letras. Si esto ocurre pero está activada esta casilla, el Autocorrector pasará automáticamente a minúsculas la segunda de ambas letras.

3. **Poner en mayúscula la primera letra de una oración**, como es de esperar, escribe automáticamente en mayúsculas la primera letra que se escriba detrás de un punto. También disponemos de la casilla **Poner en mayúscula la primera letra de celdas de tablas**, que realiza la misma tarea pero en las celdas de cualquier tabla.

4. **Poner en mayúscula los nombres de días**, cambia la primera letra de texto de cualquier día de la semana que tecleemos.

5. **Corregir el uso accidental de bLOQ mAYÚS**. La tecla **BLOQ MAYÚS** permite escribir en mayúsculas automáticamente. Pero, si se escribe en este modo y se mantiene pulsada la tecla de **MAYÚSCULAS** mientras se escribe, el resultado es que el texto aparece al revés de como se pretende. Al activar esta función, el Autocorrector estará preparado para corregirlo e, incluso, para desactivar la tecla **BLOQ MAYÚS**.

El cuadro de diálogo ofrece esencialmente dos funciones: **permitir la modificación de las características del autocorrector** y **activar y desactivar el autocorrector en sí**, así como la posible **adición de palabras que pueden autocorregirse**.

La primera ya está descrita. Veamos ahora la segunda. Para activar el Autocorrector hay que mantener activada la casilla de verificación **Reemplazar texto mientras se escribe**.

En el mismo grupo aparece una lista de consulta que contiene todas las palabras o símbolos que serán sustituidos si son mal escritos. A esta lista se le pueden añadir otros que no figuren utilizando los cuadros de texto **Reemplazar**:, para escribir la palabra errónea, y **Con**:, para escribir la palabra correcta que sustituirá automáticamente a la errónea (es necesario pulsar el botón Agregar una vez escritos ambos términos). También se pueden eliminar casos de la lista seleccionándolos y pulsando Eliminar.

Para terminar, el botón Excepciones... permite establecer casos específicos en los que no debe autocorregirse el texto, de modo que todo lo expuesto en este apartado no tendrá efecto para los casos concretos que establezcamos. Cuando se pulsa este botón, aparece un cuadro de diálogo para manejar las excepciones y en él debemos indicar los casos en que no se debe hacer la Autocorrección.

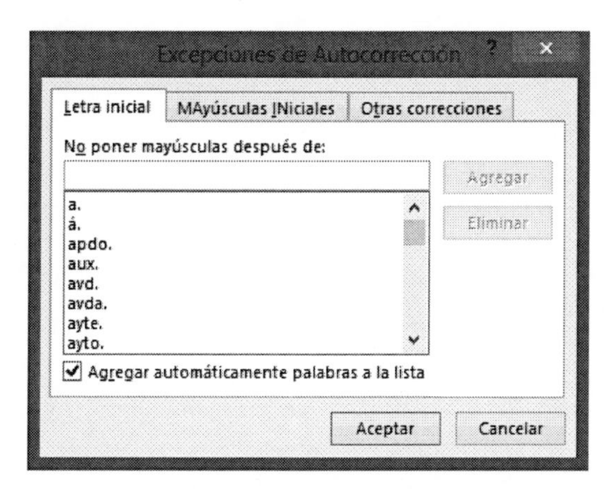

Se escribe la palabra que se desee que no se autocorrija y se pulsa el botón Agregar (esta palabra se añadirá a las que ya pueden verse en la lista). Si por el contrario se necesita borrar una excepción, se hace clic en ella y se pulsa Eliminar.

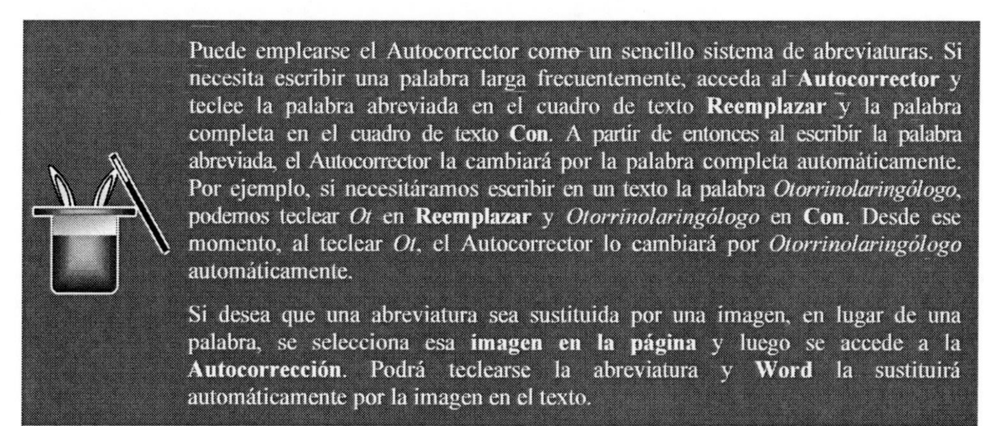

Puede emplearse el Autocorrector como un sencillo sistema de abreviaturas. Si necesita escribir una palabra larga frecuentemente, acceda al **Autocorrector** y teclee la palabra abreviada en el cuadro de texto **Reemplazar** y la palabra completa en el cuadro de texto **Con**. A partir de entonces al escribir la palabra abreviada, el Autocorrector la cambiará por la palabra completa automáticamente. Por ejemplo, si necesitáramos escribir en un texto la palabra *Otorrinolaringólogo*, podemos teclear *Ot* en **Reemplazar** y *Otorrinolaringólogo* en **Con**. Desde ese momento, al teclear *Ot*, el Autocorrector lo cambiará por *Otorrinolaringólogo* automáticamente.

Si desea que una abreviatura sea sustituida por una imagen, en lugar de una palabra, se selecciona esa **imagen en la página** y luego se accede a la **Autocorrección**. Podrá teclearse la abreviatura y **Word** la sustituirá automáticamente por la imagen en el texto.

5.6 ZOOM

Cuando se desean **comprobar mejor ciertos detalles de una hoja de cálculo**, no hay nada como el zoom. Al igual que tradicionalmente se ha utilizado el zoom óptico, podemos **aumentar o disminuir el tamaño de la vista** de los datos en la pantalla (sin modificar el tamaño de los datos) mediante el botón **Zoom** del grupo **Zoom**, de la pestaña **Vista**. Si se activa, se obtiene un cuadro en el que podremos establecer tamaños y características de visualización (vea la figura junto al margen derecho).

1. Utilice los botones de porcentaje (desde un **200%** hasta el **25%**) para ampliar o reducir la imagen.

2. Si desea ampliar la imagen de un bloque de celdas, previamente seleccionado, hasta que abarque por completo la ventana de **Excel**, active el botón de opción **Ajustar la selección a la ventana**.

3. Con el botón de opción **Personalizado** se puede establecer un porcentaje que no aparezca en la lista de botones. Escriba en el cuadro de texto el dato, y recuerde que se ha de basar en el 100% para obtener la ampliación o reducción de la imagen (por ejemplo, 200% significa ver la imagen el doble de grande, y el 50% reducirla a la mitad de su tamaño).

También puede ajustar esta función con el deslizador de **Zoom** ( ) en la parte inferior derecha de la ventana. Al pulsar los botones - y +, se reduce o amplía el tamaño de la vista, respectivamente. También se puede emplear el propio deslizador central , desplazándolo a izquierda o derecha para obtener el mismo efecto.

5.7 COMENTARIOS

En cada celda puede **añadirse un comentario a modo de recordatorio**. Este comentario aparecerá en la celda mostrando su esquina superior derecha en color rojo (con la finalidad de que destaque y se sepa que ahí hay un comentario):

Celda con comentario

Para crear un comentario haga clic en **la celda en la que lo necesite**, acceda a la pestaña **Revisar**, a su grupo **Comentarios** y pulse el botón **Nuevo comentario**. Aparecerá un recuadro con su nombre (o el del usuario legal de **Excel**) con el cursor listo para que teclee la anotación. Escriba lo que necesite y haga clic **fuera del cuadro** para terminar. Para ver el comentario bastará con que acerque el cursor del ratón hasta la esquina roja del comentario.

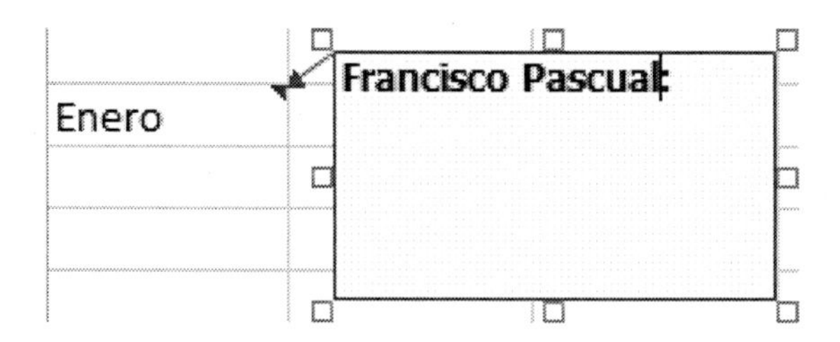

5.8 INSERCIÓN DE CELDAS Y HOJAS DE CÁLCULO

Si lo desea, puede **añadir celdas en blanco** entre ciertos datos que sean contiguos mediante la inserción de éstas.

Lo primero es decidir qué se va a insertar: **celdas sueltas**, **una fila de celdas** (o varias) o **una columna de celdas** (o varias). Podremos incluso **insertar una hoja de cálculo** en medio de otras dos.

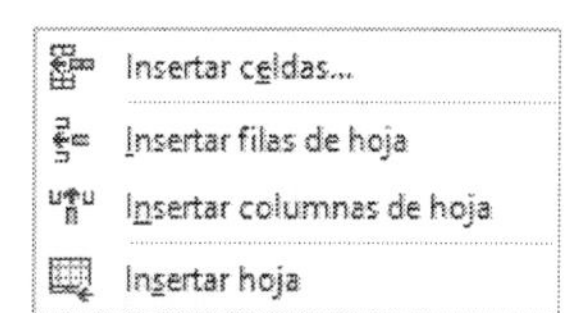

Para ello, recurriremos a la pestaña **Inicio**, grupo **Celdas**, botón **Insertar**. Existe la posibilidad de seleccionar un **bloque de celdas** antes de utilizar esta opción. Para insertar las celdas trabajaremos con las cuatro opciones de este menú.

1. Con **Insertar celdas** podemos insertar celdas sueltas. Al activar esta opción, se obtiene un cuadro de diálogo:

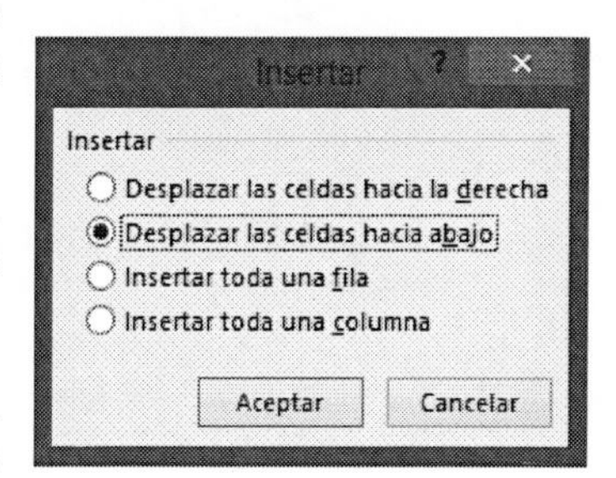

   - **Desplazar las celdas hacia la derecha** inserta las celdas y desplaza los datos que ahí hubiese hacia la derecha.

   - **Desplazar las celdas hacia abajo** inserta las celdas y desplaza los datos que ahí hubiese hacia abajo.

   - **Insertar toda una fila** añade una fila completa de celdas (o varias filas si se han seleccionado como bloque).

   - **Insertar toda una columna** añade una columna completa de celdas (o varias columnas si se han seleccionado como bloque).

2. Con **Insertar filas de hoja** se inserta una fila completa de celdas. Si se selecciona un **rango de celdas**, se insertarán tantas filas como las que haya en ese rango. Si no se selecciona un rango, sólo se inserta una fila de celdas.

3. Con **Insertar columnas de hoja** se inserta una columna completa de celdas. Si se selecciona un **rango de celdas**, se insertarán tantas columnas como las que haya en ese rango. Si no se selecciona un rango, sólo se inserta una columna de celdas.

4. Con **Insertar hoja** se inserta una hoja de cálculo entre otras dos en un libro de trabajo.

Cuando inserte una hoja se colocará entre medias de otras dos, por lo que es posible que desee cambiarla de lugar. Para mover una hoja, haga clic sobre **su pestaña** y, sin soltar el botón del ratón, arrastre a izquierda o derecha hasta depositarla en el sitio en el que desee colocarla soltando ahí el botón del ratón.

5.9 ELIMINAR CELDAS Y HOJAS DE CÁLCULO

Ésta es la **función inversa a la inserción de celdas**, ya que las hace desaparecer. Se puede establecer un rango de celdas cuyas columnas o filas (o el propio rango de celdas) desaparecerán de la hoja dejando sitio al resto de los datos de la misma. Se seleccionan **las celdas**, se accede a la pestaña **Inicio**, grupo **Celdas** y se elige el botón **Eliminar**. El cuadro de diálogo que aparece es prácticamente idéntico al que se obtiene para insertar celdas:

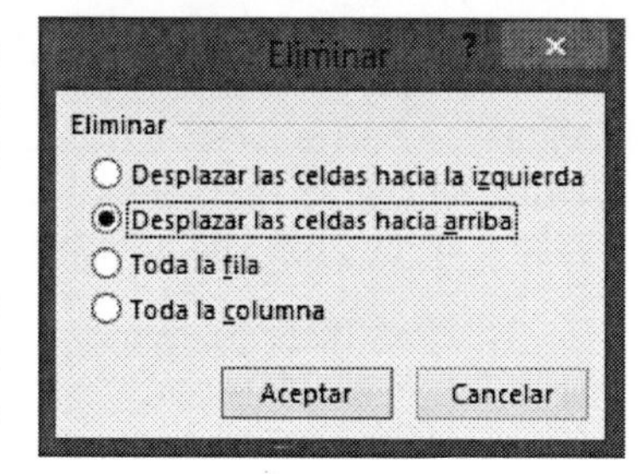

1. **Desplazar las celdas hacia la izquierda** elimina las celdas llevando el contenido de las que hasta ahora estaban a su izquierda a la posición de las que se eliminan.

2. **Desplazar las celdas hacia arriba** elimina las celdas llevando el contenido de las que hasta ahora estaban debajo de ellas a la posición de las que se eliminan.

3. **Toda la fila** borra una fila completa de celdas (o varias filas si se han seleccionado como bloque).

4. **Toda la columna** borra una columna completa de celdas (o varias columnas si se han seleccionado como bloque).

Para eliminar una hoja de cálculo se selecciona su **etiqueta** y se activa la opción **Eliminar hoja** del menú **Edición**.

5.10 PROTECCIÓN DE DATOS

Otra de las posibilidades que propone **Excel** es la de **proteger los datos de las celdas** pertenecientes a una hoja de cálculo mediante varias funciones, como claves de acceso o protección contra la posible eliminación (o modificación) accidental de datos importantes.

Para poder proteger una celda (o varias), hay que empezar por aplicarles el atributo **Bloqueada** (se pulsan las teclas **CONTROL + 1** y se accede a la pestaña **Proteger**). Después, es necesario escudar la hoja entera y aquellas celdas que no hayan sido desbloqueadas quedarán inaccesibles. Para ello, nos desplazaremos a la pestaña **Revisar**, grupo **Cambios**, que ofrece varias opciones:

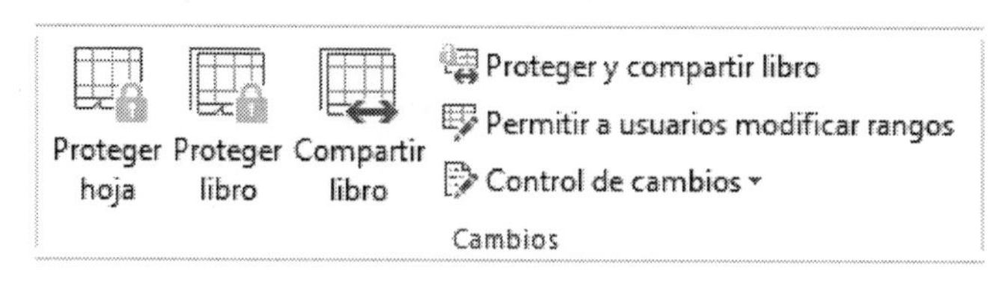

1. **Proteger hoja** activa la protección para la hoja de cálculo en la que se encuentre en ese momento. Ofrece el siguiente cuadro de diálogo:

   - **Contraseña para desproteger la hoja** se emplea para establecer una clave con la que desproteger la hoja en el futuro (cuando se vaya a desproteger la hoja se pedirá esta contraseña y sólo se desprotegerá si se teclea la correcta).

   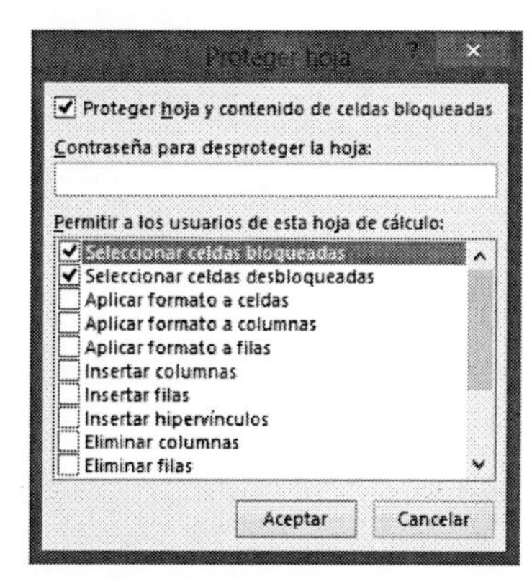

   - En la lista **Permitir a los usuarios de esta hoja de cálculo** pueden verse ciertas funciones que podrán o no modificarse según se active o no la correspondiente casilla.

2. **Proteger libro** activa la protección para el libro de trabajo completo (es la misma función que proteger hoja, sólo que protege todas las hojas del libro). Ofrece las casillas **Estructura** (para proteger los datos del libro, es decir, no se podrán eliminar, mover, etc. las hojas protegidas) y **Ventanas** (con la que no se podrán maximizar, ampliar, reducir, etc. las ventanas de las hojas protegidas). También se podrá añadir una contraseña para evitar que un usuario no autorizado las desproteja.

   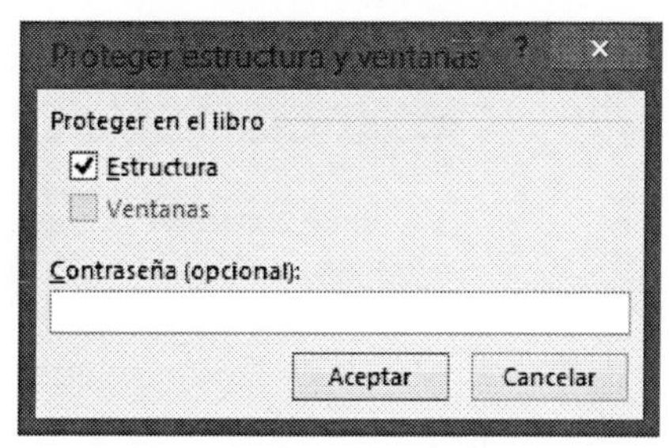

3. Permitir a usuarios modificar rangos lleva a un cuadro de diálogo en el que se pueden **establecer rangos de celdas de la hoja** que podrán ser modificados. También podremos establecer qué funciones podrá modificar el usuario dentro de ese rango de celdas.

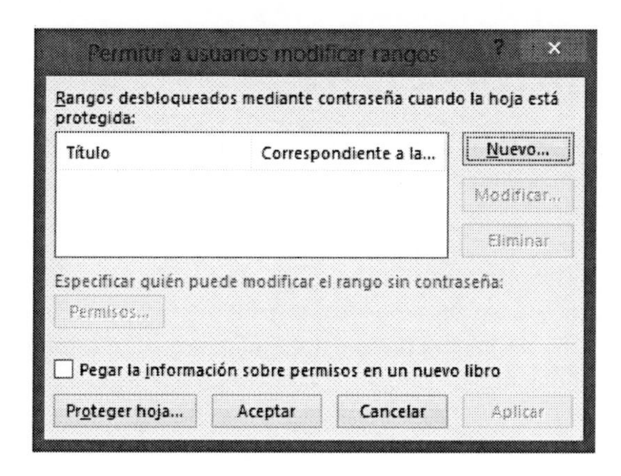

- Cuando pulse el botón Nuevo... **Excel** ofrecerá otro cuadro de diálogo en el que se selecciona **el rango**:

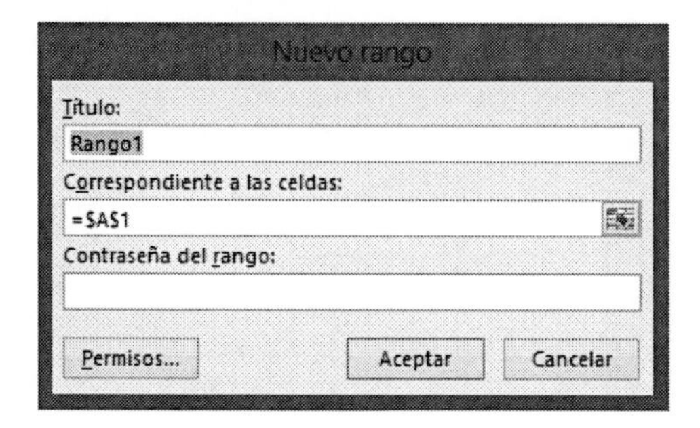

  a) Se asigna un nombre al rango en el cuadro de texto **Título**.

  b) El cuadro de texto **Correspondiente a las celdas** se emplea para teclear el rango.

  c) Se puede añadir una clave en **Contraseña del rango**.

- El botón Modificar... permite **cambiar un rango de la lista**, así como los permisos de los usuarios que lo pueden alterar.

- El botón Eliminar permite **borrar un rango de la lista**.

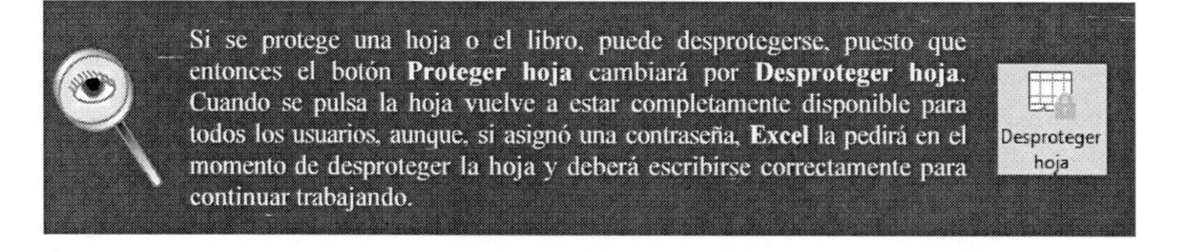
Si se protege una hoja o el libro, puede desprotegerse, puesto que entonces el botón **Proteger hoja** cambiará por **Desproteger hoja**. Cuando se pulsa la hoja vuelve a estar completamente disponible para todos los usuarios, aunque, si asignó una contraseña, **Excel** la pedirá en el momento de desproteger la hoja y deberá escribirse correctamente para continuar trabajando.

5.11 COMPARTIR LIBROS

Compartir un documento consiste en que dos o más usuarios (que normalmente se encuentran conectados en red) utilicen un mismo documento al mismo tiempo.

Generalmente, un documento no puede ser utilizado por dos o más usuarios a la vez, ya que eso ocasionaría conflictos al programa: ¿quién, de todos los usuarios, puede grabarlo? Si lo graba uno, otro no ve los cambios en su ordenador; y si dos usuarios cambian por su cuenta la misma parte del documento, ¿qué cambios deben prevalecer? Por todo ello, la posibilidad de compartir archivos ha resultado siempre conflictiva. Sin embargo, debido a la naturaleza de **Excel** es posible compartir sus libros de trabajo, con ciertas precauciones.

Para compartir un libro se activa el botón **Compartir libro** del grupo **Cambios** en la pestaña **Revisar**, que ofrecerá el cuadro de diálogo siguiente:

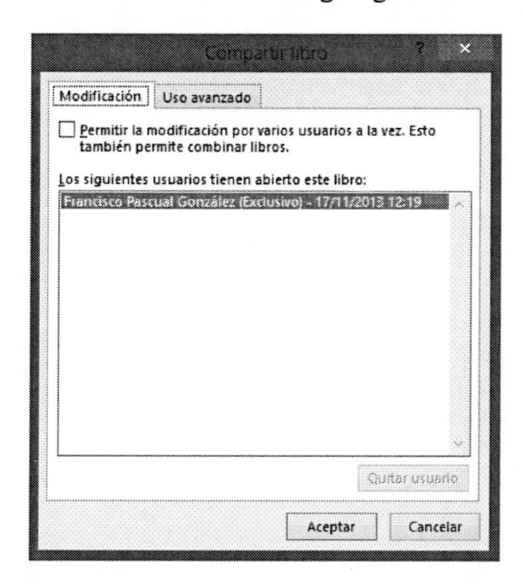

En él se nos muestra inicialmente el nombre de aquel usuario que tiene abierto el libro y la fecha y hora en las que lo ha abierto. De momento ese archivo está abierto en modo exclusivo por ese usuario, lo que significa que ningún otro usuario puede abrirlo normalmente, ya que si lo hace obtendrá un cuadro de diálogo que le limita el acceso:

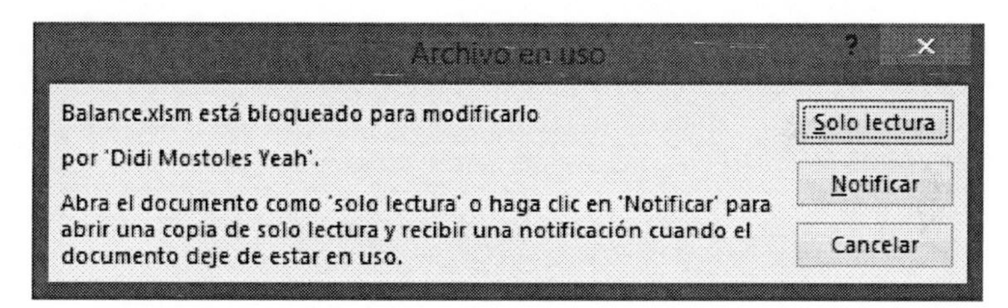

En este caso sólo se podrá abrirlo en modo sólo lectura que implica que el usuario no podrá grabarlo (al menos con el mismo nombre o en el mismo sitio) y sólo podrá leerlo. Ahora bien, si se activa la casilla **Permitir la modificación por varios usuarios a la vez**, se ofrece la posibilidad de que varios usuarios utilicen el libro casi sin restricciones.

Si así se hace, al pulsar el botón Aceptar **Excel** indicará que se debe grabar el libro en ese momento. Al hacerlo, cualquier usuario podrá abrir el libro aunque ya lo estemos utilizando nosotros: todos los usuarios que lo abran podrán ver el mensaje *"Compartido"* junto a su nombre en la barra de título de la ventana.

Después se indican las condiciones en las que se comparten los libros en el mismo cuadro de diálogo de compartir libros:

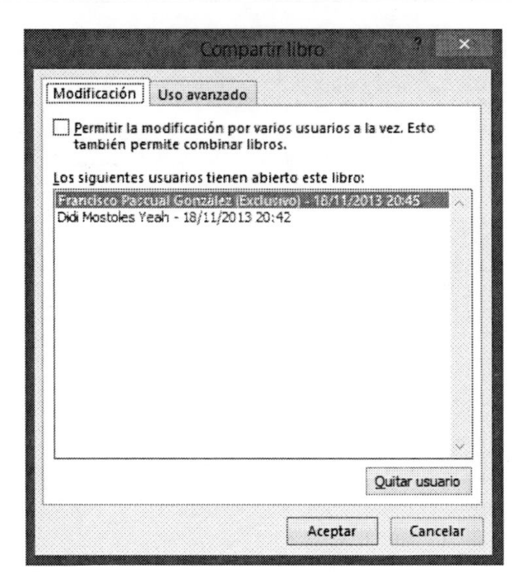

Puede observarse que ahora la lista muestra todos los usuarios que mantienen abierto el libro en su estación de trabajo. Se puede **impedir que un usuario siga utilizando el libro** haciendo clic en **la lista** en él y pulsando el botón Quitar usuario. Aunque a nosotros se nos manifiesta un mensaje que nos informa que ese usuario ya no podrá grabar sus datos en el libro, él no recibirá advertencia alguna y continuará sin saber que ha sido "desconectado" hasta el momento en que intente guardar sus cambios.

También, disponemos de la ficha **Uso avanzado** para **establecer el modo en el que se comparte el libro**. Gracias a ella podemos establecer ciertos datos como, por ejemplo, qué debe hacerse si aparece un conflicto entre datos de dos o más usuarios (lo usual es **Preguntar cuáles prevalecen** para decidir en ese momento qué se hace).

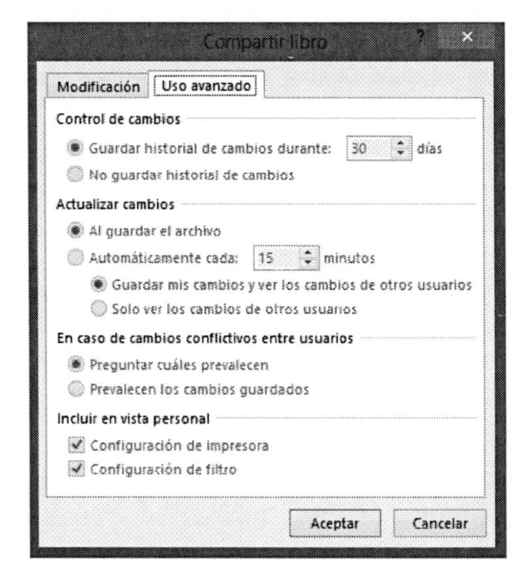

5.12 ORDENACIONES

Excel permite **ordenar los datos de las hojas** basándose en tres criterios; es decir, si se encuentran dos elementos iguales para el primer criterio, se buscarán datos para ordenar en el segundo criterio (y lo mismo en un tercer criterio).

Lo primero que se necesita para ordenar una lista de datos es seleccionar el **rango de celdas** que contiene la lista. El resultado ordenado quedará localizado en la misma situación en que estaban los datos desordenados. Una vez seleccionado el rango de celdas, utilizaremos el botón **Ordenar y Filtrar** del grupo **Modificar** de la pestaña **Inicio** (también se puede emplear el botón **Ordenar** del grupo **Ordenar y filtrar** en la pestaña **Datos**). Al pulsar el botón **Orden personalizado**, se obtiene un cuadro de diálogo en el que se establecen las especificaciones necesarias para la ordenación.

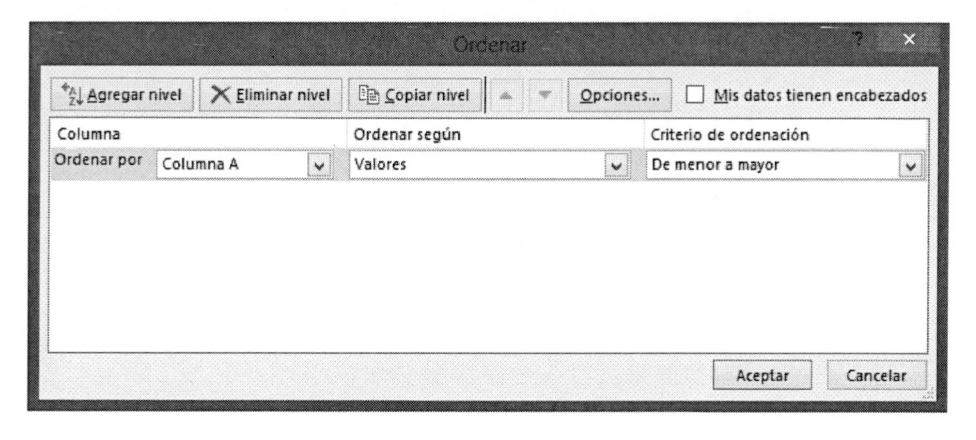

1. Se activa la casilla **Mis datos tienen encabezados** si la primera fila de los datos seleccionados para ordenar contiene los rótulos que indican el contenido de cada columna.

2. Se utiliza la lista desplegable **Columna** para **establecer la columna** que contiene los datos que se van a clasificar.

3. Se utiliza la lista desplegable **Ordenar según** para **elegir qué dato del contenido de las celdas** se empleará para la clasificación de la información: los valores de esas celdas, sus colores, etc.

4. Se utiliza la lista desplegable **Criterio de ordenación** para **elegir si la ordenación debe llevarse a cabo de menor a mayor o de mayor a menor**. Si los datos que se van a ordenar son de tipo **texto**, la lista ofrece A a Z y Z a A. Si son **numéricos** o de **fecha** ofrecerá **De menor a mayor** y **De mayor a menor**. También ofrece la opción **Lista personalizada** por si vamos a recolocar datos de una lista de relleno automático (que se definen desde la pestaña **Archivo**, seleccionando **Opciones**, categoría **Avanzadas** y, a continuación, desplazándose hacia abajo, pulsando el botón Modificar listas personalizadas...).

5. Puesto que podría darse el caso de que los datos a ordenar se encuentren duplicados, podemos **establecer cómo se recolocan sus filas entre sí**. Así pues, después de haber establecido el dato principal por el que se va a ordenar mediante las listas desplegables anteriores, se pulsa el botón Agregar nivel para **añadir un segundo criterio de ordenación** en el que se elige otro dato (con las mismas listas desplegables) que se utilizará para ordenar entre sí esos datos. Si se añade un criterio por equivocación se puede seleccionar en la lista y pulsar el botón Eliminar nivel. También se puede emplear el botón Copiar nivel para **duplicar un criterio** evitando crearlo desde cero.

6. Si se pulsa en Opciones..., se obtiene otro cuadro con el que se cambian los detalles de la ordenación:

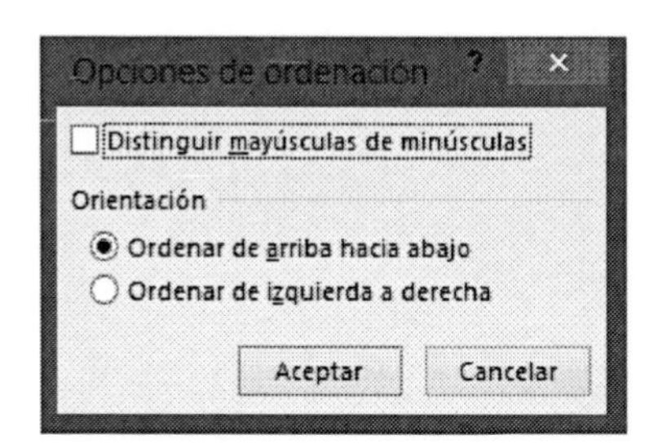

- Si no se activa la casilla **Distinguir mayúsculas de minúsculas**, no se diferenciarán y dará igual que los datos estén escritos en mayúsculas o minúsculas (o ambos mezclados en las palabras).

- El grupo **Orientación** le permite establecer si la ordenación se llevará a cabo por filas (**Ordenar de arriba hacia abajo**) o por columnas (**Ordenar de izquierda a derecha**).

5.13 AUTOCALCULAR

La función de autocalcular nos **ofrece el resultado de una operación sencilla** antes de que la incorporemos a la hoja de cálculo. Resulta muy práctico siempre que necesitemos realizar un cálculo sencillo sin que quede reflejado en la hoja. El resultado podremos verlo hacia la derecha de la barra de estado (en la parte inferior de la hoja) y basta con seleccionar un **bloque de celdas** que contengan **datos numéricos**. Un ejemplo:

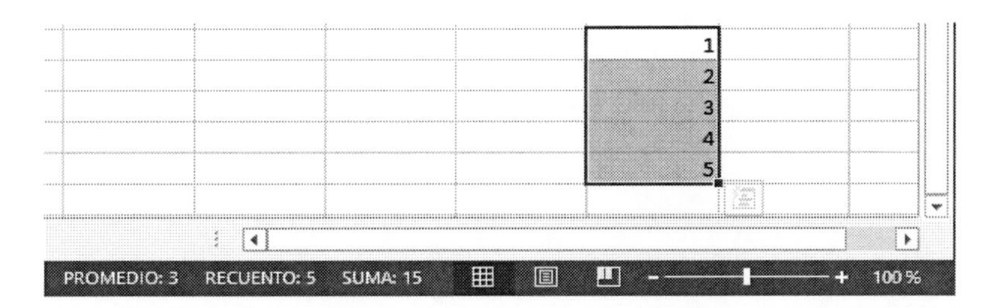

Excel ofrece más operaciones sencillas para autocalcular (no únicamente la suma). Si deseamos cambiar de operación, basta con llevar el ratón hasta el apartado de autocalcular en la barra de estado y pulsar sobre él el botón secundario (secundario) del ratón. Obtendremos un menú con las operaciones disponibles:

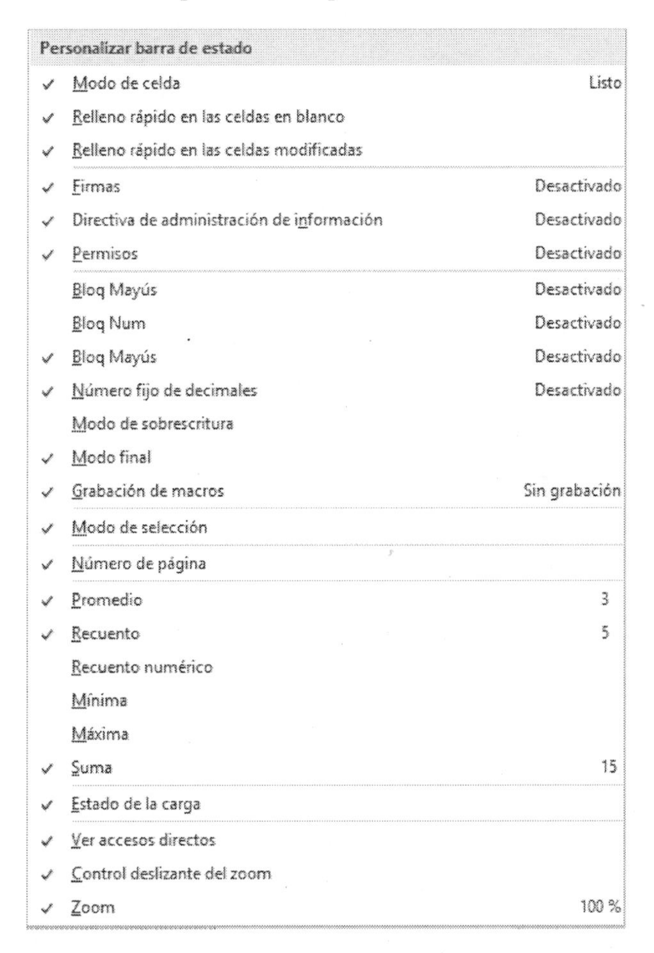

Como se puede ver, en la lista aparece activa la función **Suma**, pero se puede elegir entre el resto de las funciones, como, por ejemplo, **Promedio**, que realiza la media aritmética del bloque de celdas, o **Máxima** que muestra el valor más alto que haya en dicho bloque.

5.14 HERRAMIENTAS PARA EL EURO

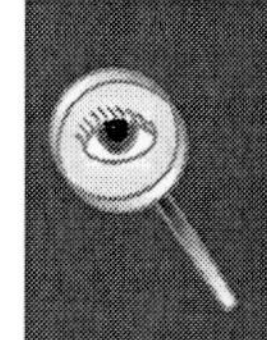

Para que esa función esté disponible es necesario que **Excel** tenga activo su complemento. Si la necesita, despliegue la pestaña **Archivo** y elija **Opciones**.

En el cuadro de diálogo que aparezca, acceda a la categoría **Complementos**. Obtendrá entonces el botón Ir... . Púlselo y, en el nuevo cuadro de diálogo que obtenga, active la casilla de **Herramientas para el Euro**.

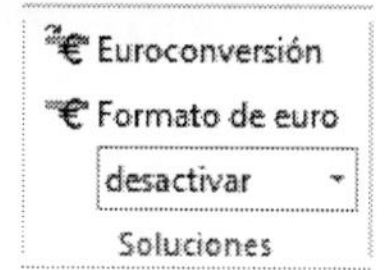

Excel ofrece unas funciones con las que **calcular el cambio de moneda** con respecto al euro. Se encuentran situadas en el grupo **Soluciones** de la pestaña **Fórmula** en la cinta de opciones.

Podemos desplegar la lista cuyo dato inicial es **desactivar** para elegir los datos para la conversión: el primero indica el país cuya antigua moneda se ha empleado en los datos escritos en la hoja y el segundo la moneda (por ejemplo, **EUR**) en la que deben expresarse los datos en la propia lista.

Así, seleccione **ESP -> EUR** si los datos de su hoja están escritos en pesetas y desea que la barra los muestre en euros (si lo desea al revés, elija **EUR -> ESP**).

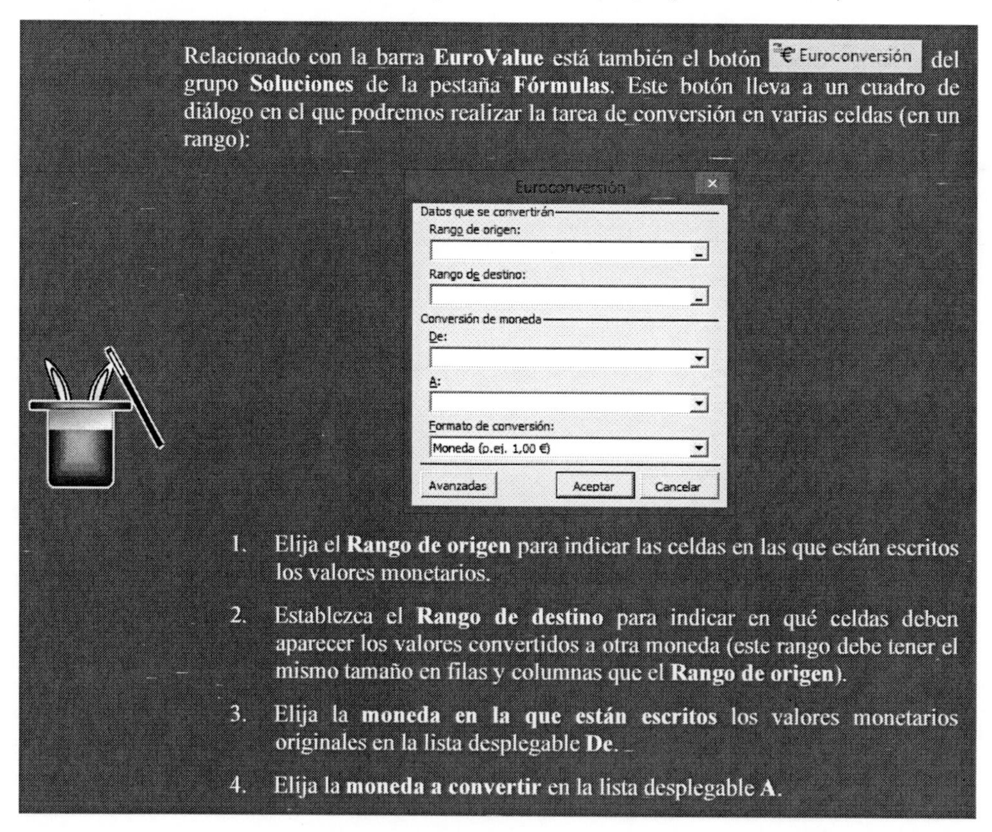

Relacionado con la barra **EuroValue** está también el botón Euroconversión del grupo **Soluciones** de la pestaña **Fórmulas**. Este botón lleva a un cuadro de diálogo en el que podremos realizar la tarea de conversión en varias celdas (en un rango):

1. Elija el **Rango de origen** para indicar las celdas en las que están escritos los valores monetarios.
2. Establezca el **Rango de destino** para indicar en qué celdas deben aparecer los valores convertidos a otra moneda (este rango debe tener el mismo tamaño en filas y columnas que el **Rango de origen**).
3. Elija la **moneda en la que están escritos** los valores monetarios originales en la lista desplegable **De**.
4. Elija la **moneda a convertir** en la lista desplegable **A**.

5.15 CARACTERES ESPECIALES Y SÍMBOLOS

Cuando necesite escribir en las celdas un símbolo que no aparezca en el teclado, podrá **insertar** uno de los denominados **caracteres especiales**. Active el botón Ω Símbolo en el grupo **Símbolos** de la pestaña **Insertar** y obtendrá una tabla en la que podrá elegir el **carácter que desea añadir** al texto:

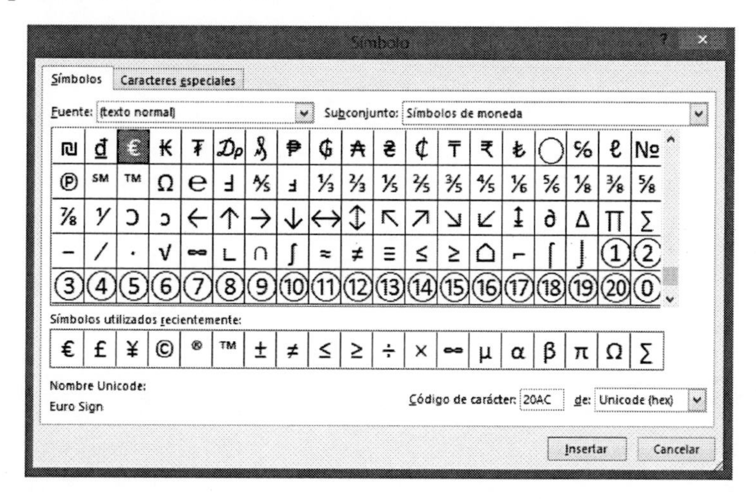

1. Con la ficha **Símbolos** puede **indicar el tipo de letra** (o juego de caracteres) que desea para insertar el carácter especial activando la lista **Fuente**.

2. Utilice el ratón o las teclas del cursor para seleccionar **el carácter** que desee y pulse el botón Insertar. Si conoce el código que corresponde al carácter que desea incorporar al texto, puede teclearlo en el cuadro de texto **Código de carácter**.

Si activa la ficha **Caracteres especiales**, el cuadro de diálogo cambiará para mostrarle otra lista de aspecto similar:

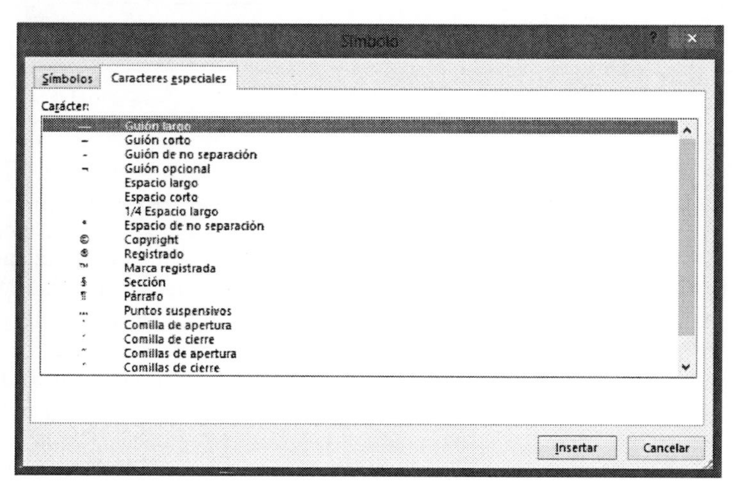

En este cuadro se presentan ciertos caracteres tipográficos especiales. Junto a ellos aparecen las descripciones de lo que representan y las combinaciones de teclas que pueden pulsarse mientras se escribe el texto para que aparezca cada carácter especial.

En cuanto a los botones que aparecen en la parte inferior del cuadro sus funciones son idénticas a las detalladas para la ficha **Símbolos**.

5.16 TEXTO EN COLUMNAS

Si dispone de una **celda en la que hay escritos datos que deban colocarse uno por celda** (por ejemplo, datos importados de otros documentos, como un texto de **Word**), **Excel** ofrece una herramienta con la que podemos realizar la operación automáticamente.

Imagine, por ejemplo, que tiene escritos en una sola celda todos los meses del año y que desea que cada mes quede escrito en una columna. Para ello haga clic en **la celda en cuestión** y luego acceda a la pestaña **Datos**, grupo **Herramientas de datos** y seleccione **Texto en columnas**. Esto le llevará al siguiente cuadro de diálogo:

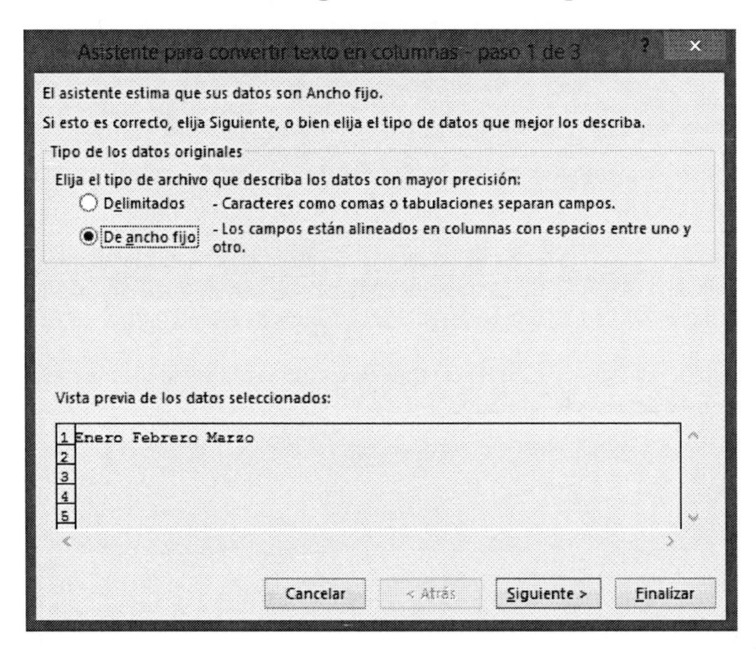

En este paso **Excel** trata de asegurarse de que los datos de la celda están separados por el mismo símbolo (por ejemplo, un espacio en blanco, una coma o una tabulación). Elija el **botón que corresponda** y pulse Siguiente > para acceder a un nuevo paso del asistente en el que se pueden observar los datos separados por las flechas verticales que indican cómo quedará el texto distribuido por columnas: si necesita otra distribución, haga clic en **una de las flechas** y arrástrela hasta situarla en el lugar adecuado. También puede añadir más flechas haciendo clic **entre medias de otras dos** y puede eliminar una flecha haciendo doble clic en una.

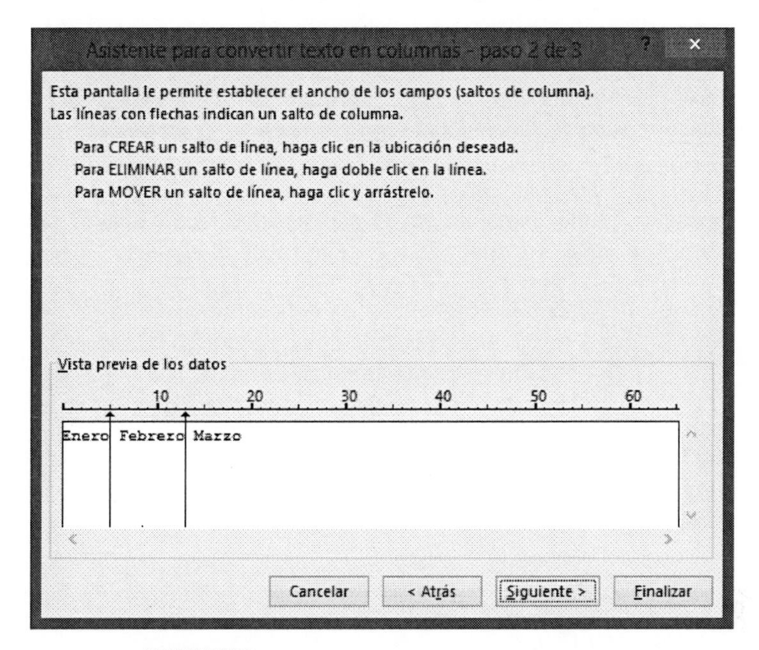

Cuando pulse Siguiente > aparecerá el último paso del asistente:

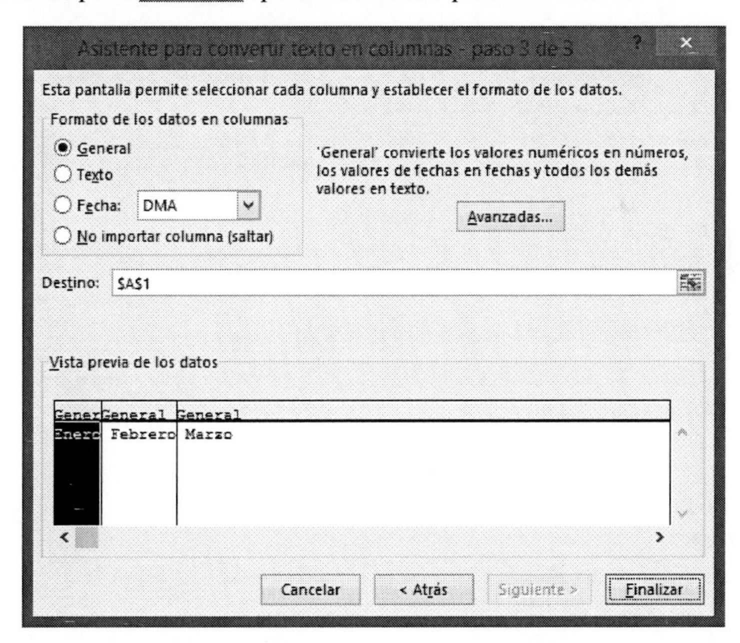

En este paso puede elegir **de qué tipo deben considerarse los datos** una vez que estén en cada celda (**General**, **Texto**, **Fecha**, etc.), así como el lugar en el que deberá comenzar a distribuirse los datos por columnas (**Destino**). Luego, pulse Finalizar para obtener el resultado.

5.17 AGRUPAR CELDAS Y ESQUEMAS

En ocasiones resulta muy práctico **agrupar datos de celdas por temas**. Esto posibilita ocultar y mostrar fácilmente datos que pertenezcan a esos temas.

Para agrupar celdas basta con seleccionarlas y acceder a la pestaña **Datos** de la cinta de opciones, grupo **Esquema**, en el que se selecciona **Agrupar**. En el menú que aparece se elige **Agrupar**. Esta opción ofrece el siguiente cuadro de diálogo:

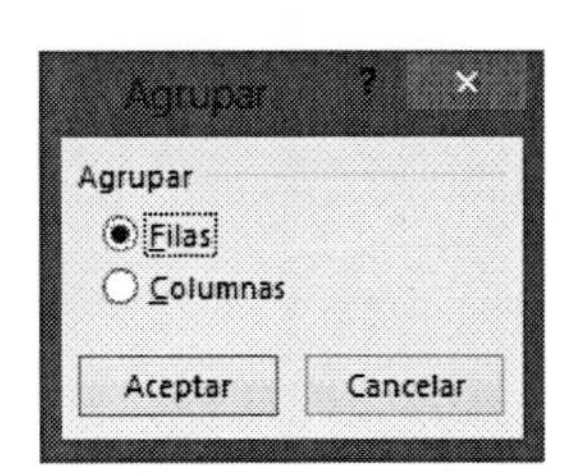

Deberá elegir si va a agrupar las celdas que ha seleccionado por **Filas** o por **Columnas**. Luego, al pulsar [Aceptar] aparece la barra de filas y, en ella, veremos unas "llaves" que agrupan nuestros datos. Por ejemplo, si se agrupa por filas, se obtendrá lo siguiente:

Niveles de esquema

Llave que muestra los datos que están agrupados

Botón de ocultar detalle

	A	B	C
1	Vacaciones		
2	**Año**	**Mes**	**Semana**
3	2007		
4		Enero	
5		Febrero	
6		Marzo	
7		Abril	
8		Mayo	
9		Junio	
10		**Julio**	
11			Semana 1
12			Semana 2
13			Semana 3
14			Semana 4
15		**Agosto**	
16			Semana 1
17			Semana 2
18			Semana 3
19			Semana 4
20		Septiembre	
21		Octubre	
22		Noviembre	
23		Diciembre	
24	2008		

Con el botón **Ocultar detalle** ([-]) puede **contraer los elementos agrupados**: el resultado es como si los ocultara. Podrá observar, además, que el botón **Ocultar detalle** ([-]) cambia de aspecto y pasa a llamarse **Mostrar detalle** ([+]): si lo pulsa de nuevo se volverá a desplegar la lista de datos agrupados. Estas funciones también las aplican los botones y del grupo **Esquema** de la pestaña **Datos**.

Si selecciona **celdas que ya se encuentren agrupadas** (sin necesidad de seleccionar todo el grupo) y vuelve a agrupar algunas, estará creando un **esquema de tres niveles** y aparecerá una nueva llave dentro de la anterior que indica las celdas agrupadas.

Si necesita **Desagrupar los datos**, pulse el botón en el mismo grupo de la pestaña **Datos**. Desplegando el mismo botón y seleccionando **Borrar esquema** se **elimina el esquema**, no así los datos que contiene. Tenga en cuenta que esta acción no se puede deshacer.

5.18 SUBTOTALES

Otras categorías (con datos repetidos)

Columna con datos numéricos

Fila de rótulos

Categoría Ordenador (se repite el dato Ordenador)

Categoría Impresora (se repite el dato Impresora)

	A	B	C	D
1	**Producto**	**Marca**	**Modelo**	**Precio**
2	Ordenador	Thobitha	Portátil	1.800,00 €
3	Ordenador	Thobitha	Sobremesa	1.200,00 €
4	Ordenador	Thobitha	Semitorre	1.500,00 €
5	Ordenador	Thobitha	Torre	2.100,00 €
6	Ordenador	Thobitha	Elegance	2.400,00 €
7	Ordenador	Hibe Eme	Portátil	1.800,00 €
8	Ordenador	Hibe Eme	Sobremesa	1.200,00 €
9	Ordenador	Hibe Eme	Semitorre	1.500,00 €
10	Ordenador	Hibe Eme	Torre	2.100,00 €
11	Ordenador	Hibe Eme	Elegance	2.400,00 €
12	Ordenador	Compaco	Portátil	1.800,00 €
13	Ordenador	Compaco	Portátil	1.200,00 €
14	Ordenador	Compaco	Sobremesa	1.500,00 €
15	Ordenador	Compaco	Sobremesa	2.100,00 €
16	Ordenador	Compaco	Semitorre	2.400,00 €
17	Ordenador	Compaco	Semitorre	1.800,00 €
18	Ordenador	Compaco	Torre	1.200,00 €
19	Ordenador	Compaco	Torre	1.500,00 €
20	Ordenador	Compaco	Elegance	2.100,00 €
21	Ordenador	Compaco	Elegance	2.400,00 €
22	Impresora	Hexxon	Estilos 100	150,00 €
23	Impresora	Hexxon	Inyección	300,00 €
24	Impresora	Hexxon	Tinta	180,00 €
25	Impresora	Hexxon	Tinta	190,00 €
26	Impresora	Hachepe	Desyet	390,00 €
27	Impresora	Hachepe	Desyet	90,00 €
28	Impresora	Hachepe	Desyet	120,00 €
29	Impresora	Hachepe	Laseryet	340,00 €

Excel incorpora una función automática que permite **generar totales** siempre y cuando coloquemos los datos en las celdas de una forma concreta. Si lo hacemos de esta forma, el sistema realizará sumas (u otras funciones similares como la media aritmética, el valor más alto, etc.) por grupos de datos automáticamente.

Las condiciones necesarias para la **generación automática de subtotales** son las siguientes:

1. Colocar una primera fila a modo de rótulo.

2. Colocar datos repetidos por filas (categorías), incluso con varios niveles si es necesario.

3. Tener, al menos, una columna con **datos numéricos** con los que **Excel** pueda operar.

Los subtotales se encargarán de calcular según las categorías (los datos repetidos en las filas).

Para llevar a cabo esta operación, se sitúa el cursor en una de las celdas de la lista de datos, se accede a la pestaña **Datos** de la cinta de opciones y, en el grupo **Esquema**, se pulsa el botón **Subtotal**. **Excel** seleccionará toda **la lista** y ofrecerá un cuadro de diálogo que contendrá los elementos necesarios para que podamos generar los subtotales:

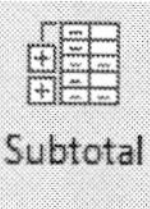

1. Despliegue la lista **Para cada cambio en** para elegir la columna con la que quiere obtener los subtotales. Según nuestro ejemplo anterior, si desea que se genere un subtotal para *ordenadores* y otro para *impresoras*, se selecciona **Producto** (que es la columna a la que pertenecen ambos), mientras que si se desea que los subtotales se calculen por **Marcas**, se selecciona eso en la lista.

2. Después, utilice la lista **Usar función** para elegir el cálculo que debe realizar el subtotal. Aunque por norma general es la **Suma**, puede seleccionar otras **operaciones sencillas** de cálculo como la media aritmética (**Promedio**), el valor más alto (**Máx**) o que se realice un recuento de las cantidades (**Contar números**).

3. Active la casilla de la **columna que contenga los datos numéricos** en la lista **Agregar subtotal a**. Si sólo dispone de una columna de **datos numéricos** sólo podrá activar ésa para obtener un resultado correcto.

4. Si ya tiene un subtotal calculado y no desea que **Excel** lo elimine al hacer el nuevo, desactive la casilla **Reemplazar subtotales actuales**.

5. Si activa la casilla **Salto de página entre grupos**, cuando imprima los datos en papel conseguirá que **Excel** coloque cada grupo de subtotales en una página.

6. **Excel** calculará un total de todos los valores de la columna numérica: si desea que ese total aparezca en la parte inferior del listado, active la casilla **Resumen debajo de los datos**.

7. Si ya tiene unos subtotales calculados y desea eliminarlos, pulse el botón Quitar todos, que cierra automáticamente el cuadro de diálogo sin necesidad de pulsar Aceptar.

8. Una vez que termine, pulse Aceptar y **Excel** mostrará los resultados en la hoja de cálculo.

	A	B	C	D
1	**Producto**	**Marca**	**Modelo**	**Precio**
2	Ordenador	Thobitha	Portátil	1.800,00 €
3	Ordenador	Thobitha	Sobremesa	1.200,00 €
4	Ordenador	Thobitha	Semitorre	1.500,00 €
5	Ordenador	Thobitha	Torre	2.100,00 €
6	Ordenador	Thobitha	Elegance	2.400,00 €
7		**Total Thobitha**		9.000,00 €
8	Ordenador	Hibe Eme	Portátil	1.800,00 €
9	Ordenador	Hibe Eme	Sobremesa	1.200,00 €
10	Ordenador	Hibe Eme	Semitorre	1.500,00 €
11	Ordenador	Hibe Eme	Torre	2.100,00 €
12	Ordenador	Hibe Eme	Elegance	2.400,00 €
13		**Total Hibe Eme**		9.000,00 €
14	Ordenador	Compaco	Portátil	1.800,00 €
15	Ordenador	Compaco	Portátil	1.200,00 €
16	Ordenador	Compaco	Sobremesa	1.500,00 €
17	Ordenador	Compaco	Sobremesa	2.100,00 €
18	Ordenador	Compaco	Semitorre	2.400,00 €
19	Ordenador	Compaco	Semitorre	1.800,00 €
20	Ordenador	Compaco	Torre	1.200,00 €
21	Ordenador	Compaco	Torre	1.500,00 €
22	Ordenador	Compaco	Elegance	2.100,00 €
23	Ordenador	Compaco	Elegance	2.400,00 €
24		**Total Compaco**		18.000,00 €

Utilice los niveles de esquema para resumir los resultados y poder realizar así otras operaciones con ellos fácilmente como, por ejemplo, crear un gráfico.

5.19 AÑADIR IMÁGENES

Excel nos permite añadir imágenes al documento de varios modos, todos ellos accesibles desde el grupo **Ilustraciones** de la ficha **Insertar**.

1. **Imágenes**. Permite **incorporar al texto una imagen** que esté almacenada en una carpeta de cualquier disco. Para poder elegir la imagen se ofrece el clásico cuadro de diálogo para abrir documentos.

2. **Imágenes en línea**. Permite **incorporar imágenes desde diferentes localizaciones**. Para ello, ofrece el siguiente cuadro de diálogo:

Podemos obtener imágenes de ejemplo que ofrece **Microsoft** con **Imágenes prediseñadas de Office.com**, imágenes procedentes del buscador **Bing** con **Búsqueda de imágenes de Bing** e imágenes particulares del usuario mediante **SkyDrive de...**

Solo es necesario establecer una palabra o palabras que definan la imagen que estamos buscando en el cuadro de texto de uno de esos tres orígenes y pulsar **INTRO**.

Se obtiene una lista con miniaturas de las imágenes disponibles:

Al superponer el puntero del ratón sobre una imagen, aparece una pequeña lupa en la que, al hacer clic, nos mostrará una versión de la misma en tamaño mayor. Para incorporar la imagen al documento, se hace clic en **su miniatura** y luego en el botón Insertar.

5.20 EDITAR IMÁGENES

Siempre que se incorpora una imagen a un documento (que no haya sido dibujada con el propio programa, como **Word**), puede modificarse hasta cierto punto. Gracias al sistema de edición podremos **modificar características de la imagen** como el **brillo** o el **contraste**.

Cuando se selecciona **una imagen** de este tipo (haciendo clic en ella), aparecen automáticamente a su alrededor, en las esquinas y los laterales, ocho puntos manejadores con los que podemos cambiar el tamaño de la imagen. Así, arrastrando uno hacia fuera de la imagen, ésta se ampliará y viceversa.

En realidad aparece un manejador más de color verde en la parte superior que permite **girar la imagen** haciendo clic en él y arrastrando en una dirección.

También aparecerá una nueva pestaña en la cinta de opciones, **Formato**:

Su función es que se pueda configurar la imagen para que se muestre en el documento con el aspecto que deseemos:

1. En el grupo **Ajustar** disponemos de las siguientes funciones:

   - El botón **Quitar fondo** se emplea para **eliminar partes no deseadas** de la imagen. Para ello hay que seleccionar qué partes una vez que se pulsa el botón.

   - El botón Correcciones se emplea para **ajustar la nitidez** (enfoque) **el brillo** (la cantidad de luz de la imagen) y **el contraste** (el nivel de diferencia entre colores claros y oscuros) de la imagen.

   - El botón Color ofrece una **lista de coloraciones** que pueden **aplicarse a la imagen**. Así podemos volver cualquier imagen del documento azulada, verdosa, rojiza, escala de grises, sepia, etc. El botón despliega esas opciones y, además, permite **definir un color transparente para la imagen** (que permitirá ver a través de él lo que haya al fondo).

   - El botón Efectos artísticos permite **aplicar filtros a la imagen** que generan diferentes efectos (Acuarela, película granulada, desenfoque, plastificado, etc.).

   - El botón Comprimir imágenes lleva a un cuadro de diálogo en el que se puede **establecer si la imagen se guardará comprimida en el documento** (ocupando menos espacio en el disco) **o no**. Se puede aplicar a todas las imágenes del documento (dejando desactivada la casilla **Aplicar sólo a esta imagen**) y establecer su nivel de compresión (mediante los botones del grupo **Destino**). Tenga presente que, a cambio de reducir el tamaño del archivo, suele haber también una pérdida de calidad que será proporcional al nivel de compresión.

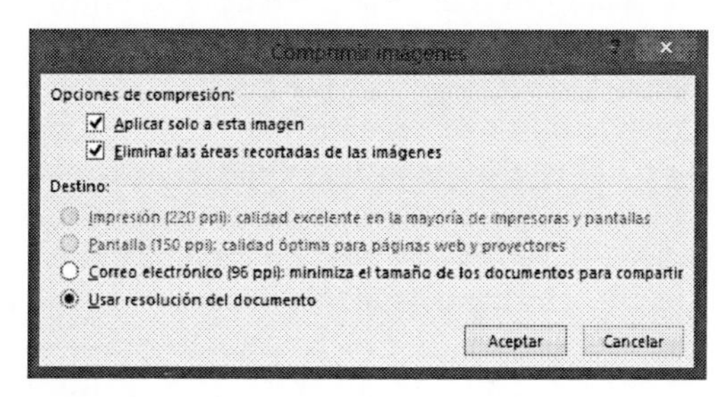

   - El botón Cambiar imagen se emplea para **cambiar la imagen por otra** que deberá elegirse en ese momento. La nueva imagen se coloca en el documento con su tamaño original (no se adapta al tamaño de la imagen que se sustituye).

   - El botón Restablecer imagen **restaura el tamaño y características originales de la imagen**. Suele utilizarse si se ha cambiado tanto la imagen que es preferible rectificar comenzando de nuevo que cambiando las funciones manualmente. Este botón es desplegable para que se pueda seleccionar de qué forma se desea restablecer la imagen con sus dos opciones.

2. El grupo **Estilos de imagen** ofrece **varios efectos de cambio de forma para la imagen**. Se puede optar por elegir entre los estilos ya diseñados o se puede construir uno propio.

    - Para **elegir uno de los estilos ya diseñados** se lleva el ratón hasta uno de la lista (que se puede desplegar para ver más) y se hace clic en él:

    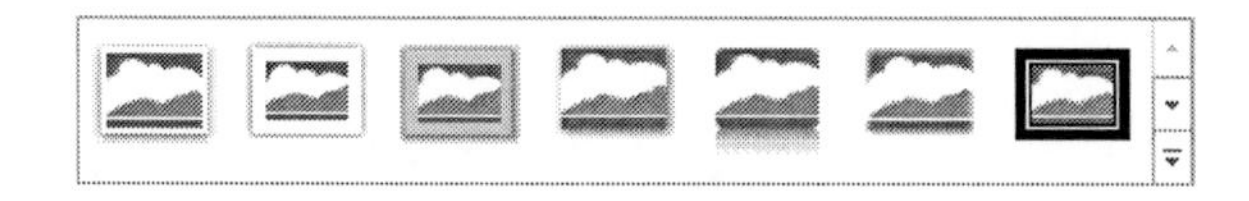

    - El botón Contorno de imagen se emplea para **elegir el color**, **grosor** y **tipo de línea** que bordea la imagen. Al pulsar el botón, se despliega y ofrece los colores y las opciones necesarias. Entre ellas, también disponemos de la función **Sin contorno** que **elimina el borde de la imagen**.

    - El botón Efectos de la imagen se emplea para **aplicar a la imagen diferentes aspectos** de borde, sombra, giro tridimensional, etc.

    - El botón Diseño de imagen se emplea **para que la imagen esté contenida en una figura** no necesariamente rectangular. Al pulsar el botón, se despliega y ofrece varias formas en las que se alojará la imagen si se hace clic en una.

3. El grupo **Organizar** proporciona **funciones de colocación** para la imagen:

    - El botón Traer adelante **sitúa la imagen por delante** de las otras (como colocar una carta por delante de la baraja o de otras cartas).

    - El botón Enviar atrás **sitúa la imagen por detrás** de las otras (como colocar una carta por detrás de la baraja o de otras cartas).

    - El botón Panel de selección **facilita la selección de imágenes**, ya que en ocasiones es difícil conseguirlo, por ejemplo, si una figura tapa completamente a otra. Para ello, el sistema abre el panel de tareas a la derecha de la ventana y ofrece un listado de imágenes en las que únicamente hay que hacer clic para seleccionar una. A la derecha de cada imagen se puede apreciar el icono que permite mostrar u ocultar la imagen en cuestión.

    - El botón **(Alinear objetos)** permite **colocar la imagen a la misma altura** que otras o que los márgenes de la página. Este botón se despliega para ofrecer todas sus posibilidades.

    - El botón **(Agrupar objetos) reúne varios objetos para tratarlos como uno solo**. También permite realizar la operación inversa, es decir, separar varios objetos que estaban agrupados (**Desagrupar objetos**). Ninguna de ellas funciona con imágenes normales, pero sí lo hace con figuras dibujadas con el propio programa.

- El botón (**Girar objetos**) **permite rotar una imagen 90º** en una dirección. También permite reflejarla horizontal y verticalmente.

4. El grupo **Tamaño** permite **cambiar las dimensiones** de la imagen:

- El botón **Recortar** permite **eliminar zonas** de la parte exterior de la imagen. Cuando se activa, los puntos manejadores cambian de aspecto y, al ser arrastrados hacia el interior de la imagen, se va recortando esa zona. Se puede arrastrar hacia fuera para recuperar la zona recortada. Este botón se puede desplegar, en cuyo caso ofrece varias opciones relativas al recorte:

  Con ellas podemos dar forma al recorte (**Recortar a la forma**) eligiendo uno de los diferentes modelos, cambiar las proporciones de la imagen una vez recortada (**Relación de aspecto**) y si se debe o no adaptar la imagen a la forma del recorte (opciones **Relleno** y **Ajustar**).

- Los cuadros de texto **Alto de forma** y **Ancho de forma** permiten **teclear un tamaño vertical y horizontal** para la imagen, respectivamente. Cambiando uno de ellos, el otro se modifica igualmente para mantener las proporciones. Cuando se teclea un nuevo valor hay que pulsar **INTRO** para fijarlo.

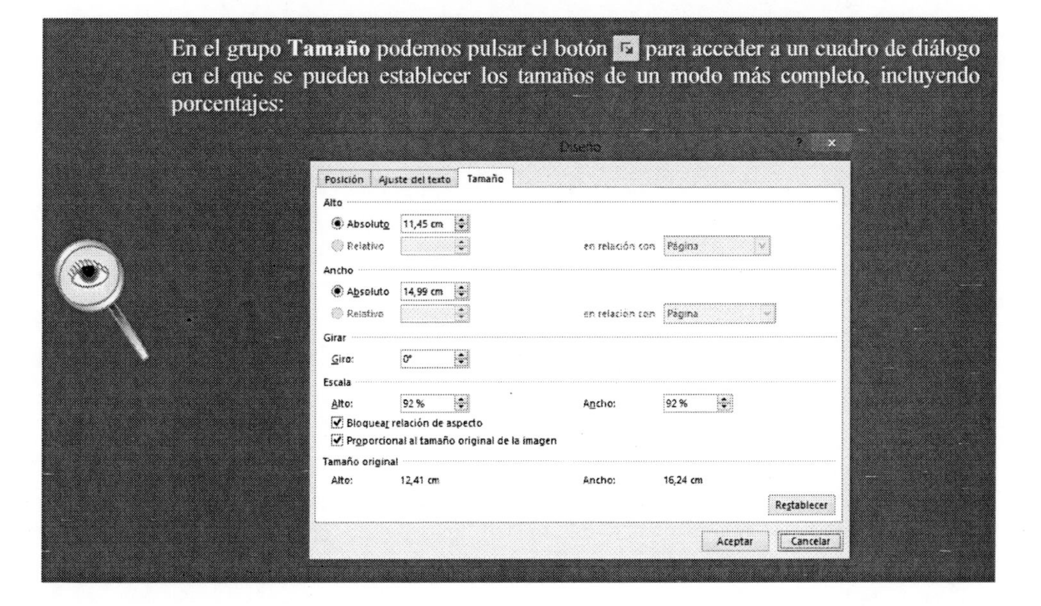

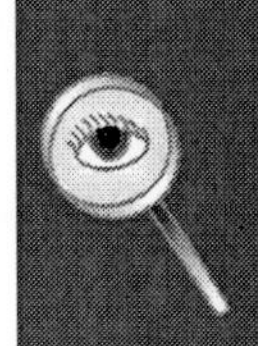

Haciendo clic con el botón secundario del ratón en una imagen aparece un menú entre cuyas opciones se encuentra **Formato de imagen**. Esta opción lleva a un cuadro de diálogo que clasifica las opciones que hemos ido detallando a lo largo de este apartado por categorías.

No olvide que, una vez seleccionada **una imagen** haciendo clic en ella, se puede eliminar pulsando la tecla **SUPR**.

5.21 DIBUJAR

Para crear una imagen nueva con **Excel** se accede a la ficha **Insertar** y, en el grupo **Ilustraciones**, se despliega el botón **Formas**. Esto genera una lista de figuras en la que solo hay que elegir una y luego trazarla en la página.

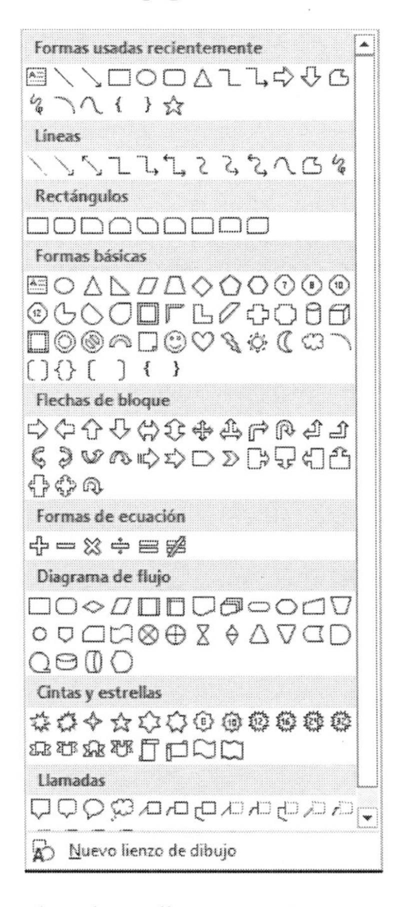

Para realizar el trazado se hace clic y se arrastra, generalmente en diagonal, hasta el extremo opuesto, dando así forma y tamaño a la figura. Cuando se suelta el botón del ratón, se dispone de una figura preparada para que se le aplique alguna función de aspecto que le dé una presencia atractiva.

Cuando se dibuja una de las figuras, se obtiene una nueva pestaña en la cinta de opciones para mejorar su aspecto: **Formato**. Ofrece varios grupos de elementos que permiten **cambiar la figura por otra**, **elegir un estilo** ya prediseñado, **asignar un estilo propio**, **aplicar efectos de sombra**, **de tres dimensiones** y **cambiar posición** y **tamaño del objeto**.

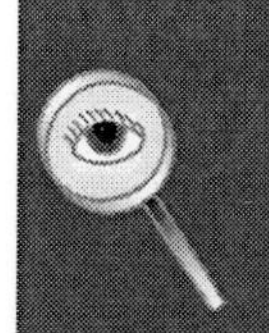

Algunas figuras de la lista anterior son especiales. Por ejemplo, la figura **Forma libre** del grupo de **Líneas** no se dibuja como las demás, sino que se hacen varios clics para definir los vértices de la figura, o bien, se hace un clic y se arrastra dejando rastro como un lápiz. Además se debe terminar en el mismo punto en el que se empezó para cerrar la figura, o bien doble clic en **cualquier punto** para terminarla sin cerrar.

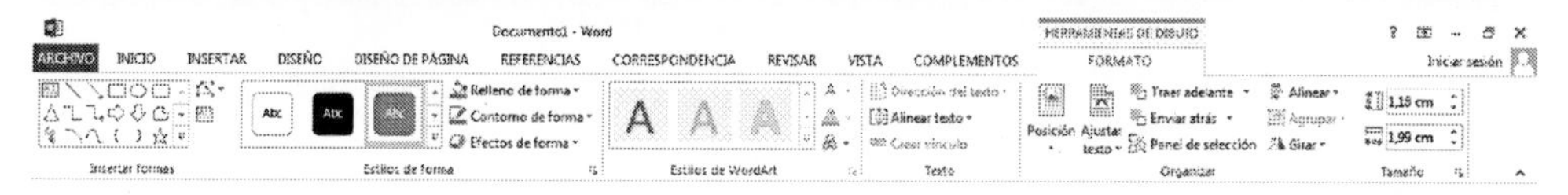

1. El grupo **Insertar formas** permite **añadir más figuras al documento**. Tenga en cuenta que diseñando varias figuras puede generar otras más complejas. Por ejemplo, si se dibujan un círculo y un rectángulo por separado son sólo figuras aisladas, pero si se dibujan conjuntamente se puede diseñar una figura más compleja como una señal de dirección prohibida. También contiene otros dos botones:

   - El botón (**Editar forma**) permite **retocar el perfil de una figura** que se haya seleccionado previamente haciendo clic en ella. No se puede utilizar esta función con cualquier figura. Por ejemplo, podemos hacerlo si dibujamos una figura de tipo **Forma libre**.

   - El botón (**Dibujar cuadro de texto**) permite **añadir un cuadro de texto al documento**. Se dibuja como cualquier otra figura, con la diferencia de que ya permite contener texto inicialmente.

2. El grupo **Estilos de forma** contiene varios diseños ya definidos para nuestras figuras y elementos para que construyamos los nuestros propios.

   - Si se trata de elegir uno ya diseñado, sólo hay que desplegar su lista y hacer clic en el que se desee.

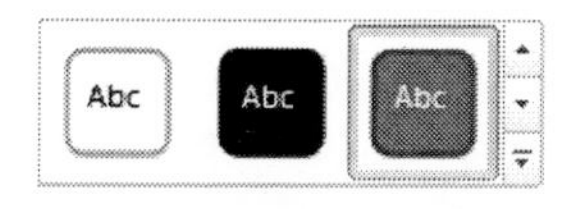

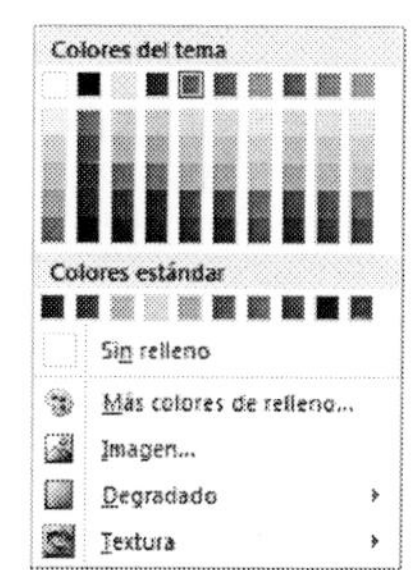

   - Con el botón Relleno de forma se **aplica un tipo de efecto de fondo** a la figura, es decir, un tipo de relleno. Podremos elegir entre un único color, un **Degradado** entre dos colores, una **Textura**, o una **Imagen**.

Para aplicar un color sólo hay que elegir uno en la lista (o la opción **Más colores de relleno**, que ofrece una paleta más amplia). También podemos elegir **Sin relleno** para dejar hueca la figura (aunque a partir de entonces sólo se podrá seleccionar la **figura** haciendo clic en su **borde** puesto que su relleno ya no existirá).

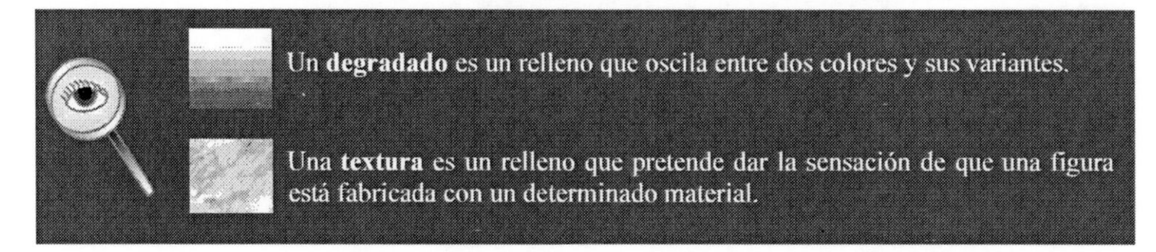

- Con el botón Contorno de forma se **aplica un tipo de borde a la figura**. Podremos elegir entre un único **color**, un **grosor**, un tipo de **línea (Guiones)**, o un tipo de **flechas** (aunque sólo aplicables a líneas rectas y otras flechas).

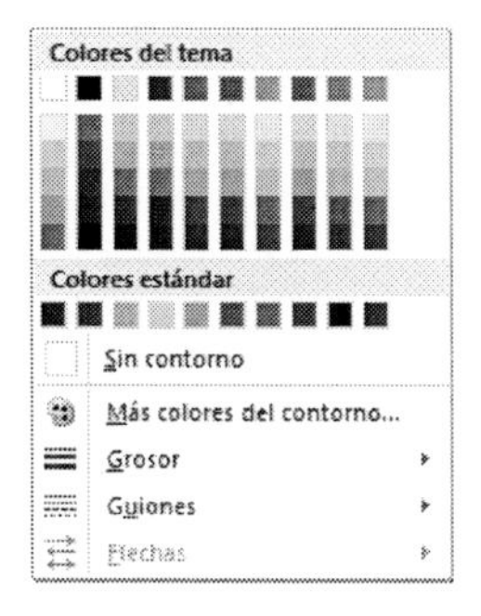

Para aplicar un color sólo hay que elegir uno en la lista (o la opción **Más colores del contorno**, que ofrece una paleta más amplia). También podemos elegir **Sin contorno** para dejar la figura sin rodear.

- Con el botón Efectos de forma se aplican diferentes **funciones que pueden ofrecer la sensación de que la figura proyecta sombra, provoca reflejos, dispone de volumen** y **otras similares**. El botón despliega una lista de esos tipos de efectos para que se pueda elegir uno de entre los que ofrece cada opción.

3. El grupo **Estilos de WordArt** contiene **funciones especiales para el diseño de rótulos**. Hemos detallado su uso ampliamente en el apartado *WordArt*, más adelante en este mismo capítulo.

4. Los grupos **Organizar** y **Tamaño** funcionan de forma idéntica al modo descrito para las imágenes en el anterior apartado *Editar imágenes*, por lo que si desea recordar su manejo, le sugerimos que lo repase ahí.

5.21.1 Seleccionar figuras

Para seleccionar **figuras dibujadas**, sólo hay que hacer clic en ellas. Es fácil reconocer cuándo una figura está seleccionada porque aparecen a su alrededor, en los vértices y laterales, los ocho puntos manejadores que habitualmente usamos para cambiar el tamaño de la figura.

Algunos detalles más:

1. Si se trata de seleccionar **varias figuras** se hace clic en **la primera** y, con la tecla de **MAYÚSCULAS** pulsada, otro clic en cada **figura que se desea seleccionar**.

2. Si ha seleccionado **figuras de más**, puede deseleccionar una manteniendo pulsada la misma tecla de **MAYÚSCULAS** y haciendo clic de nuevo en ella.

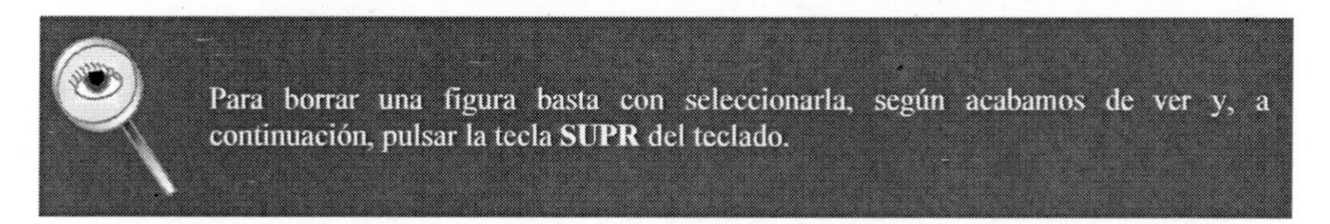

Para borrar una figura basta con seleccionarla, según acabamos de ver y, a continuación, pulsar la tecla **SUPR** del teclado.

5.21.2 Mover figuras

Para **mover un objeto a través del texto** con el fin de colocarlo en otra parte, se hace clic en él y, sin soltar el botón del ratón, se arrastra. Para depositarlo, libere el botón del ratón, con lo que el objeto queda situado en ese punto. Si hay texto a su alrededor, éste se redistribuirá según le afecte la nueva posición de la imagen.

5.22 WORDART

Mediante esta utilidad podrá **dar forma a pequeñas secciones de texto para crear rótulos**. Permite diseñar efectos como añadir sombra, contorno, perspectiva, o escribir el texto con un relleno especial.

Para acceder a estas funciones, se pulsa el botón situado en el grupo **Texto** de la pestaña **Insertar**. Este botón despliega una lista de aspectos para que elijamos uno:

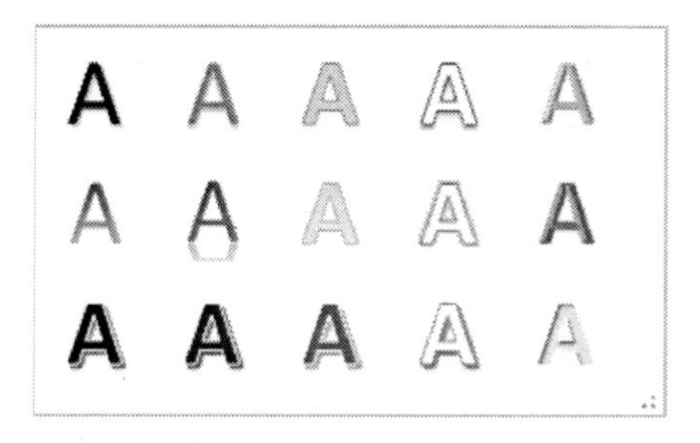

Cuando se elija el **formato general**, se obtiene un cuadro dentro del documento en el que se teclea el texto del rótulo:

Una vez que se ha hecho esto aparece el rótulo con el estilo elegido y una nueva pestaña en la cinta de opciones: **Formato**. Se trata de la misma pestaña para ajustes que hemos estudiado en el apartado *Dibujar* para modificar las figuras añadidas al documento. Le sugerimos que lo revise si desea repasar su manejo.

5.23 DIAGRAMAS SMARTART

Otra herramienta gráfica disponible es la de **creación de diagramas**. Para crearlos acceda a la pestaña **Insertar** y, en el grupo **Ilustraciones**, pulse el botón SmartArt. Obtendrá el cuadro de diálogo siguiente:

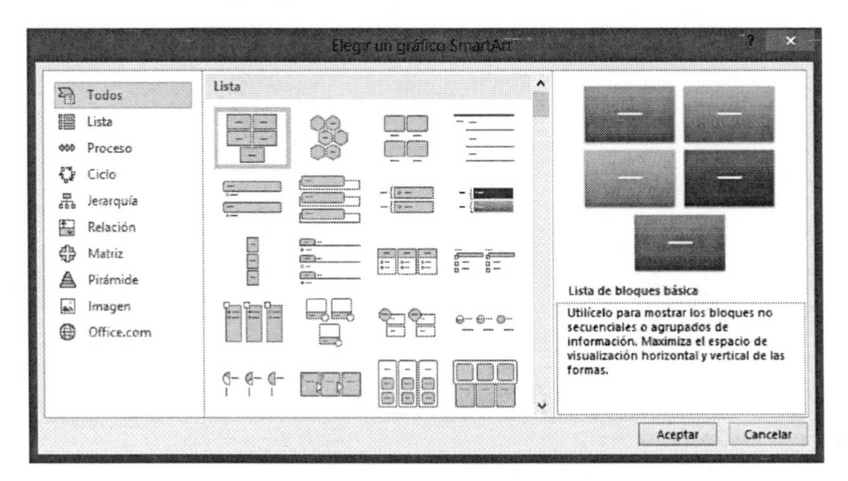

El cuadro muestra los distintos tipos de diagramas que es capaz de generar clasificados por categorías (**Lista**, **Proceso**, **Ciclo**, etc.). Cada una ofrece una **Lista de diagramas** a su derecha de entre los que debemos elegir uno haciendo clic en él.

Cuando se pulsa Aceptar el sistema crea el diagrama en un recuadro que lo contendrá, aunque al no estar aún terminado, esperará a que tecleemos los datos adecuados:

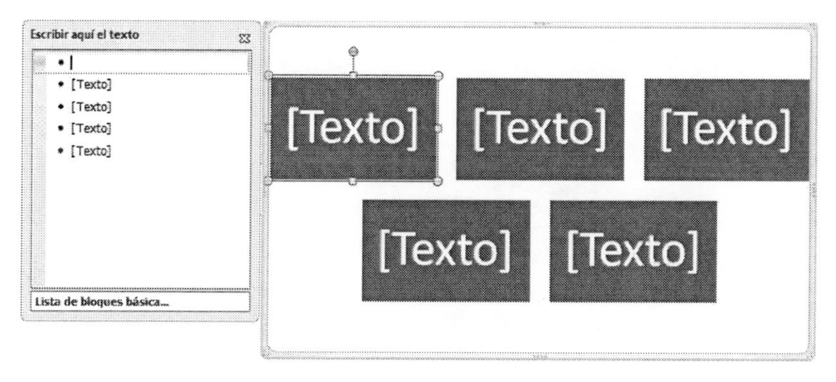

En el panel de texto (a la izquierda) podrá teclear los mensajes de texto que deban aparecer en los bloques del diagrama. Éste aparece rodeado de una línea azul doble que contiene los puntos manejadores habituales para cambiar el tamaño a las figuras. Esos manejadores también aparecen en cada bloque para poder **cambiar su tamaño**, e incluso **girarlo** con el controlador superior de color verde.

También se obtienen dos nuevas pestaña en la cinta de opciones, **Diseño** y **Formato**, que contienen elementos para configurar el diagrama. Empecemos por la de **Diseño**:

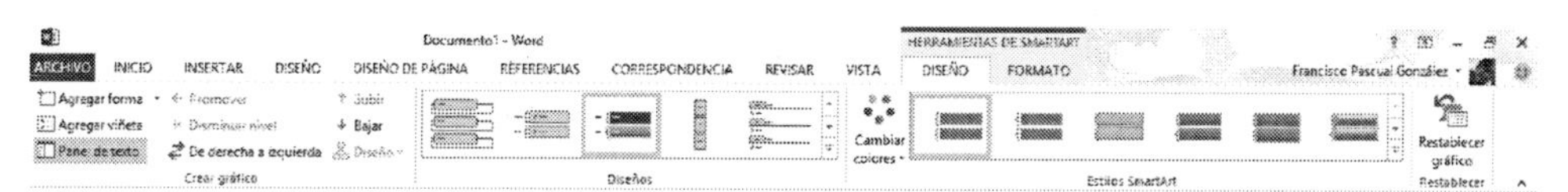

1. Los elementos del grupo **Crear gráfico** permiten **modificar las características básicas del diagrama**:

   - El botón Agregar forma se emplea para **añadir más elementos** al diagrama del tipo que contenga (cuadros, círculos, etc.).

   - El botón Agregar viñeta se emplea para **añadir viñetas** a uno de los elementos de texto del diagrama.

   - El panel en el que se teclea el texto se puede activar o desactivar mediante el botón Panel de texto.

   - Los botones Promover y Disminuir nivel se emplean para **sangrar las viñetas del diagrama** en mayor o menor medida.

   - El botón De derecha a izquierda se emplea para **cambiar la dirección de los elementos del gráfico** (como, por ejemplo, flechas que contenga).

2. Los elementos del grupo **Diseños** permiten **elegir un aspecto genérico** diferente para todo el diagrama.

3. Los elementos del grupo **Estilos SmartArt** permiten **elegir un aspecto genérico** para los bloques del diagrama o pulsar el botón **Cambiar colores** para seleccionar aquellos que deseemos.

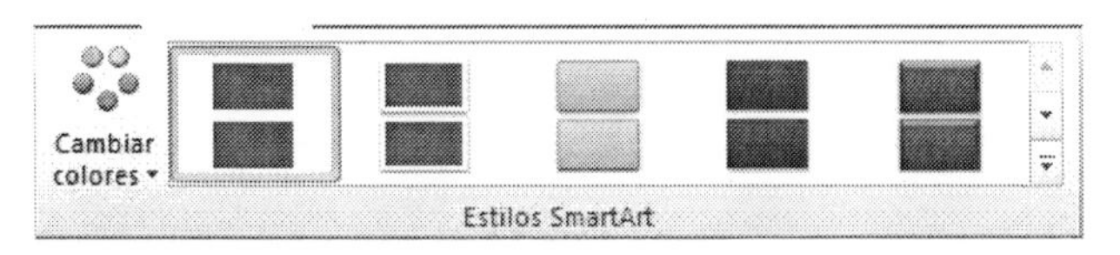

4. El grupo **Restablecer** contiene el botón **Restablecer gráfico** con el que se **restaura el aspecto** y **características originales** del diagrama.

   La pestaña **Formato** ofrece este aspecto:

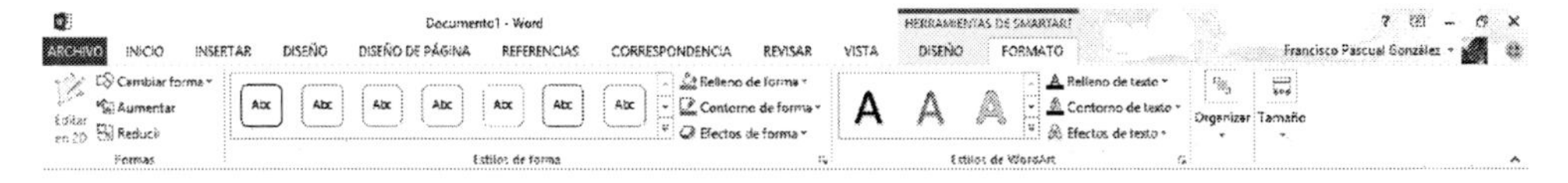

5. El grupo **Formas** contiene funciones para modificar los bloques del diagrama:

   - El botón **Editar en 2D** modifica el bloque para que muestre un **aspecto bidimensional o tridimensional**. Esta función no está disponible para todos los tipos de bloque.

   - El botón Cambiar forma se emplea para **cambiar el tipo de objeto del bloque** que se haya seleccionado. Este botón despliega una lista muy variada de figuras que podemos elegir para cambiar la forma de la actual por una de ellas.

   - Los botones Aumentar y Reducir permiten, respectivamente, **ampliar o reducir el tamaño del bloque** o bloques que se hayan seleccionado previamente.

6. Los grupos **Estilos de forma** y **Estilos de WordArt** contienen estilos ya diseñados y funciones para que diseñemos los nuestros propios para los bloques y el texto, respectivamente. Las funciones son las mismas y sólo se diferencian en que unas se aplican al bloque del diagrama que esté seleccionado o a su texto.

   - Para elegir uno de los ya diseñados sólo hay que desplegar la lista y hacer clic en él:

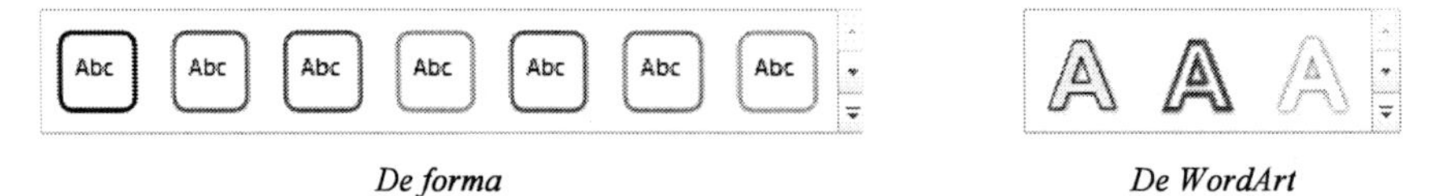

De forma *De WordArt*

   - Con los botones Relleno de forma y (**Relleno de texto**) se establece el **efecto de relleno del bloque** seleccionado o de su texto, respectivamente. Funcionan del mismo modo que hemos detallado para las figuras en el apartado *Dibujar*.

- Con los botones Contorno de forma y (**Contorno de texto**) se establece **el tipo de borde del bloque** o de su texto, respectivamente. Funcionan del mismo modo que hemos detallado para las figuras en el apartado *Dibujar*.
- Con los botones Efectos de forma y (**Efectos de texto**) se establece **un efecto para el borde del bloque** seleccionado o de su texto (plano, con relieve, con sombra, etc.), respectivamente.

7. El botón **Organizar** despliega opciones para **colocar los bloques**, **girarlos**, etc. Sus funciones ya las hemos visto para las figuras en el apartado *Dibujar*.
8. El botón **Tamaño** permite **asignar las dimensiones** a los bloques del diagrama.

Haga doble clic **fuera del diagrama** para terminarlo y recuerde que podrá volver a acceder a él para modificarlo haciendo clic dentro del **área de dicho cuadro**.

5.24 CAPTURAS

Excel incorpora una herramienta de **captura de pantalla**. Gracias a ella se pueden **registrar como imagen las ventanas** que estén en marcha (textos de **Word**, Hojas de **Excel**, ventanas del **Explorador de Windows**, etc.).

Su aspecto queda capturado como imagen y se puede incluir en un documento y luego recortar la parte que interese.

La tarea se realiza desde la pestaña **Insertar** de la cinta de opciones, desplegando el botón **Captura** del grupo **Ilustraciones**. Este botón ofrece una miniatura de las ventanas que están en marcha y se puede seleccionar una haciendo clic en ella con el ratón para agregarla automáticamente al documento actual.

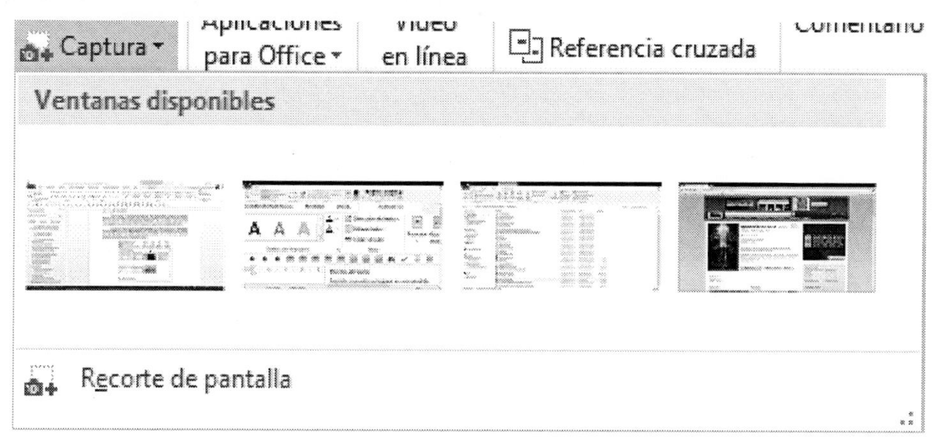

El sistema no solicita nada más, sino que deja la imagen en el documento lista para ser empleada como se desee.

5.25 PERSONALIZAR LA CINTA DE OPCIONES

Desde la versión 2010 la cinta de opciones puede modificarse, si bien existen algunas limitaciones.

Para acceder a la función que permite realizar estos cambios, se recurre a la pestaña **Archivo** y seleccionar **Opciones**.

En la ventana que aparece, nos decantamos por la categoría **Personalizar cinta de opciones**.

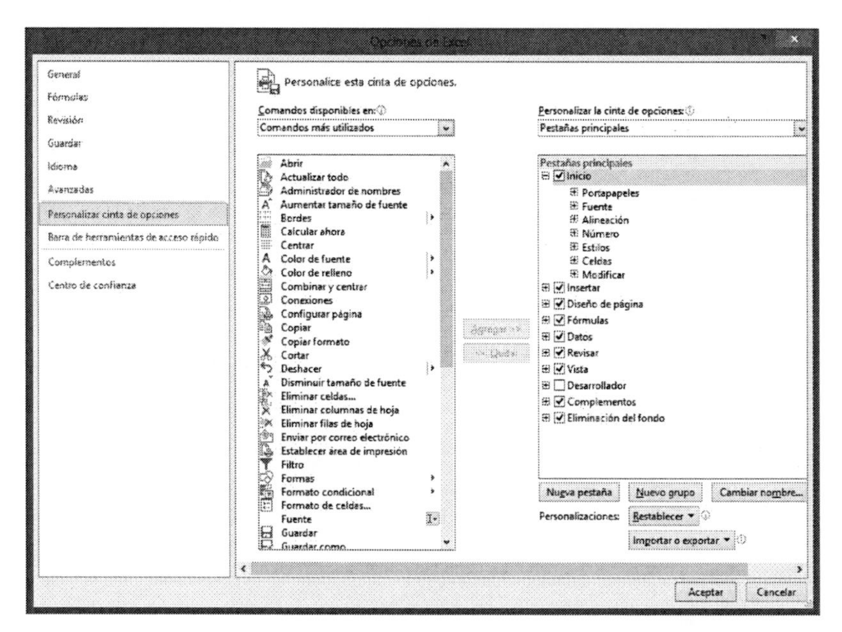

Básicamente se dispone de dos columnas para la tarea. La izquierda muestra aquello que se puede incorporar a la cinta, mientras que la derecha muestra lo que la cinta ya contiene. Entre medias, se pueden ver los botones Agregar >> y << Quitar que permiten el intercambio de botones y funciones en la cinta.

Se empieza inspeccionando la columna derecha. Si existen funciones que desea quitar de la cinta, seleccione una y pulse el botón << Quitar. Tenga en cuenta que en las pestañas originales no se pueden quitar botones aislados, sino grupos enteros de ellos. Por ejemplo, en la figura anterior puede ver que la pestaña **Inicio** contiene varios grupos: **Portapapeles**, **Fuente**, **Párrafo**, etc. Aunque puede desplegar estos grupos para ver las funciones que contienen, éstas no pueden quitarse solas, sino que han de ser retiradas en grupo. Así, podrá quitar, por ejemplo, el grupo **Párrafo** completo.

Esto último sólo se aplica a los **grupos y pestañas originales** del programa. Si se trata de grupos o pestañas creados por nosotros, podremos quitar sus elementos con independencia de los demás.

Tampoco podremos agregar funciones a los grupos y pestañas originales, sino a los que son personalizados o, lo que es lo mismo, los que agreguemos nosotros a la cinta.

1. Para **agregar una nueva pestaña**, se dispone del botón Nueva pestaña bajo la columna derecha. Al pulsarlo, la nueva pestaña aparece detrás de aquella en la que nos encontremos y el sistema espera a que le se la dé un nombre.

2. Dentro de una pestaña se pueden **añadir grupos** mediante el botón Nuevo grupo. También se deberá dar nombre al grupo.

3. Si éste es incorrecto, podremos **cambiarlo** pulsando el botón Cambiar nombre....

4. Una vez que se dispone de un grupo, se le pueden **agregar botones** seleccionando **las funciones** una a una en la columna izquierda y pulsando el botón Agregar >>.

5. Tanto para **quitar grupos como pestañas**, debe seleccionarse uno y pulsarse el botón << Quitar.

6. Puede **limpiar la cinta** dejándola como estaba originalmente desplegando la lista Restablecer ▾ y seleccionando **Restablecer todas las personalizaciones**. En esta misma lista puede optar por **Restablecer únicamente la pestaña de cinta seleccionada** para restaurar sólo la pestaña que haya elegido en la lista de la columna derecha.

7. Puede **guardar en el disco** la cinta de opciones tal como se encuentre (incluyendo nuevas pestañas, grupos, etc.), desplegando la lista Importar o exportar ▾ y seleccionando **Exportar todas las personalizaciones**. Esto lleva a un cuadro de diálogo en el que se selecciona **la carpeta** y **el disco** en el que se guardará el archivo con la información (al que también habrá que dar nombre). En la misma lista se dispone de la opción **Importar archivo de personalización** para abrir uno exportado anteriormente. Esto es útil cuando se necesita instalar el programa en otro equipo y se desea configurar rápidamente la cinta de opciones.

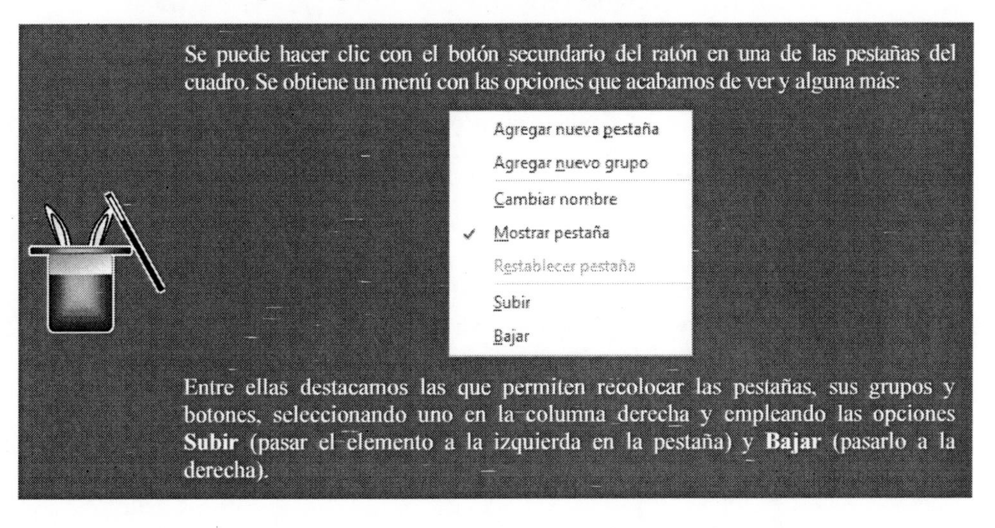

5.26 BARRA DE HERRAMIENTAS DE ACCESO RÁPIDO

Desde la versión 2010 de los programas más representativos de **Office (Word, Excel, Access** y **PowerPoint)** se dispone de la barra de herramientas de acceso rápido, que inicialmente aparece en la barra de título, junto a la pestaña **Archivo**.

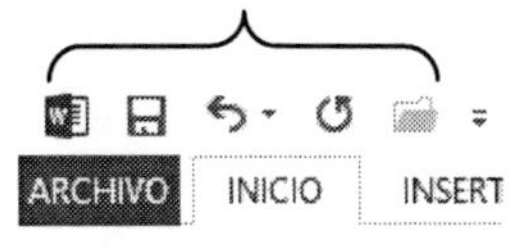

Esta barra también puede personalizarse y llevarse a un sitio en el que su contenido pueda ser más amplio.

El botón que se encuentra en el extremo derecho de la barra despliega varias opciones útiles para trabajar con la barra:

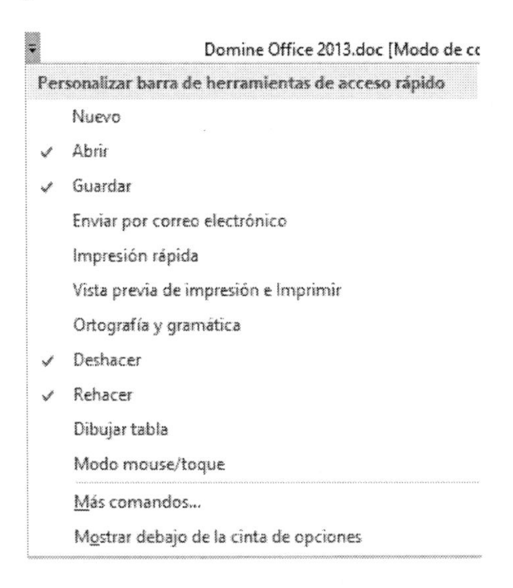

1. Las **opciones del primer grupo** que ofrece este menú permiten **activar o desactivar ciertas funciones** (las más comunes) del programa. Las que ya están marcadas representan aquellos botones que se ven en la barra actualmente. Éstos se pueden desactivar, igual que se pueden activar las otras.

2. La opción **Más comandos** permite **agregar todo tipo de botones a la barra**, ya sean funciones procedentes del programa o generados con macros.

3. La opción **Mostrar debajo de la cinta de opciones** sitúa la barra por debajo de dicha cinta. Resulta especialmente interesantes si piensa **añadir una gran cantidad de botones a la barra** ya que situada ahí ofrece más espacio para ello. Si se activa, esta opción cambia, mostrando el mensaje *Mostrar encima de la cinta de opciones* con la que podemos situarla en su lugar original.

5.26.1 Agregar y eliminar botones a la barra

Como veíamos hace un instante, desplegando el botón de la barra y seleccionando **Más comandos** se agregan o eliminan botones a la barra. El procedimiento para realizar el trabajo pasa por manipular el cuadro de diálogo que se ofrece cuando se activa esa opción:

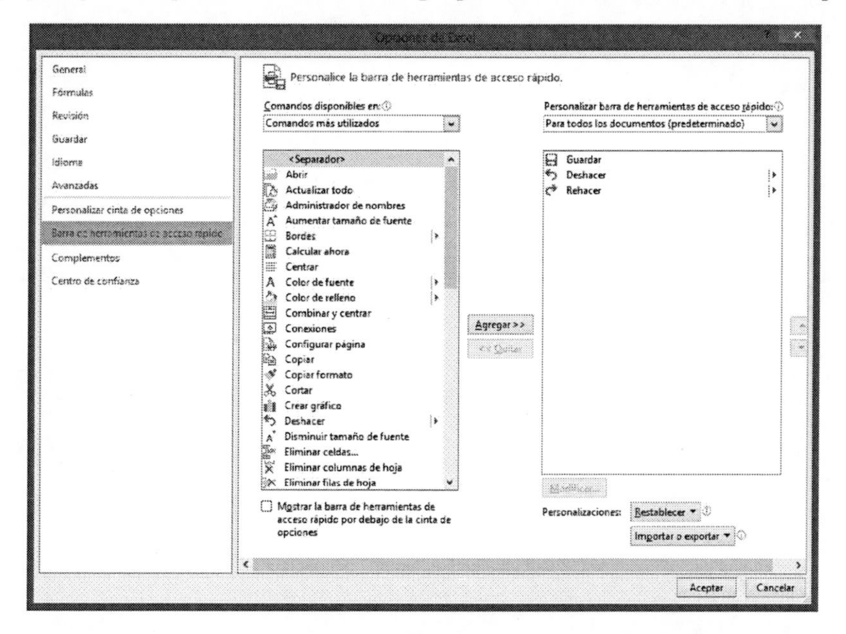

1. El primer paso consiste en desplegar la lista **Comandos disponibles en**, para seleccionar el origen en el que se encuentran las funciones que deseamos añadir a la barra (**Comandos más utilizados**, **Macros**, las opciones de la pestaña **Archivo**, funciones de las pestañas de la cinta de opciones, etc.). Esto rellena con funciones diferentes la lista que hay debajo.

2. En esa lista ocupada ahora con funciones del programa, macros u otros elementos, se selecciona uno haciendo clic en él y se pulsa el botón Agregar >>, lo que lo sitúa en la barra de herramientas de acceso rápido, y lo añade también a la lista de la derecha.

3. Una vez ahí se puede seleccionar para recolocarlo en la barra mediante los botones ▲ y ▼ o para eliminarlo de la barra con el botón << Quitar.

4. También puede asegurarse de que la configuración que diseñe para su barra de herramientas esté disponible para cualquier documento, o bien, sólo para el documento actual. Para ello, despliegue la lista **Personalizar barra de herramientas de acceso rápido** situada en la parte superior derecha de la ventana y seleccione una de ambas opciones.

Si lo que añade a la barra es una macro, también dispondrá de los botones Restablecer ▾ (para anular los cambios que haga en el botón) y Modificar... (para elegir un símbolo a su macro cuya imagen será lo que se muestre en la barra). Con este último botón también podrá teclear un texto que se mostrará cuando el ratón se sitúe sobre el botón y permanezca ahí unos instantes.

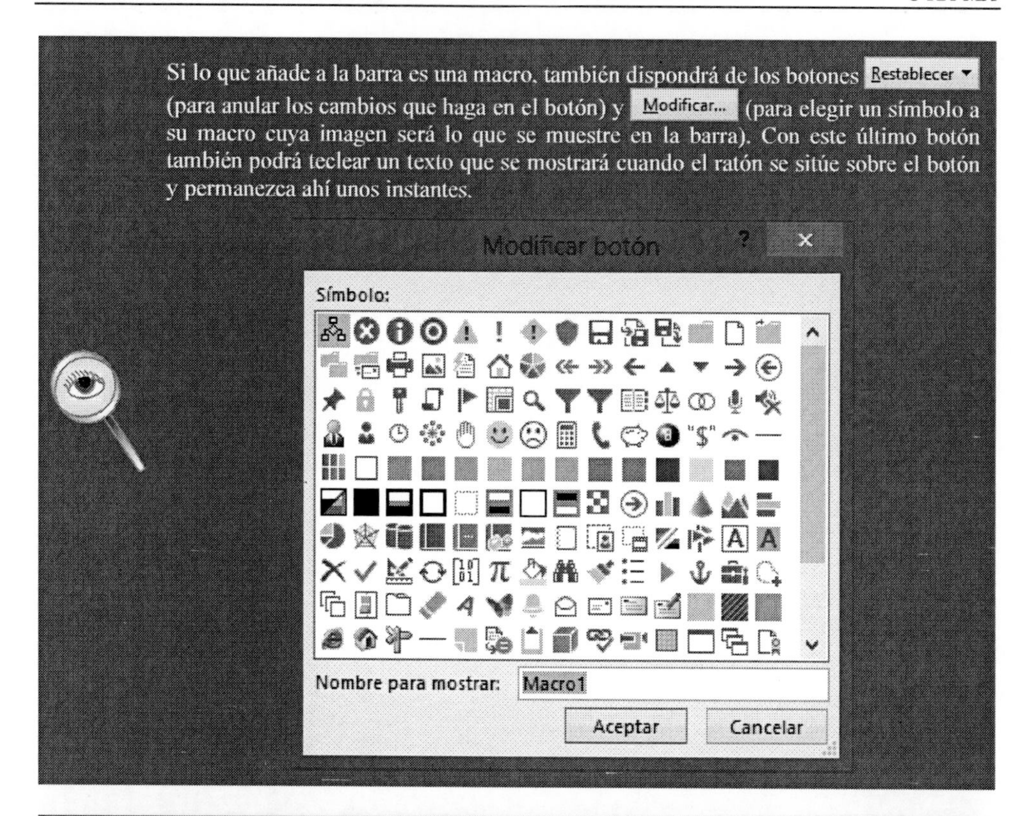

Si se utiliza **Word** en diferentes equipos o si se necesita instalarlo de nuevo con una configuración limpia, resulta muy interesante el botón Importar o exportar ▾. Con él podemos guardar la configuración de botones que hayamos creado (a veces puede ser una tarea tediosa) desplegando el botón y eligiendo **Exportar todas las personalizaciones**. Luego, en la versión de **Word** a la que necesitemos incorporar los mismos botones, desplegaríamos el mismo botón y elegiríamos **Importar archivo de personalización**.

5.27 EJERCICIOS

5.27.1 Comentarios

1. Abra un nuevo libro de trabajo.

2. Teclee ciertos datos similares a los que ha utilizado hasta ahora en los ejemplos anteriores (nombres, números, fechas, etc.).

3. Asigne formatos a esos datos para ofrecer una buena presentación.
4. Añada un comentario en una celda como introducción a lo que desea hacer en esa hoja de cálculo.

5.27.2 Insertar y eliminar celdas

1. Abra el libro que haya utilizado para crear la factura en el capítulo anterior.
2. Utilice el botón **Insertar** del grupo **Celdas** (en la pestaña **Inicio** de la cinta de opciones) para añadir o eliminar líneas de productos a la factura.
3. Después de grabar el resultado, abra el libro de *Gastos*.
4. Elimine las filas de *Junio* y *Octubre*. Los resultados de las sumas y otras operaciones que tenga en la hoja se actualizarán de manera automática.

5.27.3 Añadir y eliminar hojas

1. Abra el libro de trabajo *Gastos* que archivó en un ejercicio anterior.
2. Sitúese en la *Hoja3*.
3. Utilice el botón **Insertar** del grupo **Celdas** (en la ficha **Inicio** de la cinta de opciones) para añadir una hoja nueva (*Hoja4*) situada entre las *Hojas 2* y *3*.
4. Puede colocar la hoja en su lugar correcto (detrás de la *3*) haciendo clic sobre la **etiqueta** de la *4* y arrastrándola hasta llevarla detrás de la *3*, donde podrá soltar el botón del ratón.
5. Proceda a borrar las *Hojas 3* y *4* del siguiente modo:
   - Mantenga la tecla de **CONTROL** pulsada hasta que termine el ejercicio.
   - Haga clic en la **etiqueta** de la *Hoja3* y luego en la *4*.
   - Ahora puede liberar la tecla de **CONTROL**.
   - Utilice el botón **Eliminar** del grupo **Celdas** (en la ficha **Inicio** de la cinta de opciones) para eliminar las hojas. Las únicas que deberían quedar son la *1* y *2*.

5.27.4 Desarrollo de un libro con varias hojas

1. Cree un nuevo libro de trabajo y escriba los siguientes datos:

	A	B	C	D	E	F
1						
2			Curso 2001			
3			Informática	Inglés	Contabilidad	Mecanografía
4		Septiembre	5	9	5	7
5		Octubre	6	6	6	6
6		Noviembre	7	5	7	5
7		Diciembre	5	8	5	8
8		Enero	9	5	9	7
9		Febrero	7	9	7	7
10		Marzo	6	5	8	5
11		Abril	5	7	5	7
12		Mayo	6	6	6	6
13		Junio	9	5	9	5
14						
15		Media	6,5	6,5	6,7	6,3
16		Global	6,5			

2. Modifique el formato de la hoja para que tenga un aspecto idéntico (cuando menos, similar) al que presentamos en la figura anterior. El nombre de ésta (*Hoja1*) deberá cambiarse por *PRIMERO*.

3. Acceda a la *Hoja2* y añádale los siguientes datos (observe que la estructura es realmente similar a la anterior, por lo que podrá copiarla y cambiar únicamente las modificaciones, es decir, las notas, las medias, los nombres de las asignaturas y el rótulo):

	A	B	C	D	E	F
1						
2			Curso 2002			
3			Informática II	Inglés II	Contabilidad II	Mecanografía II
4		Septiembre	10	7	10	9
5		Octubre	6	6	6	6
6		Noviembre	8	5	8	5
7		Diciembre	5	8	5	5
8		Enero	6	7	5	7
9		Febrero	7	6	7	9
10		Marzo	6	7	6	5
11		Abril	7	7	7	7
12		Mayo	6	6	6	5
13		Junio	8	7	8	7
14						
15		Media	6,9	6,6	6,8	6,5
16		Global	6,7			

4. El nombre de la hoja deberá cambiarse por *SEGUNDO*.

5. Acceda a la *Hoja3* y cambie su nombre por *GRAFICO*.

6. En esta hoja añada los datos que puede ver en la figura junto al margen.

	A	B	C
1			
2			Nota
3		Global del primer curso	6,5
4		Global del segundo curso	6,7
5		Global total	6,6

7. Detalles:

- Los datos de la columna B aparecen alineados a la derecha.

- Las notas medias se han traído de las páginas *PRIMERO* y *SEGUNDO* mediante una sencilla fórmula: en el caso de la nota global para el primer curso, hemos escrito *=PRIMERO!C16* para importar el dato de dicha hoja *PRIMERO* (y para la de segundo *=SEGUNDO!C16*). Éste es el mejor modo de traer datos de otras hojas ya que, si son alterados en sus lugares originales, se actualizarán automáticamente.

- Archive el libro en el disco, ya que, más adelante, le añadiremos un gráfico. Por ejemplo, le sugerimos el nombre *Notas de un alumno* para el libro.

5.27.5 Protección de datos

1. Abra el libro *Gastos*.

2. Desplegando el botón **Formato** del grupo **Celdas** en la ficha **Inicio** de la cinta de opciones, seleccione **Bloquear celda** para desbloquear todas las celdas que contengan **datos numéricos**.

3. Desplegando de nuevo el mismo botón, active la opción **Proteger hoja**.

4. Pulse el botón Aceptar para activar la protección. A partir de ahora, en esta hoja podrá modificar únicamente los **datos numéricos** (mientras no desproteja la hoja de nuevo). Si le interesa mantener la hoja protegida, recuerde archivarla en el disco.

5.27.6 Protección de datos II

1. Abra el libro *Gastos*, acceda a la pestaña **Archivo** y seleccione **Guardar como**.

2. En el cuadro de diálogo que aparece se despliega el botón Herramientas ▾ en la esquina superior derecha del cuadro y se selecciona **Opciones generales**.

3. Obtendrá un cuadro de diálogo en el que deberá teclear la contraseña que necesite. Dicha contraseña deberá repetirla en cuanto pulse el botón Aceptar (para evitar así equivocaciones al teclearla, debido a que solo se verán asteriscos mientras lo haga).

4. Detalles:

   - No olvide la contraseña o no podrá volver a abrir la hoja de cálculo. Esta observación es válida y necesaria siempre que utilice un documento al que le aplique una contraseña de seguridad.

   - Si lo desea puede eliminar la contraseña de la hoja de cálculo accediendo al mismo lugar y vaciando la contraseña (los asteriscos que allí vea).

5.27.7 Ordenaciones

1. Abra un nuevo libro de trabajo.

2. Escriba una lista de diez nombres de personas en la primera columna. Los primeros apellidos deberán escribirse en la segunda columna y los segundos apellidos en la tercera. En la columna de los primeros apellidos repita alguno de ellos.

3. Cuando tenga la lista de nombres, ordénelos alfabéticamente por apellidos (botón **Ordenar y filtrar** del grupo **Modificar** en la pestaña **Inicio** de la cinta de opciones).

4. Repita este ejercicio ordenando por nombres.

5.27.8 Rótulos

1. Abra el libro *Muebles* que diseñó en un ejercicio anterior.

2. Diseñe un rótulo como el que mostramos en la figura siguiente y guarde los cambios antes de salir.

Capítulo 6

FUNCIONES CON EXCEL

Básicamente, una **función** en una hoja de cálculo es una utilidad que **realiza un trabajo** y que **proporciona un resultado** dependiente de los datos que reciba. Esos datos son generalmente los que hay en una o varias celdas de una hoja de cálculo.

Las funciones de **Excel** no siempre proporcionan valores resultantes operando matemáticamente.

6.1 TRATAMIENTO DE LAS FUNCIONES

Es necesario saber cómo se escriben las funciones en una hoja para que trabajen.

Las funciones son muy versátiles, ya que pueden emplearse en diversos lugares, aunque suelen acoplarse siempre a las celdas de la hoja de cálculo. Cuando se desea comenzar a escribir una función en una celda debemos teclear el símbolo = (igual a). A continuación, se escribe (sin espacios intermedios) el nombre de la función y, por último, si la función lo necesita, escribiremos (también sin espacios) datos entre paréntesis: *=FUNCIÓN(datos)*.

Veamos un ejemplo con una función muy utilizada. La función **SUMA** realiza la suma de todos los elementos que se especifican en sus paréntesis: *=SUMA(rango)*, donde *rango* representa un grupo de celdas que contienen **datos numéricos**. El resultado es que esta función devuelve la suma de todos los datos que hay en las celdas que se han especificado mediante su rango.

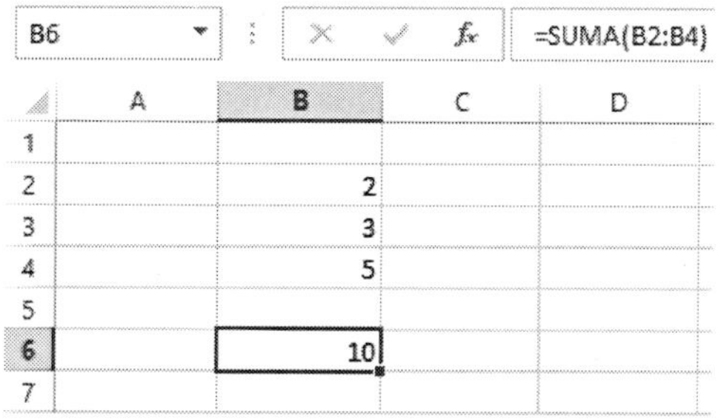

B6 =SUMA(B2:B4)

	A	B	C	D
1				
2		2		
3		3		
4		5		
5				
6		10		
7				

Esta función **SUMA** puede realizarse con el botón **Autosuma**, que aparece en la pestaña **Inicio** de la cinta de opciones (en el grupo **Modificar**). Bastará con seleccionar **un rango de números** y pulsar el botón Σ Autosuma (que también se encuentra en el grupo **Biblioteca de funciones** en la pestaña **Fórmulas**) con lo que aparece el resultado de sumar todos los datos una celda más abajo del rango seleccionado; también puede hacerlo a la inversa, es decir, pulsando el botón y seleccionando **el rango** después.

Por otra parte, si se despliega el botón se pueden aplicar otras funciones, en lugar de la suma, sólo hay que elegir la función que se desee como, por ejemplo, el **Promedio**.

Todas las funciones de **Excel** se escriben del mismo modo, por lo que vamos a ofrecer una lista de las funciones más utilizadas y prácticas, así como de los valores que proporcionan después de realizar el cálculo correspondiente.

Hay que resaltar que las funciones son lo suficientemente versátiles como para poder **incluirlas dentro de una fórmula**, o incluso dentro de otra función. Por ejemplo, si una función necesita un dato de tipo **texto** para proporcionar un resultado, podremos utilizar para ese dato otra función que devuelva un dato de tipo **texto**.

También existe un asistente para funciones que ayuda a **localizar la que se necesite**. El asistente ofrece diferentes formas de acceso desde el grupo **Biblioteca de funciones** de la pestaña **Fórmulas** (en la cinta de opciones). Cada botón despliega una lista de funciones según el tipo de cálculo que se vaya a aplicar:

1. Las funciones Recientes son las que se han empleado últimamente para aplicarlas de nuevo a otros datos de la hoja.
2. Las funciones Financieras son las relacionadas con el mundo de la economía.
3. Las funciones Lógicas son las que operan con los valores cierto y falso mediante comparaciones de datos.
4. Las funciones de Texto son las especializadas en **datos de texto**.
5. Las funciones de Fecha y hora son las que permiten manipular fechas y horas.
6. Las funciones de Búsqueda y referencia son las que se emplean para localizar datos en la hoja o disponer de sus referencias.
7. Las funciones Matemáticas y trigonométricas son las especializadas en cálculo numérico.
8. Con Más funciones se accede a más tipos de funciones: **Estadísticas**, de **Ingeniería**, de **Cubo**, de **Información** y de **Compatibilidad**.

Sin embargo, el elemento principal con el que se localizan las funciones, dado que son tantas que es difícil memorizarlas, se activa mediante el botón **Insertar función**, que lleva al cuadro de diálogo siguiente.

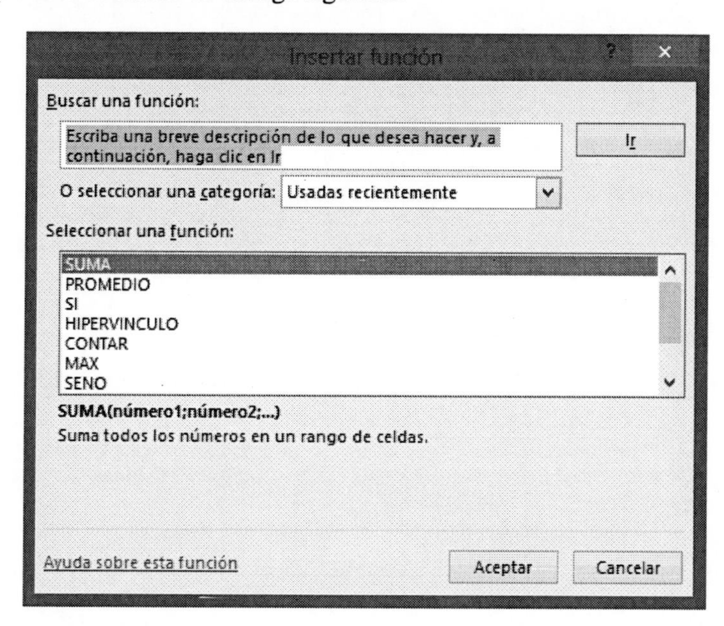

Si se desconoce cómo se llama en **Excel** la función que necesita, se puede intentar teclear lo que debe hacer dicha función en el cuadro de texto **Buscar una función**. Por ejemplo, teclee *Hallar una media aritmética.*

Otra posibilidad consiste en desplegar la lista **O seleccionar una categoría** para elegir el **tipo de función que necesita**. Al elegir una categoría aparecerá una lista de funciones que pertenecen a esa categoría para que se pueda seleccionar una haciendo clic en ella.

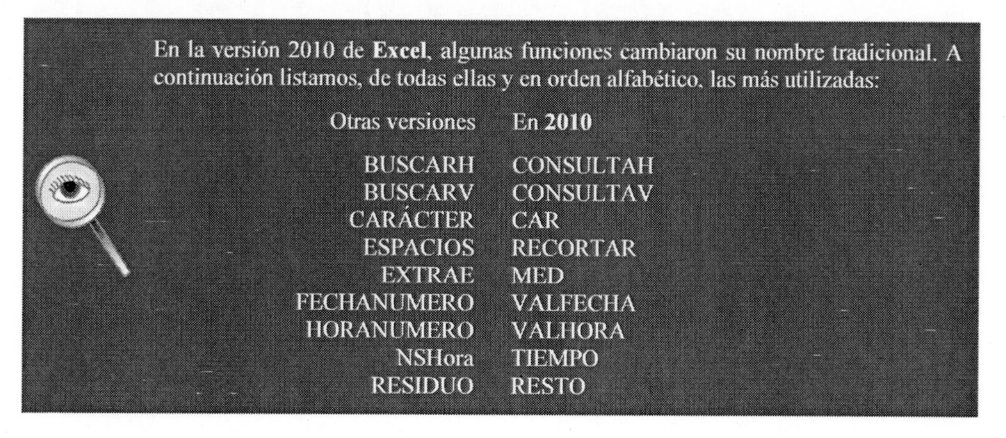

En la versión 2010 de **Excel**, algunas funciones cambiaron su nombre tradicional. A continuación listamos, de todas ellas y en orden alfabético, las más utilizadas:

Otras versiones	En **2010**
BUSCARH	CONSULTAH
BUSCARV	CONSULTAV
CARÁCTER	CAR
ESPACIOS	RECORTAR
EXTRAE	MED
FECHANUMERO	VALFECHA
HORANUMERO	VALHORA
NSHora	TIEMPO
RESIDUO	RESTO

6.1.1 Rangos en las funciones

Muchas funciones necesitan un rango de celdas con el que operar, lo que significa que cada vez que se vaya a utilizar una habrá que escribirlo entre los paréntesis.

Una forma muy cómoda de incorporar un rango consiste en lo siguiente: cuando se teclea la función en una celda, al abrir el paréntesis de la función, se utiliza el ratón o las teclas de desplazamiento para seleccionar **las celdas** que formen el rango. Una vez seleccionadas se pulsa **INTRO**, ya que ni siquiera es necesario cerrar el paréntesis.

6.2 FUNCIONES MATEMÁTICAS

Algunas funciones que vamos a listar necesitan macros automáticas para funcionar y, por tanto, será necesario instalar estas macros agrupadas en una biblioteca denominada **Herramientas para análisis**. La forma de instalarlas consiste en acceder a la pestaña **Archivo**, seleccionar **Opciones** y activar la categoría **Complementos**. Hay que asegurarse de que la lista **Administrar** tenga seleccionada la opción **Complementos de Excel** y luego pulsar el botón Ir..., lo que nos lleva a un cuadro de diálogo con la lista de todos los complementos disponibles. En ella se activa la casilla **Herramientas para análisis**. En la lista de funciones indicaremos las que necesitan que estén activadas.

En todas las funciones que necesitan un dato numérico entre paréntesis, puede teclearse entre ellos la dirección de una celda, el resultado de otra función numérica o una fórmula matemática. También es posible teclear, en su lugar, otra función que devuelva como resultado un dato numérico.

Cuando teclee una función, es posible que se equivoque, en cuyo caso **Excel** puede ofrecerle un error que explique el motivo de la equivocación. Por ejemplo:

#¡VALOR! Si obtiene este mensaje es que el dato que haya colocado entre los paréntesis de la función es incorrecto. Por ejemplo, si una función espera un número para trabajar con él y empleamos una celda cuyo contenido sea un texto (en lugar de un número).

#¿NOMBRE? Si se equivoca al teclear el nombre de la función. Por ejemplo, si en lugar de *SUMA* teclea *SUMAR*.

ABS(número) proporciona el valor absoluto de un número.

ALEATORIO() devuelve un número decimal al azar entre 0 y 1.

ALEATORIO.ENTRE(x;y) devuelve un número al azar entre X e Y. El primer número debe ser menor que el segundo.

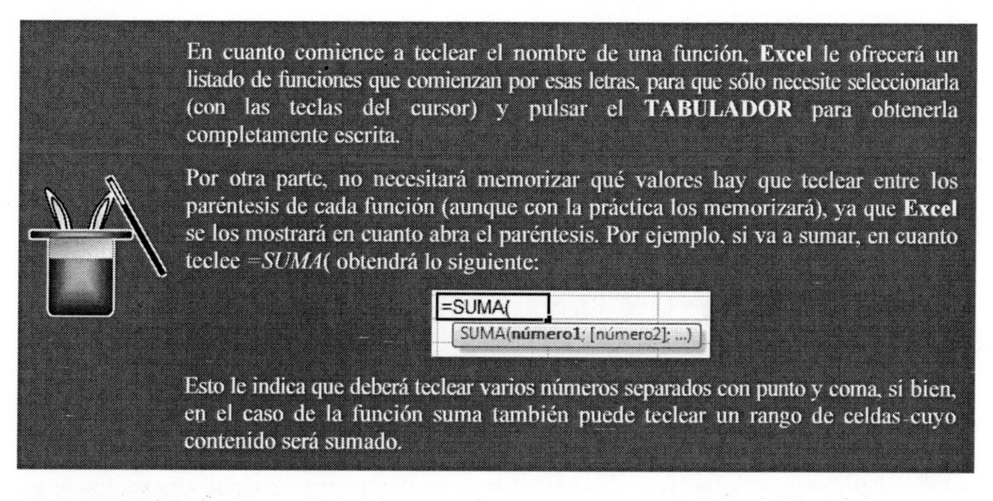

En cuanto comience a teclear el nombre de una función, **Excel** le ofrecerá un listado de funciones que comienzan por esas letras, para que sólo necesite seleccionarla (con las teclas del cursor) y pulsar el **TABULADOR** para obtenerla completamente escrita.

Por otra parte, no necesitará memorizar qué valores hay que teclear entre los paréntesis de cada función (aunque con la práctica los memorizará), ya que **Excel** se los mostrará en cuanto abra el paréntesis. Por ejemplo, si va a sumar, en cuanto teclee *=SUMA(* obtendrá lo siguiente:

Esto le indica que deberá teclear varios números separados con punto y coma, si bien, en el caso de la función suma también puede teclear un rango de celdas cuyo contenido será sumado.

COCIENTE(x;y) realiza la división entera entre X e Y. El resultado es el cociente de la división sin decimales (si los tuviera).

CONTAR(rango o x;y;z...) ofrece el número de celdas ocupadas con **datos numéricos** que haya en un rango.

CONTARA(rango o x;y;z...) ofrece el número de celdas ocupadas con datos de cualquier tipo que haya en un rango.

CONTAR.BLANCO(rango o x;y;z...) ofrece el número de celdas vacías que haya en el rango.

CONTAR.SI(rango;criterio) ofrece el número de celdas del rango que contengan un determinado valor (el criterio).

COS(ángulo) devuelve el coseno del ángulo especificado.

ENTERO(número) extrae la parte entera de un número (aunque no redondea la cifra, sino que se limita a eliminar los decimales del número).

EXP(número) devuelve el número e elevado al número especificado.

FACT(número) devuelve el factorial del número especificado.

GRADOS(número) convierte el número especificado (de radianes) en grados.

LN(número) devuelve el logaritmo natural del número especificado.

LOG(número;base) devuelve el logaritmo del número especificado en la base indicada.

LOG10(número) devuelve el logaritmo en base 10 del número especificado.

MAX(rango o x;y;z;...) muestra el valor más alto contenido en las celdas del rango especificado.

M.C.D(rango o x;y;z;...) devuelve el Máximo Común Divisor de la lista de los números especificada. Se pueden establecer tantos números como se desee separándolos por punto y coma (;).

M.C.M(rango o x;y;z;...) devuelve el Mínimo Común Múltiplo de la lista de los números especificada. Se pueden establecer tantos números como se desee separándolos por punto y coma (;).

MDETERM(rango) devuelve la matriz determinante de una matriz especificada mediante un rango. La matriz debe ser cuadrada, es decir, debe tener el mismo número de filas que de columnas. Ninguna de las celdas debe tener datos de tipo **texto**.

MIN(rango o x;y;z;...) muestra el valor más pequeño contenido en las celdas del rango especificado.

MINVERSA(rango) devuelve la matriz inversa de una matriz especificada mediante un rango. La matriz debe ser cuadrada, es decir, debe tener el mismo número de filas que de columnas. Ninguna de las celdas debe tener datos de tipo **texto**.

MMULT(rango1;rango2) devuelve el resultado de multiplicar dos matrices especificadas mediante sendos rangos separados por punto y coma (;). El número de columnas del primer rango debe ser el mismo que el número de filas del segundo.

NUMERO.ROMANO(número) devuelve el número especificado en números romanos (en formato de texto). Tenga en cuenta que los números romanos no son infinitos debido a que están formados por letras: si utiliza un número superior a 3999, esta función dará error.

PI() devuelve el valor del número Pi redondeado a nueve decimales.

POTENCIA(x;y) devuelve x elevado a y.

PRODUCTO(rango o x;y;z...) multiplica el contenido de las celdas del rango especificado.

PROMEDIO(rango o x;y;z...) genera la media aritmética de los valores contenidos en el rango especificado.

RADIANES(número) convierte el número especificado (que esté en grados) en radianes.

RAIZ2PI(número) multiplica el número especificado por Pi y aplica la raíz cuadrada al resultado. El número debe ser positivo (mayor que cero). Esta función necesita las **Herramientas para análisis**.

RCUAD(número) devuelve la raíz cuadrada del número especificado.

REDONDEAR(número;decimales) redondea el número especificado a la cantidad de decimales indicada como segundo dato.

RESTO(x;y) proporciona el resto de dividir x entre y.

SENO(ángulo) devuelve el seno del ángulo especificado.

SIGNO(número) devuelve el signo del número especificado. Si el número es negativo, devuelve -1; si es cero, devuelve 0; y si es positivo, devuelve 1.

SUMA(rango o x;y;z;...) suma el contenido de las celdas del rango especificado.

SUMA.CUADRADOS(x;y) devuelve la suma de los cuadrados de x e y (eleva ambos al cuadrado y suma el resultado).

TAN(ángulo) devuelve la tangente del ángulo especificado.

TRUNCAR(número) elimina los decimales del número especificado devolviendo la parte entera exclusivamente.

6.3 FUNCIONES DE FECHA Y HORA

AHORA() devuelve el número de serie de la fecha y hora actuales.

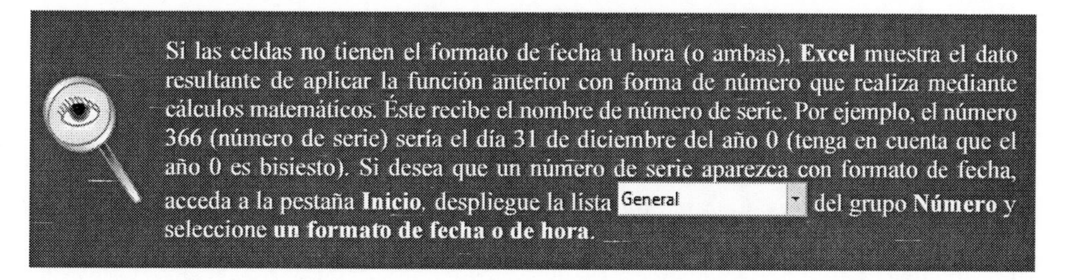

Si las celdas no tienen el formato de fecha u hora (o ambas), **Excel** muestra el dato resultante de aplicar la función anterior con forma de número que realiza mediante cálculos matemáticos. Éste recibe el nombre de número de serie. Por ejemplo, el número 366 (número de serie) sería el día 31 de diciembre del año 0 (tenga en cuenta que el año 0 es bisiesto). Si desea que un número de serie aparezca con formato de fecha, acceda a la pestaña **Inicio**, despliegue la lista General del grupo **Número** y seleccione **un formato de fecha o de hora**.

AÑO(número) convierte un número de serie en un año. El número puede ser una fecha entrecomillada (por ejemplo, *"29/05/68"* devolvería 1968).

DIA(número), dado un número de serie, devuelve el correspondiente día del mes.

DIA.LAB(fecha_de_partida; días_laborables;días_festivos) devuelve el número de serie del primer día laborable, pasado o futuro, a la fecha inicial, según sea el número de días laborables y festivos. Esta función necesita la macro automática **Herramientas para análisis**. Por ejemplo, si se desea saber cuál será el cuarto día laborable a partir del 24 de diciembre del año 1989, deberemos escribir la función siguiente:

=DIA.LAB(FECHANÚMERO ("24/12/89");4;2)

Como podemos observar, hay que indicar que existen dos días festivos (el fin de semana). La función **FECHANÚMERO** la veremos más adelante en este mismo apartado.

DIAS.LAB(fecha_incial;fecha_final;días_festivos) devuelve el número total de días laborables entre dos fechas dadas. Hemos de especificar el número de días festivos que existen en ese periodo de tiempo. La función **DIAS.LAB** necesita la macro automática **Herramientas para análisis**.

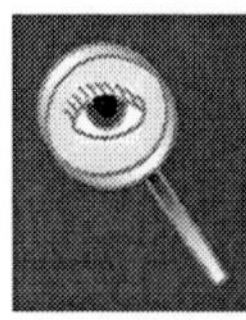

Las dos funciones anteriores pueden funcionar de forma incorrecta si en las fechas que se indiquen hay fiestas entre lunes y viernes.

DIASEM(número;tipo) convierte un número de serie de una fecha en un día de la semana (su número). El segundo parámetro establece el tipo de semana (1 = semana inglesa; 2 = semana española; 3 = el primer día de la semana es el cero). Por ejemplo, la función *=DIASEM("24/12/89";2)* devuelve el valor *7*, que corresponde a *Domingo* según el tipo de semana española.

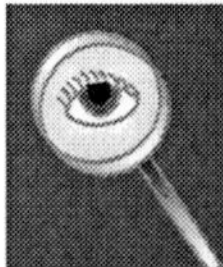

En algunos países como el Reino Unido o Estados Unidos, el primer día de la semana es el domingo en lugar del lunes, de ahí que sea necesario especificar el tipo de día de la semana en la función anterior.

FECHA(año;mes;día) devuelve el número de serie que pertenece a una fecha especificada. Es similar a la anterior, pero se diferencian en el formato que se utiliza para escribir la fecha. En esta sólo hemos de escribir los elementos de la fecha separados por punto y coma (;).

FIN.MES(fecha;número_meses) devuelve el número de serie del último día del mes, pasado o futuro, relativo a la fecha inicial de referencia según sea positivo o negativo el número meses. Esta función necesita la macro automática **Herramientas para análisis**. Por ejemplo, si se desea saber cuál es el último día del mes en el que se encuentre (28, 29, 30 ó 31), se escribe la fórmula *=FIN.MES(fecha_de_hoy;0)*, donde *fecha de hoy* es la fecha actual escrita entrecomillada (en formato numérico, ejemplo: "*14/02/95*"). Si desea conocer el último día del mes siguiente, sustituya el *0* (cero) por un *1* (uno) en la anterior función de ejemplo, y si desea conocer el último día del mes anterior escriba *-1* en lugar de *0*. Puede utilizar para este dato números superiores a 1, tanto positivos como negativos (por ejemplo *-2* sería dos meses antes).

HORA(número) dado un número de serie, se devuelve la hora correspondiente.

HOY() devuelve el número de serie de la fecha actual.

MES(número) dado un número de serie, se devuelve el número de día del mes correspondiente.

MINUTO(número) dado un número de serie, se devuelve el minuto de la hora correspondiente.

SEGUNDO(número) dado un número de serie, se devuelve el segundo de la hora correspondiente.

TIEMPO(hora;minuto;segundo) devuelve el número de serie que pertenece a la hora especificada.

VALFECHA(fecha) convierte una fecha escrita entrecomillada (en formato numérico, ejemplo: "*5/2/70*") en número de serie.

VALHORA(fecha) convierte una hora escrita entrecomillada (con formato numérico, ejemplo: "*15:00*") en número de serie.

6.4 FUNCIONES DE TEXTO

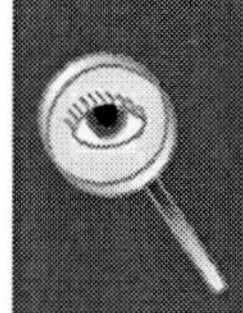

ASCII = *American Standard Code for Information Interchange* (Código estándar americano para el intercambio de información). Los ordenadores personales tienen un sistema para representar los caracteres en pantalla (así como para la comunicación de datos) consistente en números asociados a los caracteres. Así, por ejemplo, la letra A (mayúscula) tiene como código **ASCII** el número 65.

CAR (número) devuelve el carácter **ASCII** especificado por el número especificado.

CODIGO(letra) devuelve el número de código **ASCII** del primer carácter del texto. Sólo devuelve el código del primer carácter y éste debe ir entrecomillado.

CONCATENAR(texto1;texto2;...) añade un texto a otro. Los datos que se van a concatenar deben ser de tipo **texto** (por ejemplo, un texto entre comillas o una celda que contenga un texto).

DERECHA(texto;cantidad) extrae un grupo de caracteres por la derecha de un texto. El número de caracteres que se extrae debe establecerse como segundo parámetro de la función (*cantidad*). Por ejemplo, si tecleamos *=DERECHA("Hola";2)*, el resultado será "*la*" (las 2 últimas letras de *Hola*).

RECORTAR(texto) elimina espacios del texto dejando un solo espacio entre cada palabra y eliminando completamente los de los extremos del texto.

MED(texto;posición_inicial;cantidad) devuelve una parte del texto especificado, desde la posición inicial, y tantos caracteres como se indiquen en el tercer parámetro (*cantidad*). Así, *=EXTRAE("Pepito";2;3)* da como resultado "*epi*" (tres letras a partir de la segunda de la cadena *Pepito*).

IGUAL(texto1;texto2) examina dos **datos de texto** de la hoja verificando si son iguales. La comprobación incluye incluso diferencias de mayúsculas y minúsculas en ambos datos. **Excel** devuelve el valor *VERDADERO* si ambos datos son iguales, y *FALSO* si no lo son.

IZQUIERDA(texto;cantidad) extrae un grupo de caracteres por la izquierda de un texto. El número de caracteres que se extrae debe establecerse como segundo parámetro (*cantidad*). Así, *=IZQUIERDA("Excel";2)* da como resultado "*Ex*" (las 2 primeras letras de **Excel**).

LARGO(texto) devuelve el número total de caracteres que posee un dato de texto.

MAYUSC(texto) convierte el dato de texto en mayúsculas. Los caracteres que ya estaban en mayúsculas no son modificados.

MINUSC(texto) convierte el dato de texto en minúsculas. Los caracteres que ya estaban en minúsculas no son modificados.

NOMPROPIO(texto) pasa a mayúsculas la primera letra de cada palabra del dato de texto especificado. Los caracteres que ya estaban en mayúsculas no son modificados.

REPETIR(texto;cantidad) repite el dato de texto la cantidad de veces que establezcamos.

SUSTITUIR(texto;texto_a_sustituir;texto_sustituto) reemplaza varios caracteres contiguos dentro de un dato de texto por otros. Hay que especificar el texto en el que se va a hacer el cambio (texto), la parte del texto que se va a cambiar (texto_ a_sustituir) y el texto que sustituirá al antiguo (texto_ sustituto).

TEXTO(número;formato) transforma un dato de tipo **numérico** en **texto** utilizando el formato establecido. Por ejemplo, *=TEXTO(1247;"0.000 Pta")* da como resultado *1.247 Pta.*

VALOR(texto) transforma un dato de tipo **texto** en **numérico**, siempre y cuando el dato de texto contenga sólo **datos numéricos**. Por ejemplo, *=VALOR("1.247")* da como resultado 1.247 (con este dato se pueden realizar operaciones matemáticas, ya que es de tipo **numérico** y no de **texto**).

6.5 FUNCIONES LÓGICAS Y DE INFORMACIÓN

Existen varios tipos más de funciones con **Excel**. Por ejemplo, puede trabajarse con funciones lógicas, de ingeniería o funciones financieras (y otras). Veamos un ejemplo más: la función **SI** es una función lógica que mostrará un dato u otro en la celda dependiendo de una condición:

SI (Condición;Verdadero;Falso)

En esta función se empieza tecleando una condición consistente en comparar dos datos. Ejemplos:

- SI (**B5**<0;... (si **B5** es menor que cero).
- SI (**C7**<>**B8**;... (si **C7** es distinto de **B8**).

Para realizar estas condiciones se pueden emplear los siguientes operadores de comparación:

= es igual a

< es menor que

> es mayor que

<= es menor o igual que

>= es mayor o igual que

<> es distinto de

Después de teclear la condición en la función **SI**, debemos indicar lo que debe aparecer en la celda si esa condición se cumple y, por último, separándolo con otro punto y coma, indicar lo que debe aparecer si la condición no se cumple. Veamos un ejemplo completo:

=SI(B5<0;"El valor es negativo";"El valor es positivo")

Esta función implica que si **B5** es menor que cero deberá aparecer el mensaje *El valor es negativo* y, de lo contrario, aparecerá *El valor es positivo*.

Aún se puede completar más el caso: ¿y si el valor de **B5** es cero? Para tenerlo en cuenta podemos incluir una función **SI** dentro de otra:

=SI(B5<0;"El valor es negativo";SI(B5>0;"El valor es positivo";"El valor es cero"))

Esta función se complementa con otras que igualmente juegan con los valores lógicos *verdadero* y *falso*:

O(condición 1;condición 2;...;condición n) devuelve verdadero cuando al menos una de las condiciones entre los paréntesis lo es.

Y(condición 1;condición 2;...;condición n) devuelve verdadero cuando todas las condiciones entre los paréntesis lo son.

ESBLANCO(celda o expresión) devuelve verdadero cuando la celda o la expresión entre los paréntesis está vacía.

ESERROR(celda o expresión) devuelve verdadero cuando la celda o la expresión entre los paréntesis genera un error.

ESNUMERO(celda o expresión) devuelve verdadero cuando la celda o la expresión entre los paréntesis contiene un dato numérico.

ESTEXTO(celda o expresión) devuelve verdadero cuando la celda o la expresión entre los paréntesis contiene un dato de texto.

Puede colocarse una función dentro de otra si esto resulta provechoso. Por ejemplo, una media aritmética puede devolver un resultado con decimales, y dichos decimales pueden eliminarse mediante otra función. Ejemplo:

```
=ENTERO(PROMEDIO (B1:B10))
```

La función entero quita los decimales de lo que tiene entre sus paréntesis, que es la media aritmética de los datos contenidos entre **B1** y **B10**.

También puede incluir una función (o varias) dentro de una fórmula. Por ejemplo, si necesita hallar la mitad del resultado de una suma, podría hacerlo de la siguiente forma:

```
=SUMA(B1:B10)/2
```

6.6 EJERCICIOS

6.6.1 Aplicación de funciones

1. Abra el libro *Notas de un alumno* que creó en un ejercicio anterior.

2. Elimine los datos en los que escribió la media aritmética de las notas, sustituyéndolos por la función **PROMEDIO** que deberá mostrar la misma media aritmética (debe hacer esto en las hojas *PRIMERO* y *SEGUNDO*).

3. Utilice la función **MAX** para obtener la nota más alta de cada asignatura de las hojas.

4. Utilice la función **MIN** para obtener la nota más baja de cada asignatura de las hojas.

5. En la hoja *GRÁFICO* utilice la función **PROMEDIO** para obtener la media total de ambos cursos.

	A	B	C	D	E	F
1						
2			Curso 2001			
3			Informática	Inglés	Contabilidad	Mecanografía
4		Septiembre	5	9	5	7
5		Octubre	6	6	6	6
6		Noviembre	7	5	7	5
7		Diciembre	5	8	5	8
8		Enero	9	5	9	7
9		Febrero	7	9	7	7
10		Marzo	6	5	8	5
11		Abril	5	7	5	7
12		Mayo	6	6	6	6
13		Junio	9	5	9	5
14						
15		Media	6,5	6,5	6,7	6,3
16		Global	6,5			
17		Más alta	9	9	9	8
18		Más baja	5	5	5	5

6.6.2 Hotel

En este ejercicio vamos a diseñar un pequeño balance de un mes de hotel y le aplicaremos varias funciones:

1. Acceda a un libro de trabajo nuevo de **Excel** y teclee los siguientes datos:

	A	B	C	D	E	F
1		Presidencial	Nupcial	H1	H2	H3
2	1	200	150			50
3	2	200		50		
4	3		150		50	
5	4	200		50		50
6	5		150			
7	6	200			50	50
8	7	200	150	50	50	
9	8		150	50	50	
10	9	200				50
11	10	200	150	50		50
12	11		150		50	
13	12	200		50	50	50
14	13		150			50
15	14			50		
16	15	200	150	50		50
17	16			50	50	
18	17		150	50	50	50
19	18	200	150	50	50	
20	19	200	150			50
21	20	200		50		
22	21	200	150	50	50	50
23	22		150		50	
24	23					50
25	24	200	150	50	50	
26	25		150		50	50
27	26			50	50	50
28	27	200	150			50
29	28	200		50		
30	29		150	50	50	50
31	30	200	150		50	50
32	31	200	150	50		50
33	*Total habitación*	3600	3000	900	800	900
34	*Días ocupados*	18	20	18	16	18
35	*Porcentaje de ocupación*	58%	65%	58%	52%	58%

2. Como puede apreciar la habitación presidencial cuesta 200 € al día, la nupcial 150 €, y las habitaciones más comunes (**H1**, **H2** y **H3**) 50 €. Las celdas de las habitaciones que están vacías no tuvieron cliente (observe que la lista ofrece hasta 31 días que corresponden a enero). Además, observe que debajo de la lista hemos colocado los rótulos *Total habitación*, *Días ocupados*, *Porcentaje de ocupación*, *Mejor día*, *Peor día* y *Media del mes*, que serán los que calculemos con funciones. Sería conveniente que a los precios que hemos ofrecido en el ejemplo añada alguna cantidad mayor (suponiendo, por ejemplo, que ciertos clientes han utilizado el mueble bar, el teléfono o tienen algún cargo extra por comidas).

3. Utilice la función **SUMA** para el *Total* correspondiente a la habitación.

4. Utilice la función **CONTAR** para el número de *Días ocupados*.

5. Utilice una fórmula para calcular el porcentaje que corresponda a la ocupación. Ejemplo:

   =B34/31

6. No olvide emplear el formato de porcentaje para obtener un resultado correcto acompañado del símbolo *%*.

7. Utilice las funciones **MAX** y **MIN** en las filas siguientes respectivamente para obtener el mejor día así como el peor. También emplee la función **PROMEDIO** para obtener la media del mes.

8. En la fila siguiente utilice la función **SI** para mostrar un mensaje que indique si ha habido beneficios en caso de que se superen los 3500 € en las habitaciones *Presidencial* y *Nupcial*, y los 845 € en las restantes. Por ejemplo, la función para la columna de la habitación *Presidencial* podría ser:

   =SI(B33>3500;"Beneficios";"Pérdidas")

Capítulo 7

GRÁFICOS MATEMÁTICOS

Una de las funciones más llamativas de las hojas de cálculo ha sido siempre la de **crear gráficos que permitan una mejor comparación y análisis visual de los datos**. Consiste en utilizar los **datos numéricos** de la hoja de cálculo, complementarlos con rótulos, seleccionar un **tipo de gráfico** y ver el resultado.

Para diseñar los gráficos es recomendable (aunque no imprescindible) comenzar seleccionando **el rango de celdas** que contienen los datos que se pretenden plasmar en el gráfico matemático.

Asegúrese de que el bloque de los datos contiene rótulos en la primera fila y en la primera columna (ya que esto mejorará la legibilidad de los datos del gráfico). Si los datos están salteados, recuerde que puede seleccionarlos manteniendo pulsada la tecla **CONTROL** (o **CTRL**) mientras arrastra con el ratón para seleccionar.

7.1 CREACIÓN DE UN GRÁFICO

Una vez que se han seleccionado **los datos**, se genera el gráfico recurriendo a los distintos botones del grupo **Gráfico** de la pestaña **Insertar** en la cinta de opciones:

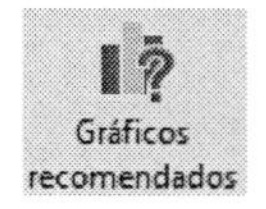

Los botones más pequeños de este grupo crean directamente un gráfico del estilo que muestra cada uno; sin embargo, haciendo clic en el botón **Gráficos recomendados**, se accede a un **cuadro de diálogo** con un asistente para la creación del gráfico de cualquier tipo:

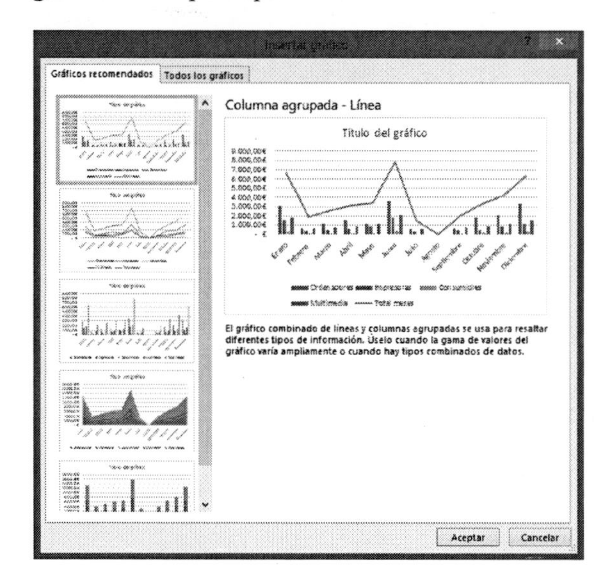

Presenta una serie de gráficos con un avanzado nivel de elaboración, que nos pueden interesar para generar uno de forma rápida y en el que apenas haya que realizar unos pocos retoques. Se selecciona **uno de la columna izquierda** y se pulsa el botón Aceptar.

Sin embargo, podemos optar por cambiar a la ficha **Todos los gráficos**, para desarrollar un gráfico del modo tradicional.

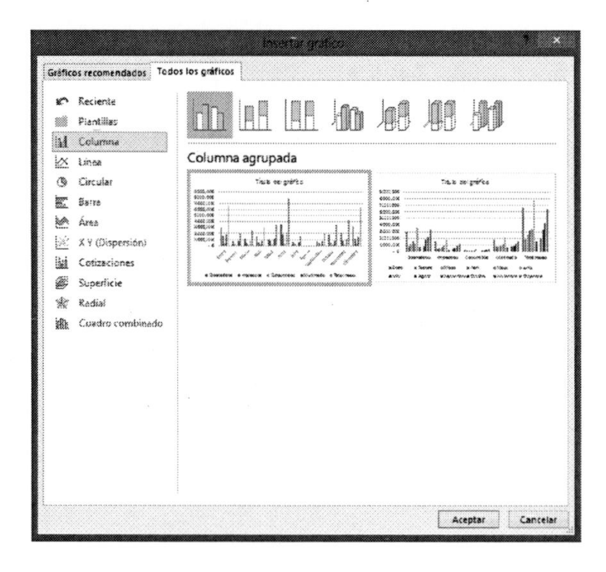

Con los datos de esta ficha se elige la clase del gráfico que se necesita en la lista de categorías de la izquierda (**Columna**, **Línea**, **Circular**, etc.). Luego se puede elegir una **variante de gráfico** en la parte superior del cuadro y se pulsa el botón Aceptar. Al hacerlo aparece el gráfico en la hoja y se dispone de dos pestañas adicionales en la cinta de opciones para configurar el gráfico y darle el aspecto que deseemos. También se puede acceder a estas pestañas posteriormente cuando se hace clic en un **gráfico cualquiera**.

7.2 EDICIÓN DE GRÁFICOS

La pestaña **Diseño** ofrece lo siguiente:

1. El grupo **Diseños de gráfico** ofrece dos posibilidades:

   - **Añadir elementos manualmente** al gráfico mediante el botón **Agregar elemento de gráfico**. Al pulsarlo se despliegan varias opciones con los elementos que es posible añadir:

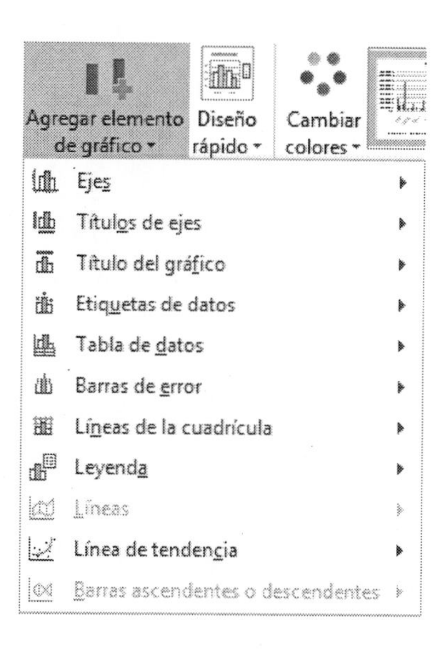

Cada una de sus opciones contiene un submenú con distintas variantes de cada elemento. Por ejemplo, podemos seleccionar **Leyenda** para elegir entre diferentes posiciones para la misma. Veremos lo que es la leyenda, así como los demás tipos de elementos, más adelante.

- **Modificar fácilmente el gráfico** completo mediante el botón **Diseño rápido**.

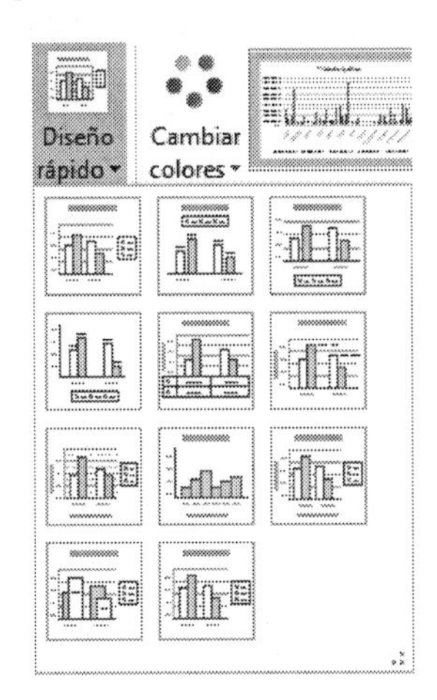

2. El grupo **Estilos de diseño** contiene varios diseños de color y aspecto para el gráfico. También nos permite **modificar a la vez todos los colores del gráfico** desplegando el botón **Cambiar colores** y seleccionando **uno de los juegos de colores** que ofrece.

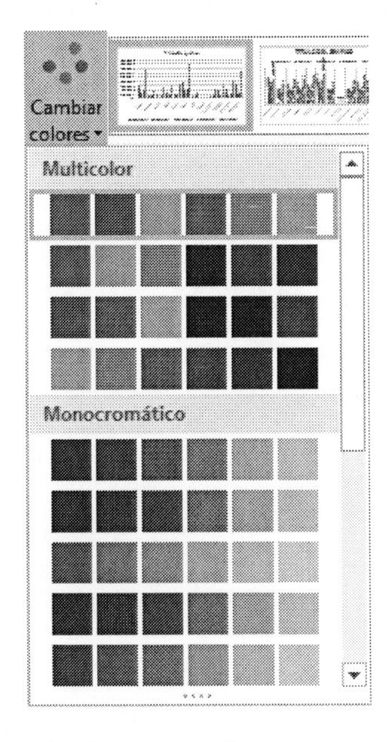

3. El grupo **Datos** ofrece otros dos botones:

   - **Cambiar entre filas y columnas** permite **elegir los datos que aparecen** en cada eje. Así se pueden intercambiar entre sí.

   - **Seleccionar datos** permite seleccionar los **datos del gráfico**. Aunque ofrece un cuadro de diálogo para ello, se pueden seleccionar de la forma tradicional directamente en la hoja.

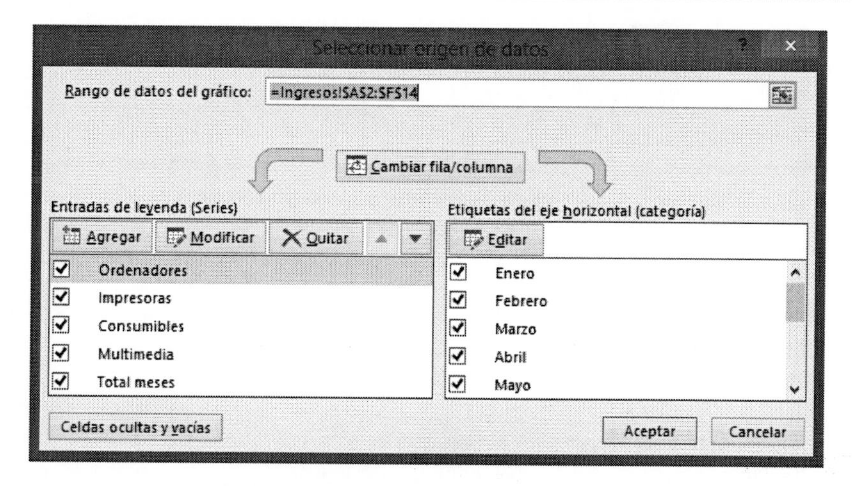

4. El grupo **Tipo** ofrece el botón **Cambiar tipo de gráfico**, que lleva nuevamente al cuadro de diálogo en el que se puede seleccionar **otro tipo de gráfico**.

5. El grupo **Ubicación** contiene el botón **Mover gráfico**, que lleva a un cuadro de diálogo con el que se puede **trasladar el gráfico a otra hoja**. Se puede incluso colocar una hoja especial para el gráfico que no contiene celdas y es de uso exclusivo para él.

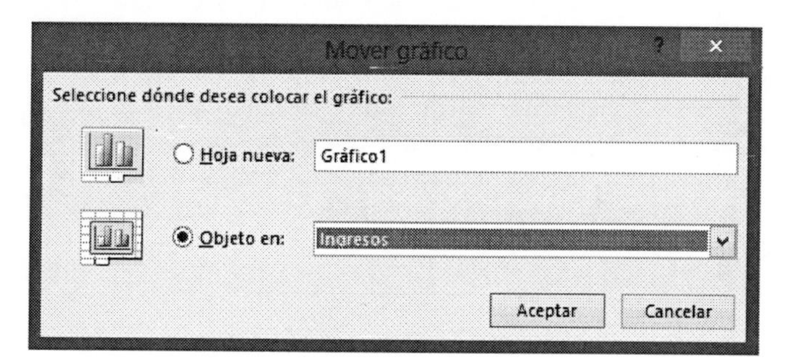

La pestaña **Formato** ofrece lo siguiente:

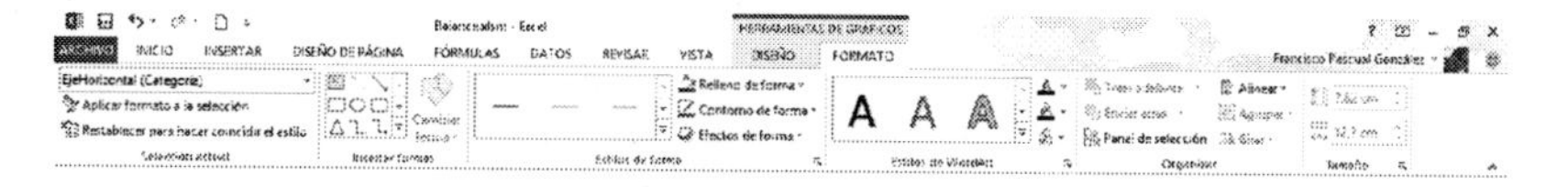

1. El grupo **Selección actual** permite **elegir uno de los múltiples objetos integrantes del gráfico para poder modificarlo** después.

- El botón **Elementos del gráfico** (en nuestra figura Área del gráfico) permite **elegir uno de los elementos** que componen el gráfico, si bien, esto mismo se puede conseguir haciendo clic en un **elemento del gráfico** (barras, líneas, etc.).

- El botón Aplicar formato a la selección lleva a un cuadro de diálogo con el que se puede **cambiar el formato del elemento elegido** en el gráfico. Sus funciones y otras más también se aplican desde la pestaña **Formato**, de la que hablaremos enseguida.

- El botón Restablecer para hacer coincidir el estilo se pulsa una vez elegido un objeto del gráfico y lo **modifica asignando su estilo original**. De esta forma, un objeto que se haya cambiado puede ser restablecido a su formato original.

2. El grupo **Estilos de forma** contiene varios diseños ya definidos para nuestras figuras y elementos para que construyamos los nuestros propios.

   - Si se trata de **elegir uno ya diseñado**, sólo hay que desplegar su lista y hacer clic en el que se desee.

   - Con el botón Relleno de forma se **aplica un tipo de efecto de fondo** a la figura, es decir, un tipo de relleno. Podremos elegir entre un único color, un **Degradado** entre dos colores, una **Textura**, una **Trama** (también entre dos colores) o una **Imagen**.

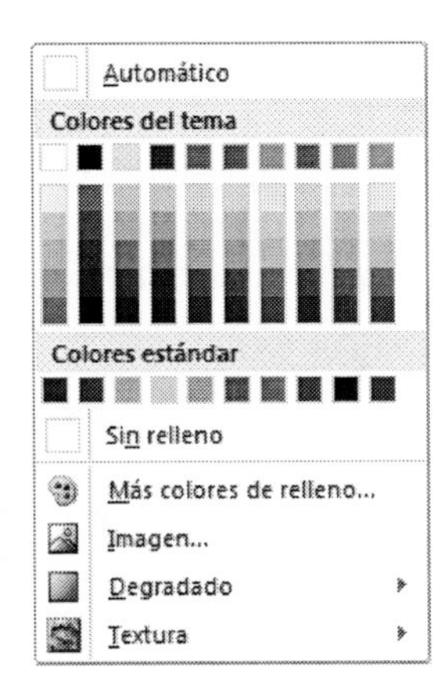

     Para aplicar un color sólo hay que elegir uno en la lista (o la opción **Más colores de relleno**, que ofrece una paleta más amplia). También podemos elegir **Sin relleno** para dejar hueca la figura (aunque a partir de entonces sólo se podrá seleccionar la figura haciendo clic en su **borde puesto** que su relleno ya no existirá).

   - Con el botón Contorno de forma se puede **cambiar el aspecto** y **color del borde** de las figuras.

   - Con el botón Efectos de forma desplegamos una lista de **efectos especiales para el objeto**: iluminaciones, volumen, reflejos, etc.

3. El grupo **Estilos de WordArt** contiene estilos ya diseñados y funciones para que diseñemos los nuestros propios para aplicarlos a los textos del gráfico.

   - Para **elegir uno de los estilos** ya diseñados sólo hay que desplegar la lista y hacer clic en él.

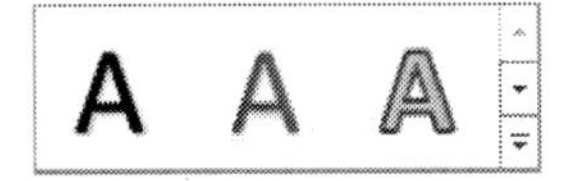

   - El botón **Relleno de texto** ( ) despliega una lista de colores y efectos que podemos aplicar al relleno de las letras del rótulo: degradados, texturas e imágenes.

- El botón **Contorno de texto** ( ) despliega una lista de colores y efectos que podemos aplicar al borde de las letras del rótulo: **grosor y estilo de línea**.

- El botón **Efectos de texto** ( ) despliega una lista de menús con efectos especiales que podemos aplicar al rótulo.

4. El grupo **Organizar** proporciona funciones de colocación para la imagen:

   - El botón Traer adelante **sitúa la imagen por delante** de las otras (como colocar una carta por delante de la baraja o de otras cartas).

   - El botón Enviar atrás **sitúa la imagen por detrás** de las otras (como colocar una carta por detrás de la baraja o de otras cartas).

   - El botón Alinear permite **colocar la imagen a la misma altura** que otras o que los márgenes de la página. Este botón se despliega para ofrecer todas sus posibilidades.

   - El botón Agrupar reúne **varios objetos para tratarlos como uno solo**. También permite realizar la operación inversa, es decir, separar varios objetos que estaban agrupados (**Desagrupar**). Ninguna de ellas funciona con imágenes normales, pero sí lo hace con figuras dibujadas con el propio programa.

   - El botón Girar **permite rotar una imagen** 90° en una dirección. También permite reflejarla horizontal y verticalmente.

   - El botón Panel de selección **activa el panel de tareas** mostrando los gráficos que pueden verse en la hoja. Con dicho panel se pueden ocultar y mostrar dichos gráficos (haciendo clic en el icono que ofrece cada uno a su derecha en la lista, aunque también se pueden ocultar y mostrar todos con los botones Ocultar todo y Mostrar todo, respectivamente) y recolocar los gráficos al frente o al fondo (seleccionando uno en la lista y pulsando los botones o).

5. El grupo **Tamaño** permite **cambiar las dimensiones del gráfico** mediante los cuadros de texto **Alto de forma** y **Ancho de forma** en los que se teclea un tamaño vertical y horizontal para la imagen, respectivamente. Cuando se teclea un nuevo valor hay que pulsar **INTRO** para fijarlo.

7.3 LOS ELEMENTOS DEL GRÁFICO

Todos los elementos que conforman el gráfico (barras, líneas, ejes, leyenda, etc.) pueden ser modificados individualmente, cambiando sus características de presentación.

Haciendo clic en uno de esos elementos y luego en el botón ⧉ de los grupos **Estilos de forma**, **Estilos de WordArt** o **Tamaño**, se despliega el panel de tareas con diferentes funciones para realizar la tarea.

Las funciones que vamos a detallar son aplicables también a las figuras diseñadas con el botón **Formas** (en el grupo **Ilustraciones** de la pestaña **Insertar** de la cinta de opciones).

El aspecto inicial que ofrece el panel es el mismo, aunque puede variar ligeramente dependiendo del botón desde el que lo hayamos activado:

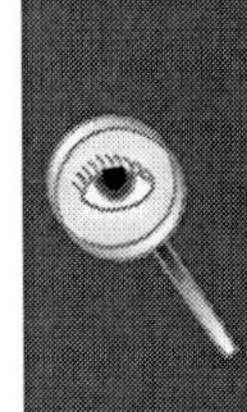

Aunque vamos a describir todas las categorías que pueden aparecer en un objeto diseñado, no todas ellas aparecen siempre, dependiendo del tipo de objeto en cuestión. Si necesita probar alguna que no se muestre en los elementos de un gráfico, le sugerimos que acceda a la pestaña **Insertar**, despliegue el botón del grupo **Ilustraciones** y dibuje una figura. En ella podrá hacer clic con el botón secundario del ratón y seleccionar **Formato de imagen** para conseguirlo.

7.3.1 Relleno

Cuando se despliega **Relleno** en el panel, se dispone de varios botones de opción que, al ser activados, añaden al cuadro varios controles para **ajustar el aspecto de relleno de fondo** de aquel objeto que se haya seleccionado previamente.

1. Obviamente, el botón **Sin relleno** deja **vacío el relleno** de la figura.
2. Con **Relleno sólido** podemos **emplear un único color** que rellene el fondo de la figura. Para ello, el cuadro ofrecerá los siguientes elementos:

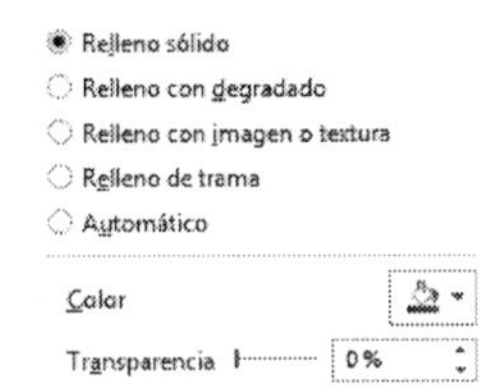

- La lista **Color** permite **seleccionar el tono** para el relleno.
- Desplazando el deslizador **Transparencia** conseguimos que el objeto **permita o no vislumbrar** los que estén tapados por él: 100% es totalmente transparente y 0% es totalmente opaco.

3. Con **Relleno degradado**, el objeto **mostrará de fondo un degradado**. Para diseñar el degradado, nos ofrecerá los siguientes elementos:

- La lista **Degradados preestablecidos** ofrece una **lista de degradados** ya diseñados para que el usuario sólo necesite elegir uno.
- La lista **Tipo** permite **elegir la forma del degradado**:

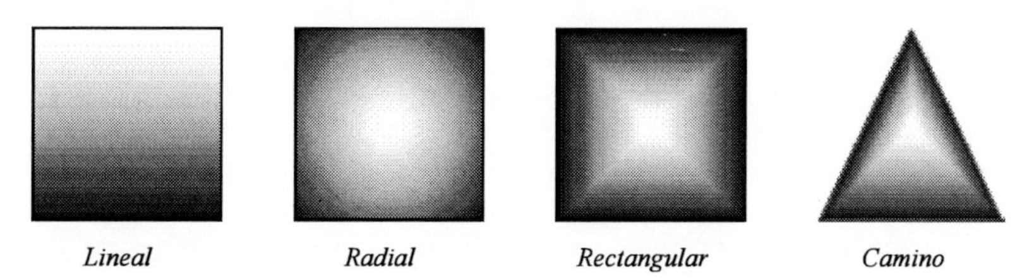

Lineal *Radial* *Rectangular* *Camino*

- Podemos establecer la **Dirección** de dibujo del degradado: hacia arriba, hacia abajo, en diagonal, etc.
- También podemos hacerlo mediante el **Ángulo de inclinación** del degradado.

- Podemos establecer **cuántos colores formarán el degradado** mediante los **Puntos de degradado**. Inicialmente, tendrá un determinado número de puntos ( ). Se pueden añadir haciendo clic en la **barra de degradado** y quitar arrastrándolos fuera de ésta. También se pueden **desplazar a los lados** para establecer dónde va a ser éste más intenso (en qué extremo, aunque esto también se puede indicar en la **Posición**: 0% en un extremo, 100% en el extremo opuesto, otro porcentaje en un punto intermedio). En cada punto se puede establecer su **Color**, su **Brillo** y qué nivel de **Transparencia** va a tener.

- Si se activa la casilla **Girar con forma**, el degradado girará si así lo hace la figura, manteniendo su aspecto con relación a ésta.

4. **Relleno con imagen o textura** permite rellenar el objeto con una imagen del disco (Archivo...), del Portapapeles o de las En línea.... También se puede rellenar con una **Textura** desplegando la lista .

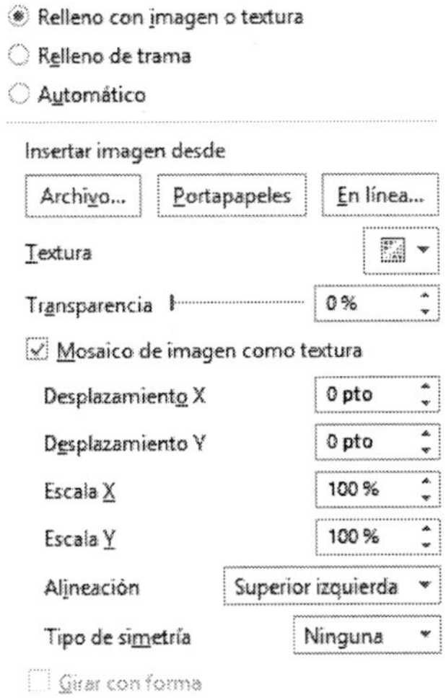

Relleno con imagen o textura
Relleno de trama
Automático
Insertar imagen desde
Archivo... Portapapeles En línea...
Textura
Transparencia 0 %
Mosaico de imagen como textura
Desplazamiento X 0 pto
Desplazamiento Y 0 pto
Escala X 100 %
Escala Y 100 %
Alineación Superior izquierda
Tipo de simetría Ninguna
Girar con forma

- Desplazando el deslizador **Transparencia** conseguimos que el objeto **permita o no vislumbrar** los que estén tapados por él: 100% es totalmente transparente y 0% es totalmente opaco.

- Activando la casilla **Mosaico de imagen como textura** la imagen (o textura) **rellenará el fondo repitiéndose como azulejos** en una pared. Si la desactivamos, la imagen se expandirá o encogerá hasta adaptarse al tamaño de la figura. Si se activa, disponemos de varios elementos para **fijar el tamaño** (escala) **y posición** (desplazamiento) de los "azulejos", mientras que si la desactivamos, dispondremos de otros para colocar la imagen dentro de la figura.

- Si se activa la casilla **Girar con forma**, la imagen girará si así lo hace la figura, manteniendo su aspecto con relación a ésta.

5. **Relleno de trama** permite **establecer un relleno compuesto por elementos sencillos repetidos** (líneas, puntos, cuadros, etc.). gracias a sus botones **Color de primer plano** y **Color de fondo** se puede elegir el color de los elementos y de su fondo.

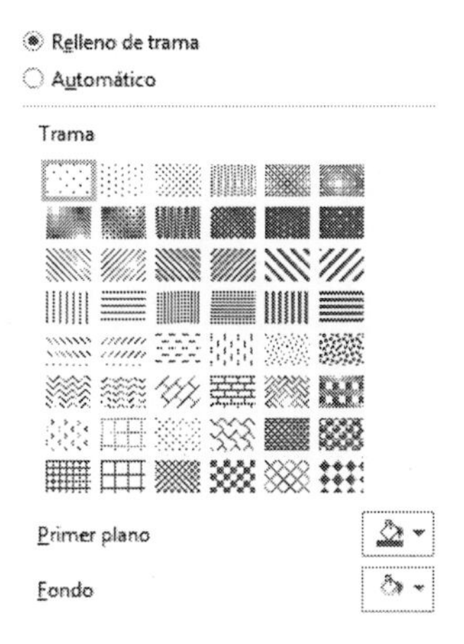

7.3.2 Color de borde

Activando la categoría **Borde** podremos **cambiar el aspecto del borde** con respecto a su color. Para ello, el cuadro de diálogo varía su contenido y ofrece lo siguiente:

1. Naturalmente, la opción **Sin línea** deja a la figura sin una.

2. Con **Línea sólida** podemos elegir un **Color** y una **Transparencia** para el borde de la figura.

3. Con **Línea con degradado** podemos **aplicar un degradado al borde de una figura**. Es decir, las líneas comienzan su trazado con un color que va cambiando hasta alcanzar otro (esto incluso con más de dos colores). Todo ello se diseña tal y como hemos visto para los degradados de relleno de las figuras.

4. Con **Automático** se **aplican las características** de borde que incluyan las del gráfico en general.

5. Se puede establecer el **Color** del borde desplegando el botón . También el nivel de **Transparencia** del borde.

6. Utilice **Ancho** para **establecer el grosor** del borde de la figura.

7. Con **Tipo compuesto** se puede indicar si la línea será única, doble, doble con una de las líneas de diferente grosor o triple.

8. Con **Tipo de guión** se establece si la línea será continua, construida con puntos, con guiones o mezcla de ambos.

9. Con **Tipo de remate** se establece **cómo será el extremo de la línea**: redondo, cuadrado o plano.

10. Con **Tipo de combinación** se establece **cómo será el aspecto donde dos líneas se unan**: redondo, bisel o en ángulo.

11. Si la figura consta sólo de una línea, puede tener punta de flecha en sus extremos y para establecer su aspecto disponemos del grupo **Configuración de flechas** con cuyos elementos podemos indicar la forma de la flecha en cada extremo (**Tipo de inicio** y **Tipo de final**) así como su corpulencia (**Tamaño inicial** y **Tamaño final**).

7.3.3 Sombra

Si en la parte superior del panel hacemos clic en el icono de la categoría **Efectos** ( ) disponemos de más funciones de aspecto.

Las figuras pueden ofrecer un efecto de proyección de sombra. Así, si se activa la categoría **Sombra**, el panel ofrece los siguientes elementos:

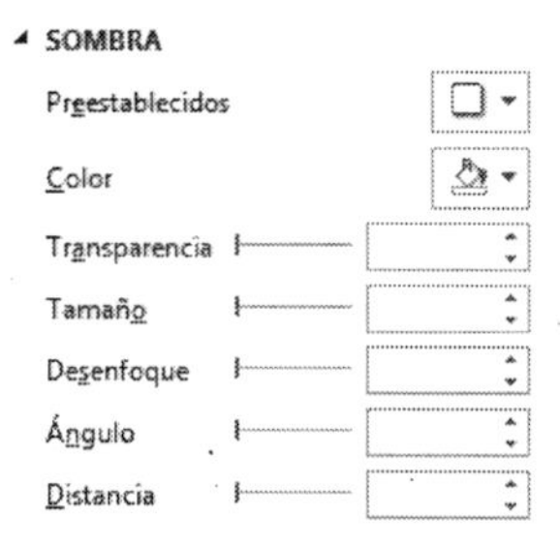

1. La lista **Preestablecidos** ofrece **varios efectos de sombra** ya diseñados para elegir uno.

2. Se puede elegir el **Color** de la sombra proyectada.

3. Con el resto de elementos se puede **construir una sombra a medida**. Para ello hay que especificar la **Transparencia** de la sombra, su **Tamaño**, su **Desenfoque** en los bordes, el **Ángulo** de proyección y la **Distancia** con respecto al objeto que la proyecta.

7.3.4 Iluminado y bordes suaves

Si en la parte superior del panel hacemos clic en el icono de la categoría **Efectos** ( ) disponemos de más funciones de aspecto.

Toda figura puede **ser rodeada de un efecto de aura** (iluminado) junto con un redondeado de dicho efecto (borde suave). Para ello se opta por la categoría **Iluminación**:

ILUMINACIÓN
Preestablecidos
Color
Tamaño
Transparencia

1. La lista **Preestablecidos** ofrece **varios efectos de iluminado** ya diseñados para elegir uno.

2. Se puede elegir el **Color** del efecto de aura, así como su grosor (**Tamaño**) y nivel de opacidad (**Transparencia**).

7.3.5 Bordes suaves

Si en la parte superior del panel hacemos clic en el icono de la categoría **Efectos** ( ) disponemos de más funciones de aspecto.

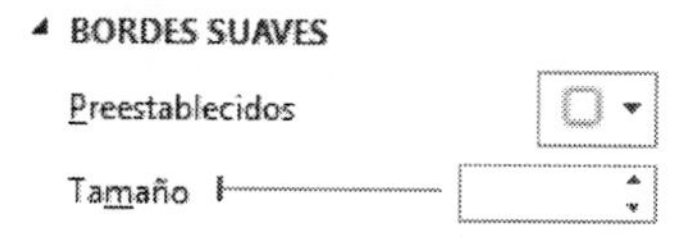

El nivel de redondeo del efecto se puede establecer mediante la lista **Preestablecidos** o desplazando el deslizador **Tamaño** (o tecleando su valor).

7.3.6 Formato 3D

Si en la parte superior del panel hacemos clic en el icono de la categoría **Efectos** ( ) disponemos de más funciones de aspecto.

La categoría **Formato 3D** permite **aplicar efecto de volumen a la figura**. Al acceder a esta categoría, el cuadro de diálogo muestra lo siguiente:

1. Con los botones **Bisel superior** y **Bisel inferior** elegimos **el tipo de efecto tridimensional**, su **anchura** y **altura**.
2. Con **Profundidad**, establecemos el **Color de la tercera dimensión** que añade el programa, así como su **Profundidad**.
3. Con **Contorno** establecemos el **Color del borde**, junto con su grosor (**Tamaño**).
4. Con **Material** podemos **elegir un efecto** que simule aquel con el que está hecha la figura, la intensidad de la luz que la ilumina y su posición (**Iluminación** y **Ángulo**).
5. Con el botón Restablecer se **restauran los valores iniciales** de volumen de la figura.

7.3.7 Giro 3D

Si en la parte superior del panel hacemos clic en el icono de la categoría **Efectos** ( ) disponemos de más funciones de aspecto.

En algunas figuras, se puede simular un giro en tres dimensiones de la figura.

1. Desplegando la lista **Preestablecidos** se **elige uno de los giros** ya diseñados.
2. Por el contrario, se puede **diseñar el giro a medida** mediante los datos **Giro X, Giro Y, Giro Z** y **Perspectiva**. En todos ellos se escribe un ángulo de giro para que la figura voltee en la dirección correspondiente.
3. Si la figura contiene texto, se puede activar la casilla **Mantener texto sin relieve** para **que este no gire junto con la figura**. Si se desactiva, el texto se adaptará al giro de la figura volteando en la misma dirección.

4. Con **Distancia desde la superficie** podemos **acercar** (o **alejar**) el objeto al "papel".

5. El botón Restablecer **restaura los valores originales** de la figura.

7.3.8 Efectos artísticos

Si en la parte superior del panel hacemos clic en el icono de la categoría **Efectos** ( ) disponemos de más funciones de aspecto.

En ese caso se ofrecen **Efectos artísticos** con la que podemos **retocar dicha imagen** aplicando cambios que simulen que su contenido esté hecho con un determinado material o diseñado con alguna técnica gráfica especial. Únicamente hay que desplegar la lista de modelos **Preestablecidos** y elegir uno.

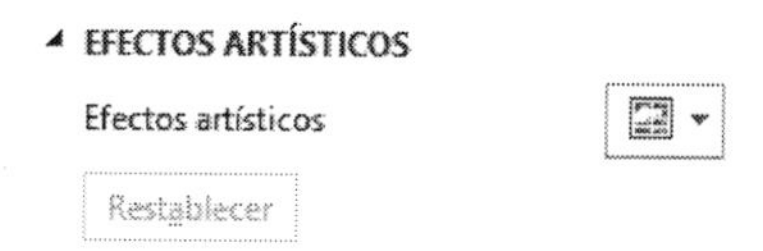

7.3.9 Correcciones de imágenes

Si la figura contiene una imagen de relleno, el panel ofrece la categoría **Imagen** ( ) con la que **podemos ajustarla**:

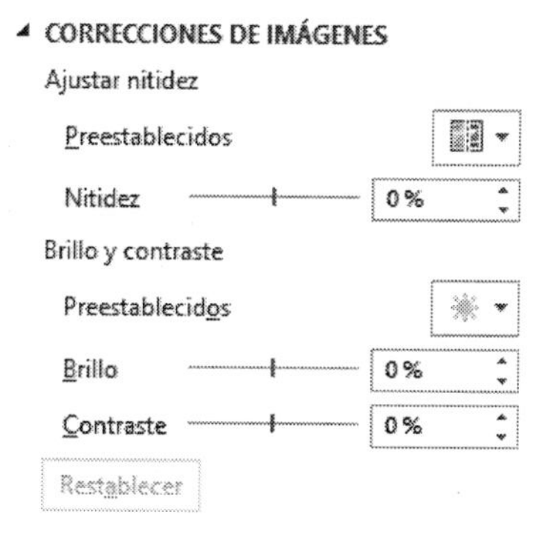

1. Con los elementos del grupo **Ajustar nitidez** podemos **regular el perfilado** de los objetos de la imagen de relleno. Disponemos de unos cuantos modelos **Preestablecidos** o de la posibilidad de ajustar la nitidez con el deslizador.

2. El deslizador de **Brillo** permite **cambiar la luminosidad** de la imagen.

3. El deslizador de **Contraste** permite **cambiar el nivel** de diferencia que habrá entre los tonos oscuros y claros.

4. Las dos últimas funciones se pueden seleccionar conjuntamente mediante sus modelos **Preestablecidos** (en **Brillo y contraste**).

5. El botón Restablecer **restaura los valores originales** de la imagen.

7.3.10 Color de imagen

Si la figura contiene una imagen de relleno, el panel ofrece la categoría **Imagen** ( ) con la que podemos **alterar sus tonalidades** (cambiarla a más rojiza, azulada, verdosa, etc.).

1. Con los elementos de **Saturación de color** podemos **intensificar o moderar los colores** de la imagen de relleno (llegando a reducirlo a grises). Se puede establecer con modelos **Preestablecidos** o con el deslizador de **Saturación.**

2. Con los elementos de **Tono de color** podemos **modificar la Temperatura** de la imagen de relleno. A mayor temperatura, más rojiza será la imagen, mientras que a menor temperatura se tornará más azulada.

3. Con los modelos **Preestablecidos** que ofrece **Volver a colorear** se consigue que el sistema vuelva a dibujar la imagen de relleno cambiando sus colores por otros de la lista.

4. El botón Restablecer **restaura los valores originales** de la imagen.

7.3.11 Recortar

Si la figura contiene una imagen de relleno, el panel ofrece la categoría **Imagen** ( ) con la que podemos **eliminar partes marginales** de la imagen de relleno. Lo único que solicita esta función es establecer el tamaño de recorte por cada lado de la imagen:

RECORTAR
Posición de la imagen
Ancho
Alto
Desplazamiento X
Desplazamiento Y
Posición de recorte
Ancho 3,44 cm
Alto 3,18 cm
Izquierda 14 cm
Arriba 11,11 cm

7.3.12 Tamaño

Si en la parte superior del panel hacemos clic en el icono de la categoría **Tamaño y Propiedades** ( ) disponemos de más funciones de aspecto.

Desplegando **Tamaño** se puede establecer, además el mismo, el **grado de giro** de dicha imagen:

TAMAÑO
Alto 3,18 cm
Ancho 3,44 cm
Giro 0°
Ajustar alto 100 %
Ajustar ancho 100 %
Bloquear relación de aspecto
Proporcional al tamaño original de la imagen

1. Con los cuadros **Alto** y **Ancho** (del grupo **Tamaño y giro**) se pueden establecer las dimensiones de la imagen de relleno. Estas dimensiones también se pueden establecer mediante un porcentaje en los cuadros también llamados **Ancho** y **Alto**, pero del grupo **Escala**, tomando como base que el 100% representa el tamaño original de la imagen.

2. Con el cuadro **Giro** se puede rotar la imagen de relleno tantos grados como se desee.

3. Si se activa la casilla **Bloquear relación de aspecto**, el sistema calculará automáticamente el valor de la anchura cuando el usuario establece la altura y viceversa.

4. La casilla **Proporcional al tamaño original de la imagen** permite evitar deformaciones al cambiar el tamaño de la figura.

7.3.13 Propiedades

Si en la parte superior del panel hacemos clic en el icono de la categoría **Tamaño y Propiedades** () disponemos de más funciones de aspecto.

Toda figura dispone de algunas características que permiten establecer cómo se comporta con respecto a los elementos que la rodean y al documento que las alberga. Esas funciones se manipulan desde **Propiedades**:

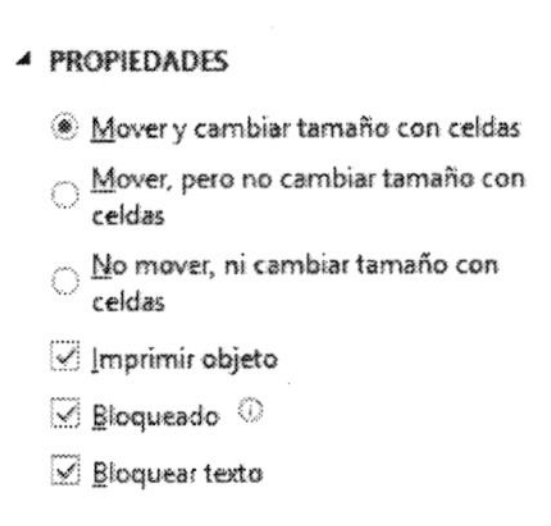

1. Con los tres primeros botones se puede **indicar si la figura ha de cambiar de tamaño o moverse** cuando se haga lo propio con las celdas circundantes.
2. La casilla **Imprimir objeto** permite **indicar si la figura aparecerá impresa en el papel junto con el resto del documento** cuando éste se envíe a la impresora.
3. La casilla **Bloqueado fija el objeto para que no se pueda alterar**. Esta función ha de complementarse protegiendo la hoja (pestaña **Revisar**, grupo **Cambios**).
4. La casilla **Bloquear texto, fija el contenido de texto** de la figura, si lo tiene.

7.3.14 Cuadro de texto

Si en la parte superior del panel hacemos clic en el icono de la categoría **Tamaño y Propiedades** () disponemos de más funciones de aspecto.

Si la figura contiene texto, podemos emplear **Cuadro de texto** para **modificar el aspecto de sus letras** en la figura.

CUADRO DE TEXTO
Alineación vertical Superior
Dirección del texto Horizontal
Ajustar tamaño de la forma al texto
Permitir que el texto desborde la forma
Margen izquierdo 0,05 cm
Margen derecho 0 cm
Margen superior 0 cm
Margen inferior 0 cm
Ajustar texto en forma
Columnas...

1. Mediante la lista **Alineación vertical** podemos llevar el texto a la parte superior de la figura, a la inferior o al centro.

2. Con la lista **Dirección del texto** se obliga al texto a aparecer horizontal o verticalmente. En este último caso podemos ver las letras giradas de arriba a abajo, al revés, e incluso con las letras sin girar.

3. Si se activa la casilla **Ajustar tamaño de la forma al texto**, la figura se ampliará o reducirá hasta acomodarse con precisión el texto.

4. Si se activa la casilla **Permitir que el texto desborde la forma**, ésta no cambiará de tamaño si el contenido de texto es mayor de lo que puede albergar su superficie.

5. Con los datos de margen podemos **separar el texto del borde** de la figura en mayor o menor medida.

6. La casilla **Ajustar texto en forma** se asegura de que el texto se adapta al perímetro de la figura. Si no se activa, el texto se rellena en un renglón capaz de sobresalir de la figura.

7. Con el botón Columnas... el texto de la figura se puede **redistribuir en dos o más columnas**. Para ello se ofrece un cuadro de diálogo en el que se establece el número de columnas y su separación.

7.3.15 Texto alternativo

Si en la parte superior del panel hacemos clic en el icono de la categoría **Tamaño y Propiedades** () disponemos de más funciones de aspecto.

Con **Texto alternativo** disponemos de dos **datos que sustituyen a la imagen** si no está disponible o si el usuario tiene problemas para verla.

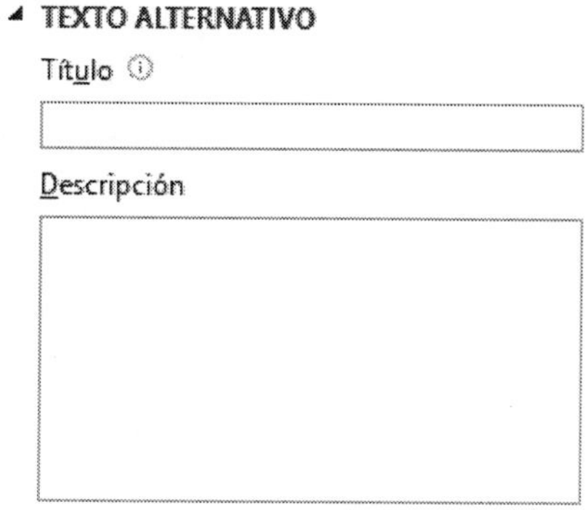

TEXTO ALTERNATIVO

Título

Descripción

7.4 EJERCICIOS

7.4.1 Gráfico para Notas de un alumno

1. Abra el libro *Notas de un alumno*.

2. Defina un gráfico de las notas medias en la *Hoja3* (*GRAFICO*). El gráfico no debe tener leyenda:

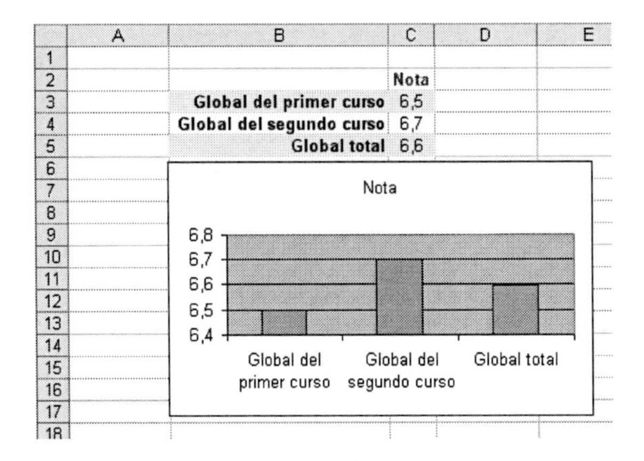

7.4.2 Gráfico para Gastos

1. Abra el libro *Gastos*.

2. Vamos a crear varios gráficos del tipo **sectores (circulares)**. Cada uno de ellos debe reflejar los datos de los distintos empleados del libro *Gastos*:

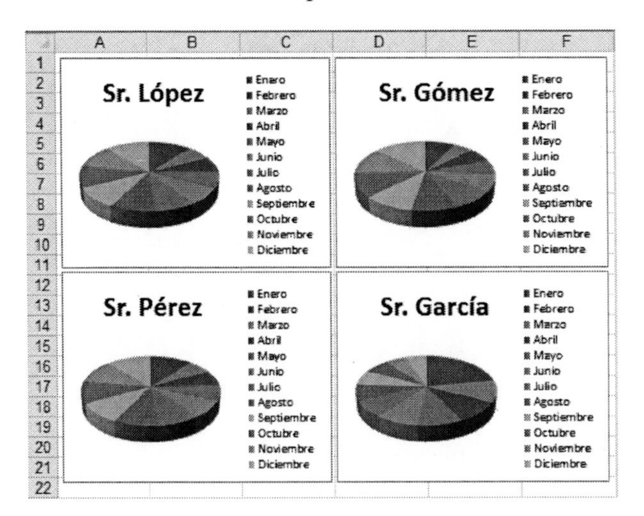

3. Para poder aplicar a la leyenda los meses del año deberá seleccionarlos junto con los datos del empleado simultáneamente (ayúdese de la tecla **CONTROL**). Ejemplo:

	A	B	C	D	E	F
1				GASTOS		
2		Sr. López	Sr. Gómez	Sr. Pérez	Sr. García	Sr. González
3	Enero	10000	8000	9000	20000	30000
4	Febrero	11000	10000	10000	19000	28000
5	Marzo	12000	12000	11000	18000	26000
6	Abril	13000	14000	12000	17000	24000
7	Mayo	14000	16000	13000	16000	22000
8	Junio	15000	18000	14000	15000	20000
9	Julio	16000	20000	15000	14000	18000
10	Agosto	17000	22000	16000	13000	16000
11	Septiembre	18000	24000	17000	12000	14000
12	Octubre	19000	26000	18000	11000	12000
13	Noviembre	20000	28000	19000	10000	10000
14	Diciembre	21000	30000	20000	9000	8000
15						

Observe que hemos seleccionado **las celdas** comprendidas entre **A2** y **A14**, y entre **C2** y **C14**.

Capítulo 8

TRABAJO SENCILLO CON BASES DE DATOS

Una **base de datos** es, en esencia, un conjunto de datos estructurado que ofrece un **acceso fácil**, **rápido** y **flexible**.

Hace ya algún tiempo que las hojas de cálculo incorporan funciones de bases de datos a un nivel bajo/medio. La configuración de filas y columnas de cualquier hoja de cálculo hace encajar perfectamente su filosofía con la de las bases de datos relacionales, que utilizan tablas igualmente distribuidas en filas y columnas para representar los datos almacenados en el disco.

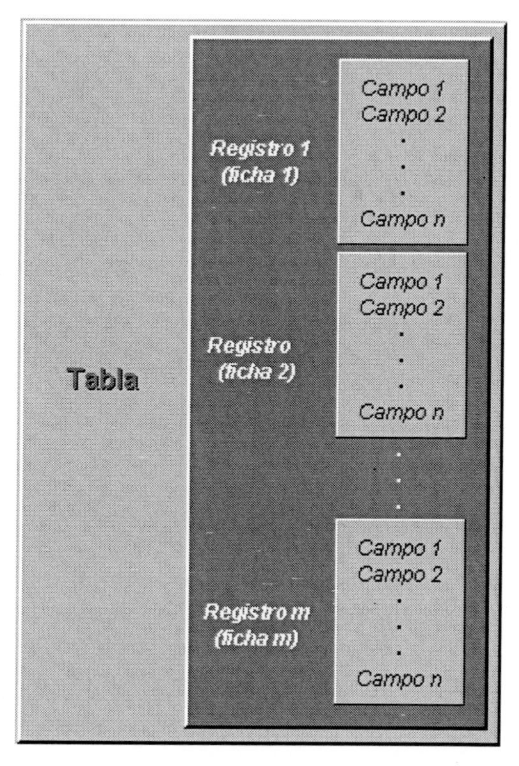

Estas bases de datos se configuran a modo de **registros**, que podrían compararse a las fichas de un fichero, y éste sería la base de datos o una parte integrante de ésta. A su vez, cada registro de la base está compuesto por **campos** que equivalen a los datos distribuidos en las fichas del fichero.

En la imagen lo vemos de un modo más gráfico.

Como vemos en el esquema de la figura anterior, la estructura de los **campos** se repite para cada registro. Así, si una estructura de base de datos contiene los **campos** *Nombre*, *Apellidos* y *Teléfono*, cada registro tendrá un *Nombre*, unos *Apellidos* y un *Teléfono*.

La forma de representar estos datos mediante bases de datos relacionales consiste en una tabla que contiene en sus filas y columnas los datos que llenan la base de datos. Por ejemplo:

	Nombre	Apellidos	Teléfono
Registro 1	Juan	Tología	123-45-67
Registro 2	Jacinta	Devideo	765-43-21
Registro 3	Isabel	Ardo	135-79-11
Registro 4	Ana	Tomía	119-75-31

Como decíamos, la estructura se repite para cada registro, aunque los datos son distintos para cada uno. Los **campos**, por su parte, forman la primera fila de la tabla (*Nombre*, *Apellidos* y *Teléfono*). Ésta es la estructura que vamos a utilizar igualmente para trabajar con bases de datos en **Excel**, de modo que dispondremos de esta forma los datos que vamos a utilizar.

8.1 ORDENACIÓN Y FILTROS

Otra forma de acceder a los datos de una base de datos es la **creación de listas** que en la misma hoja de cálculo nos ofrecen funciones de base de datos.

Para **crear una lista desplegable** para cada **campo**, se selecciona el **rango de datos que forma la base de datos** (recuerde que la primera fila debe contener los nombres de los **campos**) y pulsar el botón **Filtro** del grupo **Ordenar y filtrar** en la pestaña **Datos** de la cinta de opciones. Este botón se puede volver a pulsar para desactivar los filtros.

Se crea la lista añadiendo los botones necesarios para poder desplegar las celdas. Por ejemplo, si tenemos el ejemplo anterior, al activar el botón **Filtro** obtendríamos:

	A	B	C	D
1		Nombre	Apellidos	Teléfono
2	Registro 1	Juan	Tología	123-45-67
3	Registro 2	Jacinta	Devideo	765-43-21
4	Registro 3	Isabel	Ardo	135-79-11
5	Registro 4	Ana	Tomía	119-75-31

Botones para desplegar

Si desplegamos un **campo** mediante su botón, aparecerá una lista con los datos de todos los registros pertenecientes a ese **campo**, y bastará con elegir uno de ellos para que el resto de los datos de la lista desaparezca, dejando en su lugar el registro completo al que pertenece el dato elegido. Por ejemplo, si desplegáramos el **campo** *Nombre* y en la lista que apareciera eligiéramos el dato *Ana*, obtendríamos lo siguiente:

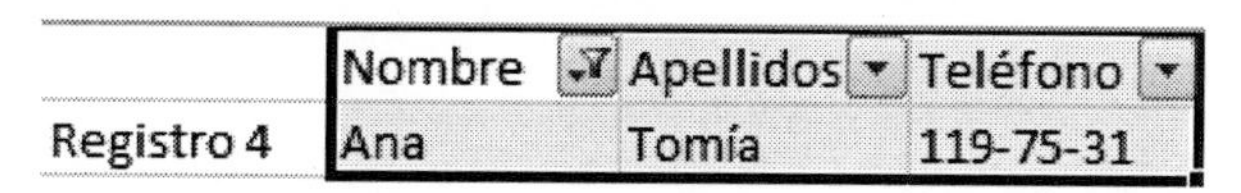

El botón que hemos pulsado cambia a este otro: [icono], indicando el dato por el que hemos buscado el registro que ahora aparece en la fila inmediatamente inferior a la de la lista de **campos**.

Se puede realizar esta operación en tantos **campos** como se necesite para ir reduciendo la lista de datos hasta encontrar la información que se busca.

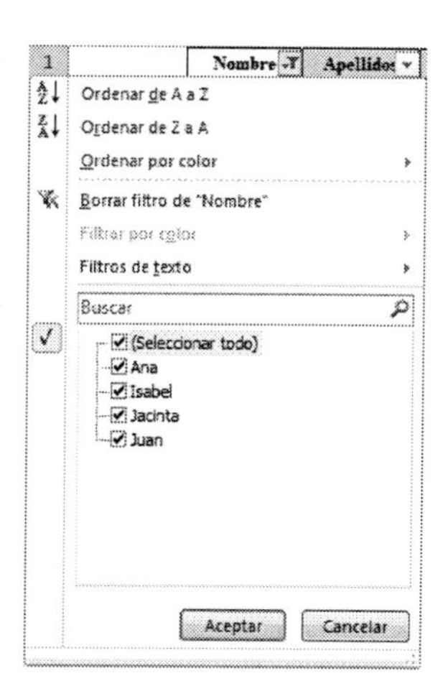

Al desplegar una lista se obtienen, entre otras, varias opciones invariables:

1. Con las opciones **Ordenar de A a Z** y **Ordenar de Z a A** se **clasifica** la lista de datos de **menor a mayor y viceversa**, respectivamente.
2. El submenú **Ordenar por color** permite **clasificar los datos por familias de colores**. Para ello, los datos de las celdas deben estar escritos con distintos tonos de color, o bien, sus celdas deben estar rellenas de colores diferentes.
3. **Borrar filtro de** desactiva el filtro en ese **campo**.
4. El submenú **Filtrar por color** permite **reducir temporalmente la lista** de datos según el color con el que estén escritos o según el color de fondo de sus celdas. Naturalmente, será necesario que los datos estén escritos en celdas que tengan distintos colores o que su texto esté escrito con tonos diferentes.

5. **Filtro de...** es una opción que depende de si esa columna contiene valores de texto, de fecha o numéricos. Su utilidad es **reducir temporalmente la lista según los valores que contenga** (los que comienzan por un determinado texto, los que son mayores que cierto valor, los de fecha anterior a una especificada, etc.). Lo que sí tienen los tres en común es la opción **Filtro personalizado**, que **permite definir el filtro a medida**.

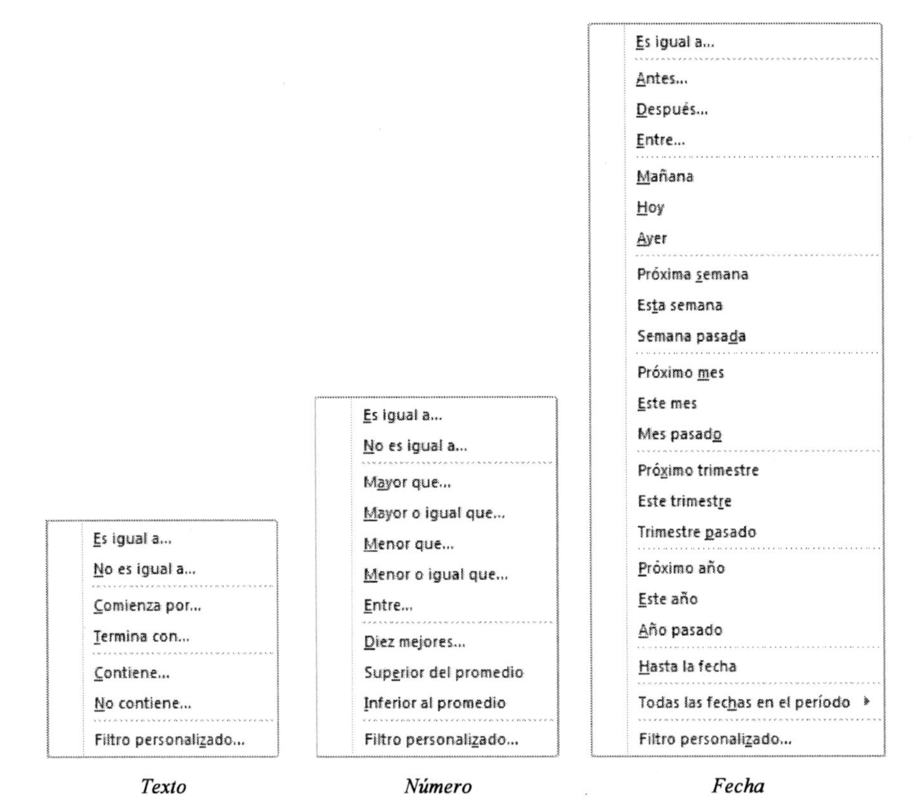

Texto *Número* *Fecha*

Si se opta por esa opción **Filtro personalizado** se obtiene el siguiente cuadro:

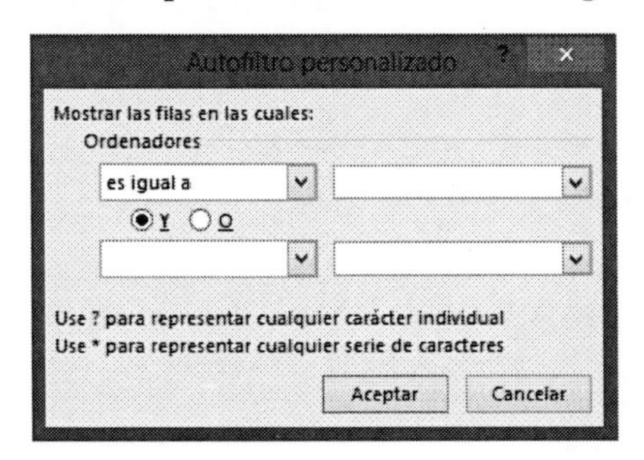

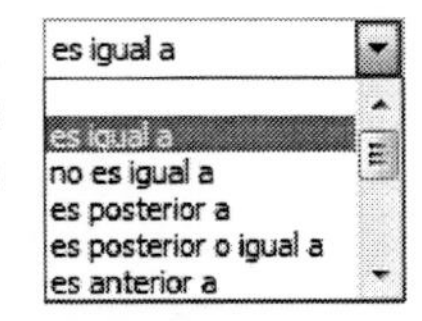

- En la primera lista desplegable se puede elegir la **condición para filtrar**. Por ejemplo, si se busca un dato que empiece por una determinada letra (o letras), deberá elegirse **comienza por**.
- La lista que hay a su derecha permite **indicar el dato en el que basamos la búsqueda**. Por ejemplo, si buscamos un dato que comience por la letra **R**, deberemos teclear esa letra, al tiempo que, en la lista anterior, establecemos **comienza por**.

- Más a su derecha y sólo si el filtro se va a realizar con datos de fecha, disponemos del botón [icono] que permite **seleccionar una fecha fácilmente**, desplegando un pequeño calendario. En él disponemos de dos flechas azules a los lados del mes para navegar por los distintos meses del año. También disponemos del botón Hoy para **acceder rápidamente a la fecha actual.**

- Los botones de opción **Y** - **O** son útiles cuando buscamos datos que deben cumplir más de una condición. Por ejemplo, si buscamos un dato numérico que esté comprendido entre 1.000 y 5.000 debemos buscar **es mayor que** 1000 **Y es menor que** 5000. La segunda condición (**es menor que** 5000) debemos escribirla en las dos listas desplegables inferiores.

6. La lista de filtros también ofrece una **relación de todos los datos** diferentes de la columna para que activemos aquellos que deseemos mantener a la vista temporalmente.

7. Se pulsa el botón Aceptar para **aplicar el filtro.**

En la cinta de opciones, junto al botón de **Filtro**, disponemos del botón Borrar (sólo disponible si un filtro está activo en ese momento) para **eliminar el filtro**. También disponemos del botón Volver a aplicar para **actualizar los datos** en caso de que dependan de un documento externo que haya sido modificado recientemente.

8.1.1 Filtros avanzados

Por último, podremos activar el botón Avanzadas del grupo **Ordenar y filtrar** (siempre en la pestaña **Datos** de la cinta de opciones) para diseñar criterios complejos. Éstos han de escribirse en la propia hoja.

Para escribir los criterios repetimos los nombres de los **campos** que nos interesan y, en la fila siguiente, establecemos las condiciones empleando los mismos operadores de comparación que ya hemos visto. Veamos un ejemplo:

Campos *Criterios*

	A	B	C	D	E	F	G	H	I
1	**Título**	**Nacionalidad**	**Género**	**Director**	**Duración**		**Género**	**Director**	**Duración**
2	Star Trek: Primer contacto	USA	Ciencia-Ficción	Jonathan Frakes	104		Comedia	Steven Spielt	>100
3	El retorno del Jedi	USA	Ciencia-Ficción	Richard Marquand	120			Richard Donner	
4	La lista de Schindler	USA	Histórica	Steven Spielberg	180				
5	El mundo perdido	USA	Ciencia-Ficción	Steven Spielberg	123				
6	Nueve meses	USA	Comedia		95				
7	Algo para recordar	USA	Comedia		100				
8	Two Much	ESP	Comedia	Fernando Trueba	90				
9	Drácula de Bram Stocker	USA	Terror		110				
10	Titanic	USA	Drama		135				
11	El último mohicano	USA	Drama		95				
12	El rey leon	USA	Dibujos animado		70				
13	Aladdin	USA	Dibujos animado		90				
14	Goldeneye	GRB	Acción		120				
15	El nombre de la rosa	USA	Intriga		100				
16	Sol naciente	USA	Intriga		110				
17	Esta casa es una ruina	USA	Comedia		105				

Como se puede apreciar en el ejemplo, los criterios solicitan que se muestren sólo los **registros** de películas de género *Comedia*, dirigidas por *Steven Spielberg* o *Richard Donner* y de más de *100* minutos de duración.

Una vez que se han establecido los criterios, se accede a la pestaña **Datos** y se pulsa el botón Avanzadas, lo que nos llevará a un nuevo cuadro de diálogo (que mostramos junto al margen).

1. Si se opta por **Filtrar la lista sin moverla a otro lugar**, cuando **Excel** acabe ocultará los **registros** adecuados para que queden a la vista sólo los que cumplen el criterio.

2. Si se opta por **Copiar a otro lugar**, cuando **Excel** acabe, generará un duplicado de los **registros** que cumplen el criterio y los colocará a partir de la celda que se escriba en el cuadro de texto **Copiar a**.

3. Con **Rango de la lista** se establecen los datos de la base a los que se aplicará el filtro.

4. **Rango de criterios** se utiliza para **seleccionar las celdas** en las que se han escrito los criterios.

5. Se activa la casilla **Sólo registros únicos** si se desea que sólo se muestre una **copia de aquellos registros** que pudiesen estar duplicados en la lista.

8.2 IMPORTAR BASES DE DATOS A UNA HOJA DE EXCEL

Excel está capacitado para incorporar en sus hojas bases de datos creadas con diferentes sistemas como **dBase**, **Paradox**, **Access** o **Fox Pro**. Para ello, basta con intentar abrir una hoja de cálculo. Recuerde que se abre seleccionando la opción **Abrir** de la pestaña **Archivo**.

En este caso, cobra mayor importancia el botón Todos los archivos de Excel (*.x con el que se puede **especificar el tipo de documento que se abre**. En esa lista también aparecen opciones que representan datos almacenados en cualquiera de los sistemas antes mencionados de bases de datos (por ejemplo, **Archivos dBase**).

Excel lleva la información a un libro de trabajo vacío, pero sus datos son fácilmente transferibles a cualquier otra hoja de cálculo mediante las funciones **Copiar** y **Pegar** del grupo **Portapapeles** en la pestaña **Inicio**.

Sin embargo, existe otro método para importar bases de datos. Consiste en activar la opción **Desde Microsoft Query** del botón **De Otras fuentes**. Este botón está en el grupo **Obtener datos externos** de la pestaña **Datos** (en la cinta de opciones). Al desplegarlo, **Excel** nos ofrece, entre otras, la opción **Desde Microsoft Query**, que nos lleva a un programa que se ejecuta paralelamente a **Excel**, cuya función es la de llevarle datos de una base. Sin embargo, antes de que aparezca **Query**, obtendrá el siguiente cuadro de diálogo (podría aparecer antes un cuadro de diálogo de seguridad advirtiendo del riesgo que conlleva emplear datos ajenos a **Excel**):

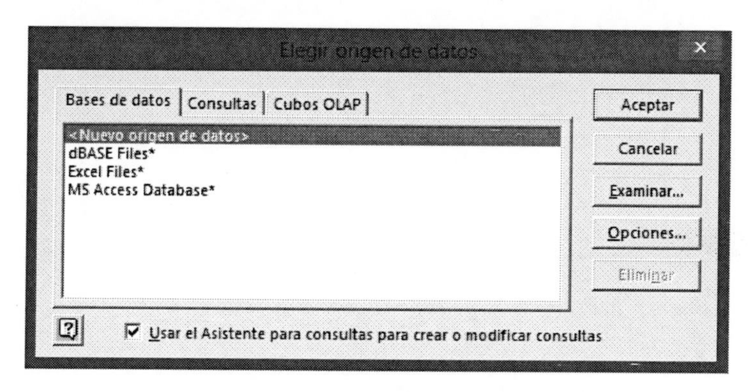

En él se ofrece la posibilidad de **elegir el sistema en el que se creó la base de datos** que vamos a importar. Incluso, podremos crear en ese momento una nueva base de datos con la opción **<Nuevo origen de datos>** (que le permitirá añadir más controladores a la lista actual).

Puede utilizarse la pestaña **Consultas** para abrir directamente una consulta que se haya creado anteriormente. También se puede pulsar Opciones... con el fin de indicar a **Query** las carpetas del disco en las que debe buscar las bases de datos.

Debemos comenzar por elegir el sistema con el que se diseñó, para lo que **Excel** ofrece una lista de sistemas de gestión de bases de datos, como **dBase**, **Access** o el propio **Excel**. Se selecciona el **programa con el que se creó la base de datos** que desea incluir en su hoja de cálculo y pulse Aceptar. Si hay alguna base de datos de ese tipo en cualquier carpeta que haya establecido con Opciones..., obtendrá un cuadro de diálogo como el siguiente:

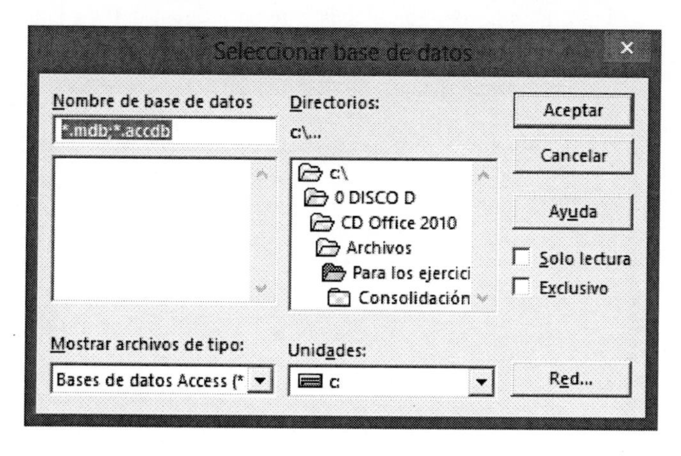

Seleccione la **base de datos** (o elija primero el directorio —carpeta— en el que se encuentra dicha base) y pulse [Aceptar]. En el ejemplo que hemos puesto en la figura anterior, la base de datos es **Biblioteca**. Entonces obtendrá otro cuadro:

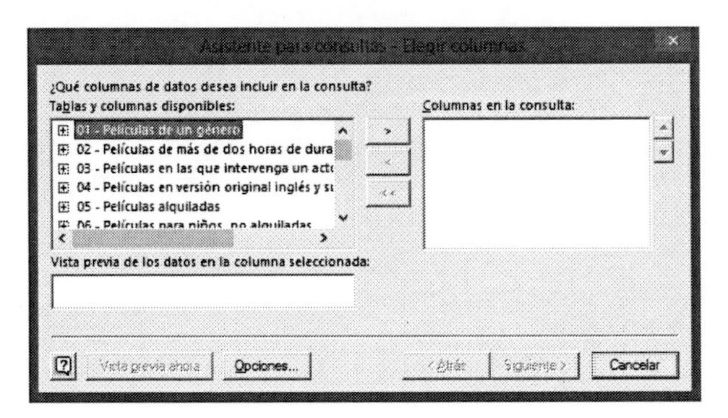

1. En **Tablas y columnas disponibles** aparece la lista de tablas contenidas en la base de datos, precedidas, cada una, del botón ⊞ para desplegarlas. Al pulsarlo podremos ver sus **campos**. Así podremos seleccionarlos con el ratón y añadirlos, mediante el botón [>], a la lista **Columnas en la consulta**: los **campos** que aparezcan aquí serán los que se incluyan en la hoja de cálculo, por columnas.

2. Los botones [<] y [<<] retiran los **campos** añadidos de la lista **Columnas en la consulta** (uno a uno o todos a la vez respectivamente).

3. Los botones [▲] y [▼] (a la derecha de la lista **Columnas en la consulta**) permiten cambiar el orden de los **campos**, para lo cual será necesario seleccionar previamente aquel **campo que se va a desplazar** (en la misma lista **Columnas en la consulta**).

4. El botón [Vista previa ahora] muestra los datos reales del **campo** seleccionado en **Columnas en la consulta**. Así, podrá cerciorarse de que el **campo** elegido es el correcto.

En cuanto añada **campos** a la lista **Columnas en la consulta** podrá pulsar el botón [Siguiente >], con lo que podrá continuar con el asistente para llevar datos a la hoja de cálculo:

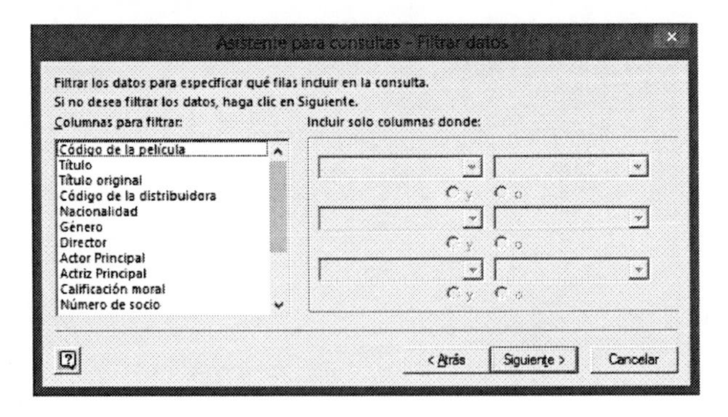

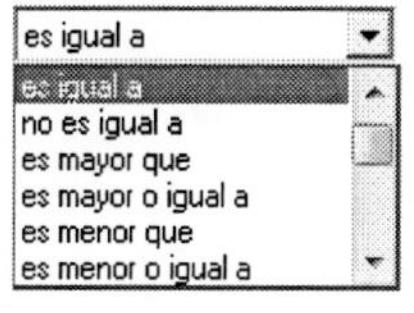

En este cuadro se establece la condición para la consulta. Es decir, **filtraremos los datos que nos interesen ignorando los demás** (como vimos antes en los autofiltros). Si se deben incorporar todos los datos, sólo pulse el botón Siguiente > para continuar con el asistente, de lo contrario elija un **campo de la lista** y pulse el botón ▾ de la primera lista que aparecerá en el grupo **Incluir solo columnas donde**. Cuando se selecciona esta **lista**, aparecen datos como los que puede ver en la anterior figura junto al margen derecho.

Si elige **es igual a**, el filtro consiste en que únicamente deben aparecer los datos que coincidan con el dato que escribiremos a su derecha. Ejemplo:

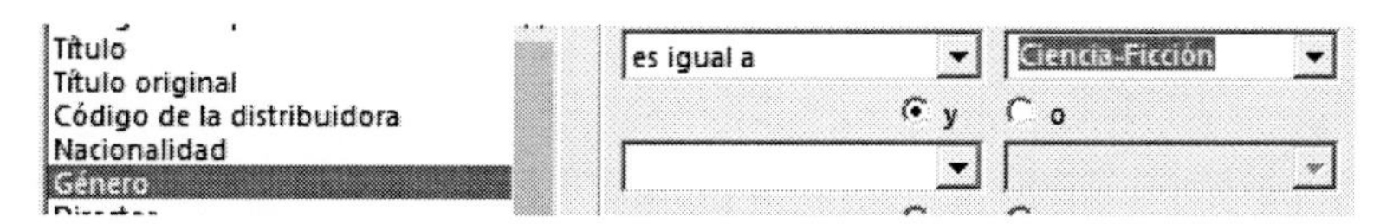

Según nuestro ejemplo, sólo deberán incorporarse los datos de aquellos **registros** cuyo *Género es igual a Ciencia-Ficción.*

Además de **es igual a**, la lista nos ofrece otras condiciones como **es menor que** o **comienza con**, que deben emplearse según se necesiten.

Cuando pulsamos el botón Siguiente >, pasaremos a un nuevo paso del asistente. En él se nos permite **elegir el campo de la tabla** por el que deseamos clasificar alfabéticamente.

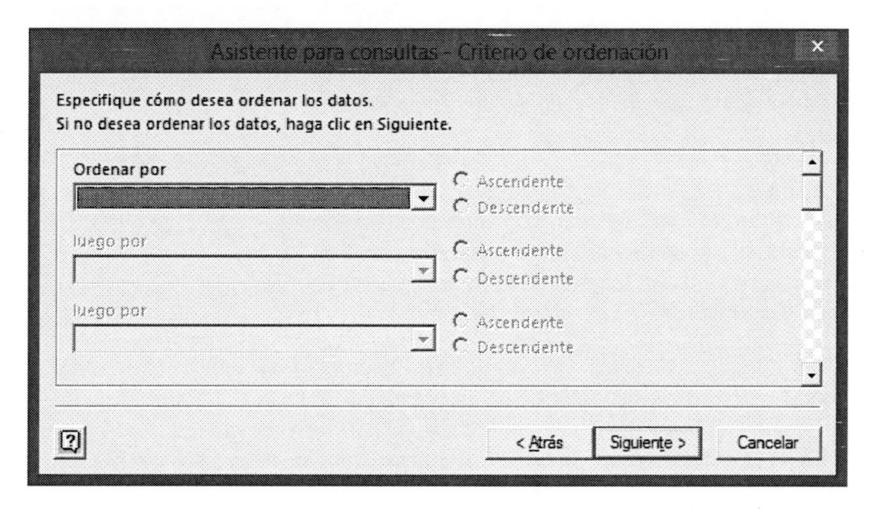

Pulse Siguiente > para pasar al próximo paso. En él se selecciona **Devolver datos a Microsoft Excel** para que los datos de la consulta pasen a **Excel**. Entonces ya tendrá la tabla en su hoja de cálculo y podrá emplearla a su gusto. Pulse, pues, el botón Finalizar para terminar.

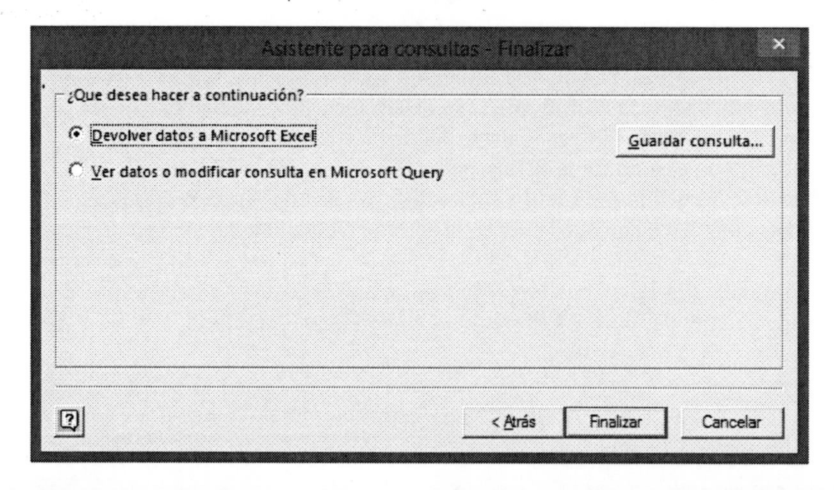

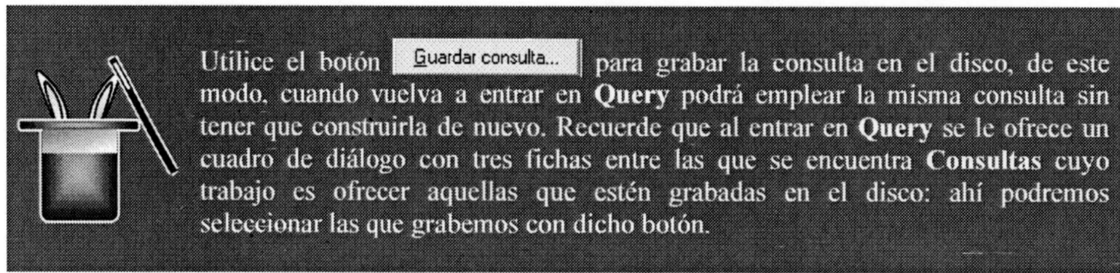

Al pulsar el botón Finalizar, **Query** envía la información resultante de la consulta a las celdas correspondientes de **Excel**, **Query** se cierra automáticamente y **Excel** debe recoger los datos a partir de una celda.

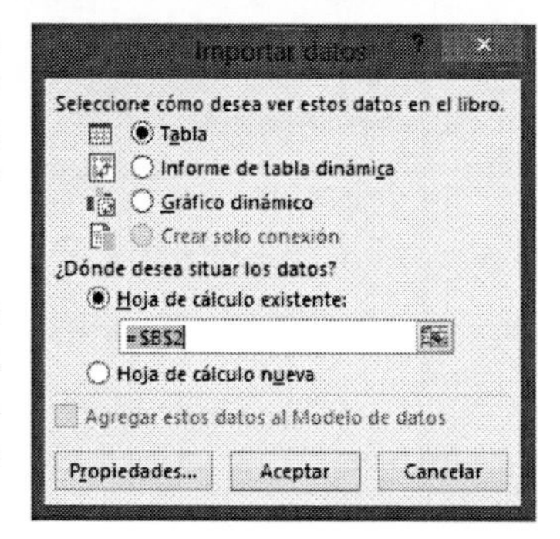

Aparecerá un cuadro de diálogo para establecer los datos finales, en el que bastará con pulsar el botón Aceptar para que los datos de la consulta aparezcan en la celda en que nos encontrábamos en el momento en que activamos la importación.

No obstante, si desea que los datos aparezcan en otra celda, puede elegirla especificando la referencia de dicha celda en el cuadro de texto del botón **Hoja de cálculo existente**. También puede conseguir que los datos aparezcan directamente en otro lugar con **Nueva hoja de cálculo**, **Informe de tabla dinámica** e **Informe de gráfico y tabla dinámicos**.

8.3 FUNCIONES DE BASE DE DATOS

Además de las funciones que hemos descrito en el capítulo 7 (*Funciones con Excel*), disponemos de algunas especiales para el tratamiento de la información cuando se maneja como base de datos en **Excel**.

Si bien su funcionamiento es idéntico en todas ellas, exigen que dispongamos la información del mismo modo que lo hicimos en los filtros avanzados, es decir, colocando una copia de los **campos** y escribiendo debajo los criterios para el trabajo:

G	H	I
Género	**Director**	**Duración**
Comedia	Steven Spielberg	>100
	Richard Donner	

Una función de base de datos requiere siempre tres parámetros:

1. El **rango** en el que está la **base de datos**.
2. El **campo** que se va a emplear para realizar el cálculo de la función.
3. El **rango** en el que se encuentran los **criterios**.

Ejemplo: en una base de datos de películas, *=BDPROMEDIO(A1:E39;"Duración";H1:I2)* buscaría en el rango *A1:39* y hallaría la media de *Duración* de aquellos **registros** que cumpliesen el criterio establecido en las celdas *H1:I2*.

Las funciones de base de datos son:

1. **BDCONTARA**: cuenta los **registros** que cumplan el criterio, en los que el **campo** no esté vacío.
2. **BDCUENTA**: cuenta los **registros** que cumplen el criterio, pero en los que el **campo** contenga valor numérico.
3. **BDDESVEST**: calcula la desviación estándar del **campo** de aquellos **registros** que cumplen el criterio.
4. **BDDESVESTP**: calcula la desviación estándar de la población total del **campo** de aquellos **registros** que cumplen el criterio.
5. **BDEXTRAER**: devuelve un registro que cumple el criterio.
6. **BDMAX**: halla el valor mayor del **campo** de aquellos **registros** que cumplen el criterio.
7. **BDMIN**: halla el valor menor del **campo** de aquellos **registros** que cumplen el criterio.
8. **BDPRODUCTO**: multiplica los datos del **campo** de aquellos **registros** que cumplen el criterio.
9. **BDPROMEDIO**: halla la media aritmética del **campo** de aquellos **registros** que cumplen el criterio.
10. **BDSUMA**: halla la suma del **campo** de aquellos **registros** que cumplen el criterio.
11. **BDVAR**: halla la varianza del **campo** de aquellos **registros** que cumplen el criterio.
12. **BDVARP**: halla la varianza de población total del **campo** de aquellos **registros** que cumplen el criterio.

8.4 CONSULTAS EN INTERNET

El botón **Desde web** del grupo **Obtener datos externos** en la pestaña **Datos** de la cinta de opciones permite **realizar consultas en Internet**. Gracias a ellas podemos importar datos de sitios web a nuestra hoja de cálculo. Si estamos conectados, obtendremos lo siguiente:

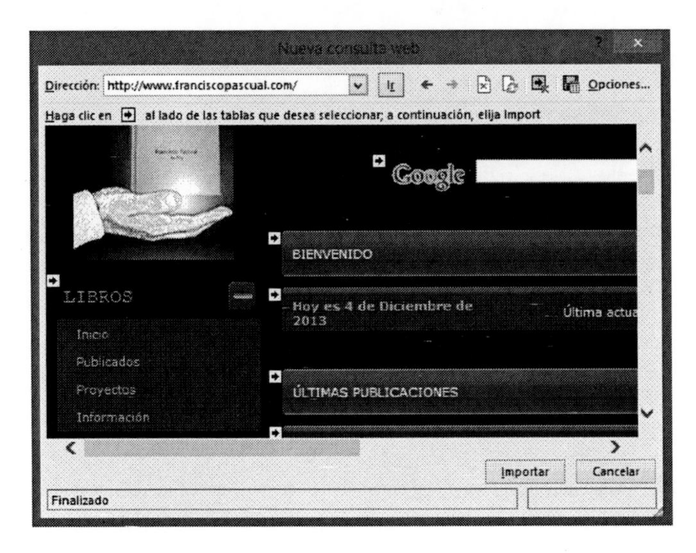

Se escribe la *Dirección del sitio web* al que vamos a acceder con el fin de crear la consulta y se pulsa Importar para incorporar su información a la hoja de cálculo.

8.5 EJERCICIOS

8.5.1 Filtros

1. Abra un nuevo libro de trabajo.

2. Escriba una lista de datos como la siguiente:

	A	B	C	D	E
1	**Nombre**	**Primer apellido**	**Segundo apellido**	**Dirección**	**Teléfono**
2	Ramón	Tacargas	Averiado	Elevador, 13	1113344
3	Raquel	Arre	Debrujas	Halloween, 1	2244667
4	Raúl	Travioleta	Morado	UVA, 100	9988776
5	Raúl	Timatum	Exigente	Látigo, 12	3344221
6	Ramón	Dongo	Frito	Barbacoa, 56	8877665
7	Mercedes	Parramada	Porelsuelo	Líquido, 3	6677445
8	Mercedes	Montable	Enpiezas	Mecánico, 30	7733884
9	Agustín	Glado	Enorme	Lio, 120	2938457
10	Agustín	Testino	Grueso	Duodeno, 20	1827834

3. Utilice los filtros para aislar datos: personas que tengan unos apellidos concretos, que vivan en una dirección determinada, etc.

8.5.2 Funciones de base de datos

En el presente ejercicio aplicaremos las funciones de base de datos para obtener resultados.

Puesto que se trata de las funciones, además de copiar (o importar) la información, podríamos duplicar los nombres de los **campos** a su derecha para escribir ahí los criterios.

A continuación le ofrecemos unos cuantos datos para que los traslade a **Excel** y que debe completar con otros como consumos, precios, colores, etc. (sería buena idea consultar con un buscador en Internet y extraer los datos de ahí).

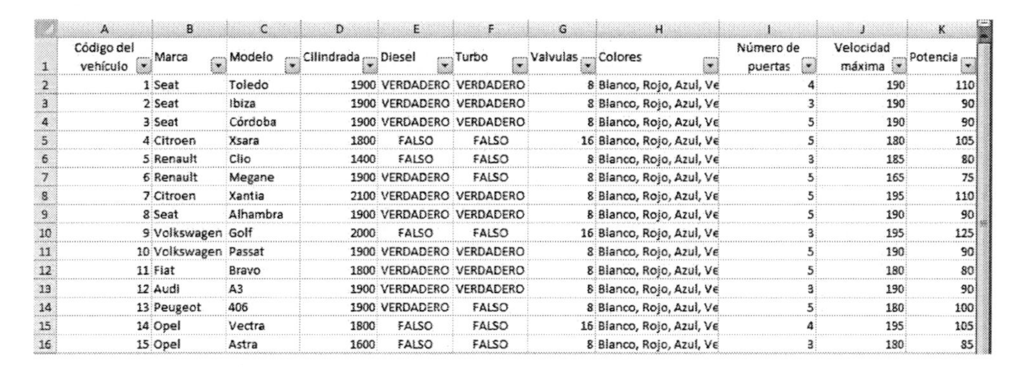

	A	B	C	D	E	F	G	H	I	J	K
1	Código del vehículo	Marca	Modelo	Cilindrada	Diesel	Turbo	Valvulas	Colores	Número de puertas	Velocidad máxima	Potencia
2	1	Seat	Toledo	1900	VERDADERO	VERDADERO	8	Blanco, Rojo, Azul, Ve	4	190	110
3	2	Seat	Ibiza	1900	VERDADERO	VERDADERO	8	Blanco, Rojo, Azul, Ve	3	190	90
4	3	Seat	Córdoba	1900	VERDADERO	VERDADERO	8	Blanco, Rojo, Azul, Ve	5	190	90
5	4	Citroen	Xsara	1800	FALSO	FALSO	16	Blanco, Rojo, Azul, Ve	5	180	105
6	5	Renault	Clio	1400	FALSO	FALSO	8	Blanco, Rojo, Azul, Ve	3	185	80
7	6	Renault	Megane	1900	VERDADERO	FALSO	8	Blanco, Rojo, Azul, Ve	5	165	75
8	7	Citroen	Xantia	2100	VERDADERO	VERDADERO	8	Blanco, Rojo, Azul, Ve	5	195	110
9	8	Seat	Alhambra	1900	VERDADERO	VERDADERO	8	Blanco, Rojo, Azul, Ve	5	190	90
10	9	Volkswagen	Golf	2000	FALSO	FALSO	16	Blanco, Rojo, Azul, Ve	3	195	125
11	10	Volkswagen	Passat	1900	VERDADERO	VERDADERO	8	Blanco, Rojo, Azul, Ve	5	190	90
12	11	Fiat	Bravo	1800	VERDADERO	VERDADERO	8	Blanco, Rojo, Azul, Ve	5	180	80
13	12	Audi	A3	1900	VERDADERO	VERDADERO	8	Blanco, Rojo, Azul, Ve	3	190	90
14	13	Peugeot	406	1900	VERDADERO	FALSO	8	Blanco, Rojo, Azul, Ve	5	180	100
15	14	Opel	Vectra	1800	FALSO	FALSO	16	Blanco, Rojo, Azul, Ve	4	195	105
16	15	Opel	Astra	1600	FALSO	FALSO	8	Blanco, Rojo, Azul, Ve	3	180	85

Utilice las distintas funciones de base de datos para hallar datos como el promedio de consumo de los vehículos diesel, el precio del vehículo más caro de una determinada marca, el recuento de los vehículos de gasolina, etc.

Capítulo 9

TÉCNICAS AVANZADAS

En este capítulo vamos a tratar funciones que requieren mayor contribución por parte del usuario y que, al mismo tiempo, ofrecen unos resultados muy completos.

9.1 VALIDACIÓN DE DATOS

La validación de datos de **Excel** se encarga de **comprobar si los datos que tecleamos en las celdas son los adecuados** (válidos) o no.

Para conseguirlo, se seleccionan **las celdas que se van a validar** y en la pestaña **Datos** de la cinta de opciones se pulsa el botón **Validación de datos** (del grupo **Herramientas de datos**). Esto lleva al cuadro de diálogo:

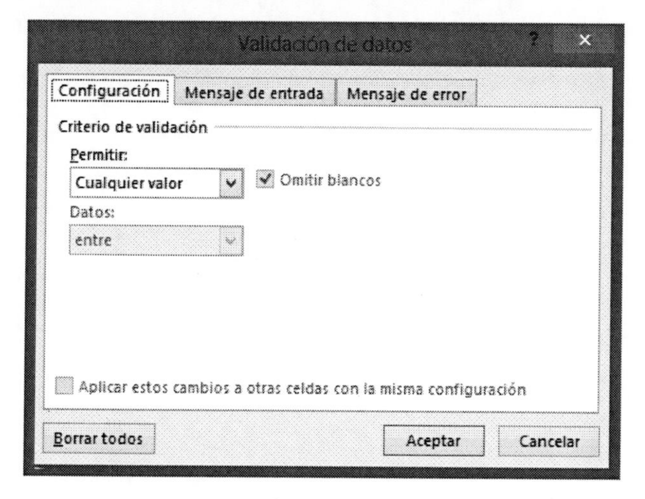

1. Despliegue la lista **Permitir** para elegir **lo único que se podrá escribir** en las celdas (vea la figura junto al margen derecho).

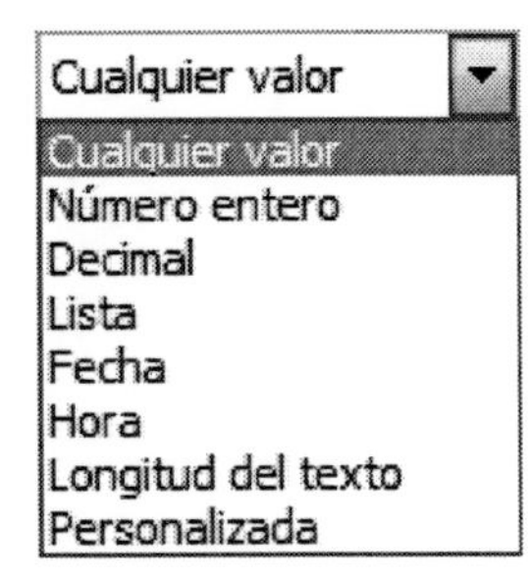

2. Cuando elija **uno de estos datos**, el cuadro de diálogo mostrará los elementos necesarios para establecer la limitación. Por ejemplo, si se elige **Número entero** no se podrán teclear valores con decimales en las celdas seleccionadas, pero además el cuadro ofrecerá más limitaciones:

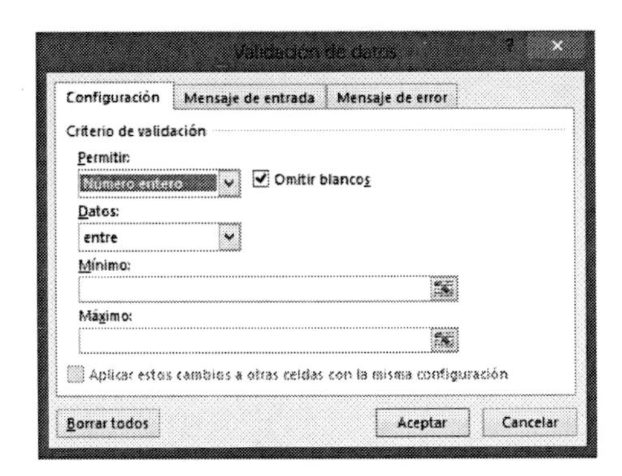

En la lista **Datos** podrá elegir **la condición que limite la escritura** de datos en las celdas. Por ejemplo, puede seleccionar **Entre**, lo cual implicará que sólo se podrán escribir datos comprendidos entre el valor que tecleemos en **Mínimo** y el que tecleemos en **Máximo**.

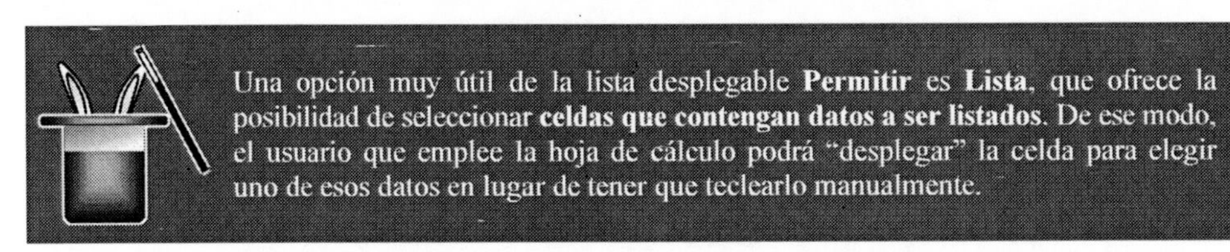

Por otra parte, observe que el cuadro de diálogo dispone de dos fichas más:

1. La ficha **Mensaje de entrada** permite teclear **las advertencias para que el usuario no se equivoque** al escribir en las celdas afectadas.

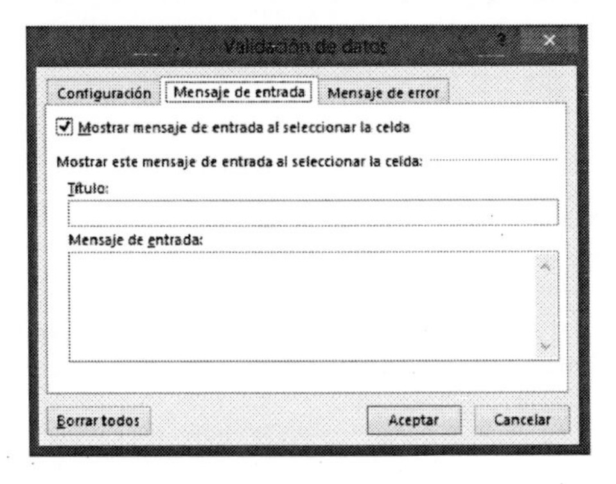

- En el cuadro de texto **Título** escriba un rótulo de advertencia (como ¡*Atención*!).
- En la lista **Mensaje de entrada** teclee el texto de advertencia indicando las limitaciones de la celda.

Si escribimos estos mensajes en el cuadro de diálogo... *... se muestran al acceder a una celda validada*

2. La ficha **Mensaje de error** permite teclear un pequeño texto y un rótulo que serán mostrados si el usuario teclea valores incorrectos en las celdas validadas:

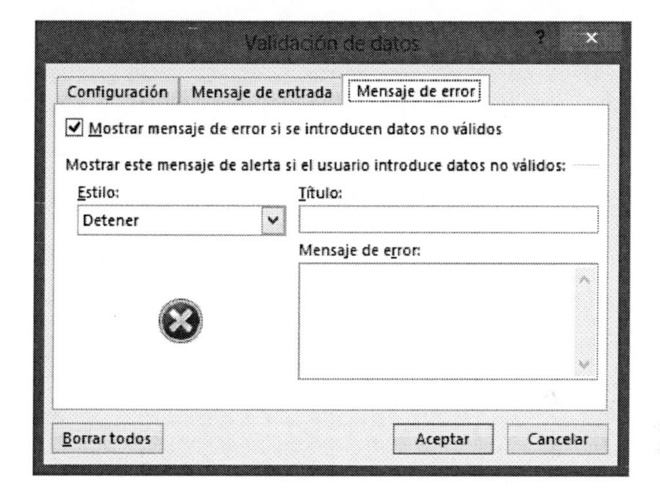

- Con la lista **Estilo** puede elegir **el icono que aparecerá junto al mensaje de error**. Según el icono que se elija, el sistema será más o menos inflexible a la hora de permitir que un valor incorrecto quede o no escrito en la celda.
- En **Título** escriba un mensaje que aparecerá encabezando el cuadro de diálogo con el error.
- En la lista **Mensaje de error** teclee el texto que deba informar del error al usuario cuando teclee un valor incorrecto en la celda.

9.2 BUSCAR OBJETIVOS

Cuando una fórmula depende de un valor desconocido para mostrar un resultado conocido, podemos utilizar la **función de búsqueda de objetivos** para que **Excel** localice un valor que ofrezca el resultado adecuado.

Imagine una lista de datos que conforman una fórmula cuyo resultado es incompleto debido a que, si bien sabemos el peso total que deseamos para nuestra tarta, desconocemos el peso de uno de sus ingredientes.

	A	B	C
1		Cantidad (grs)	
2	Azúcar	100	
3	Chocolate	200	
4	Harina	200	
5	mermelada	200	
6	Huevos		
7			
8	Total	700	
9			

En la lista de la figura que se encuentra junto al margen conocemos las cantidades de azúcar, chocolate, harina y mermelada que debemos añadir; pero ignoramos la cantidad de huevos necesaria (en gramos) para que la tarta pese 1 kilo cuando acabemos. Lo cierto es que aunque nosotros mismos seamos capaces de calcular su valor, **Excel** puede ayudarnos.

Se despliega el botón **Análisis de hipótesis** que se encuentra en el grupo **Herramientas de datos** en la pestaña **Datos** de la cinta de opciones y se selecciona la opción **Buscar objetivo**. Se obtiene un cuadro de diálogo que contiene los siguientes elementos:

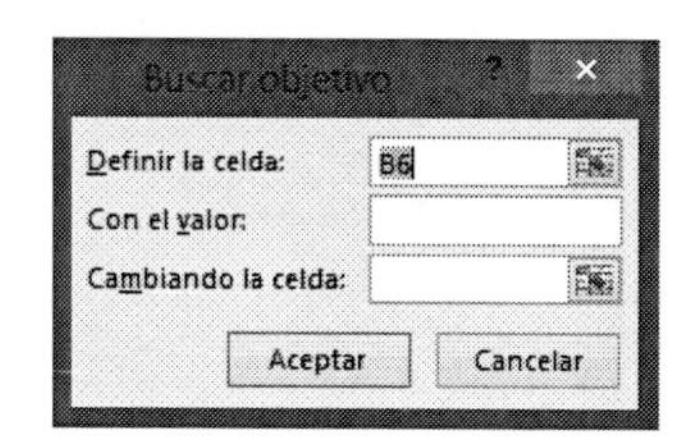

1. En el cuadro de texto **Definir la celda** se debe teclear la referencia de la celda que debe contener el resultado (la que contiene la fórmula).

2. En el cuadro de texto **Con el valor** se teclea la cantidad que se desea alcanzar.

3. En el cuadro de texto **Cambiando la celda** se escribe la referencia de la celda cuyo valor se desconoce.

4. Al pulsar el botón Aceptar, **Excel** se pondrá a trabajar para intentar localizar el valor que nos falta. Si lo encuentra, ofrecerá un cuadro con el resultado y asignará el dato que falta a la celda en cuestión.

9.3 TABLAS DINÁMICAS

Excel ofrece un excelente y completo sistema de **creación y reorganización de datos de forma automática** siempre y cuando éstos se coloquen en la hoja manteniendo las mismas condiciones que hemos visto para los *Subtotales*.

Otras categorías (con datos repetidos)

Columna con datos numéricos

Fila de rótulos

Categoría Ordenador (se repite el dato Ordenador)

Categoría Impresora (se repite el dato Impresora)

	A	B	C	D
1	**Producto**	**Marca**	**Modelo**	**Precio**
2	Ordenador	Thobitha	Portátil	1.800,00 €
3	Ordenador	Thobitha	Sobremesa	1.200,00 €
4	Ordenador	Thobitha	Semitorre	1.500,00 €
5	Ordenador	Thobitha	Torre	2.100,00 €
6	Ordenador	Thobitha	Elegance	2.400,00 €
7	Ordenador	Hibe Eme	Portátil	1.800,00 €
8	Ordenador	Hibe Eme	Sobremesa	1.200,00 €
9	Ordenador	Hibe Eme	Semitorre	1.500,00 €
10	Ordenador	Hibe Eme	Torre	2.100,00 €
11	Ordenador	Hibe Eme	Elegance	2.400,00 €
12	Ordenador	Compaco	Portátil	1.800,00 €
13	Ordenador	Compaco	Portátil	1.200,00 €
14	Ordenador	Compaco	Sobremesa	1.500,00 €
15	Ordenador	Compaco	Sobremesa	2.100,00 €
16	Ordenador	Compaco	Semitorre	2.400,00 €
17	Ordenador	Compaco	Semitorre	1.800,00 €
18	Ordenador	Compaco	Torre	1.200,00 €
19	Ordenador	Compaco	Torre	1.500,00 €
20	Ordenador	Compaco	Elegance	2.100,00 €
21	Ordenador	Compaco	Elegance	2.400,00 €
22	Impresora	Hexxon	Estilos 100	150,00 €
23	Impresora	Hexxon	Inyección	300,00 €
24	Impresora	Hexxon	Tinta	180,00 €
25	Impresora	Hexxon	Tinta	190,00 €
26	Impresora	Hachepe	Desyet	390,00 €
27	Impresora	Hachepe	Desyet	90,00 €
28	Impresora	Hachepe	Desyet	120,00 €
29	Impresora	Hachepe	Laseryet	340,00 €

Una vez que la tabla dinámica esté definida, resulta extraordinariamente sencillo y práctico intercambiar y recolocar la información para mostrarla desde diferentes puntos de vista sin alterar en lo más mínimo los datos originales.

Para **mostrar las capacidades de las tablas dinámicas** vamos a seguir un ejemplo. Dispondremos de los datos: *Producto* (*ordenadores* e *impresoras*), *Marca*, *Modelo* y *Precio*, tal y como hemos ofrecido en la figura anterior.

Una vez que el listado de datos está escrito, hay que situar el cursor en una de sus celdas y accedemos a la pestaña **Insertar** de la cinta de opciones y, en el grupo **Tablas**, se hace clic en **Tabla dinámica** y, a continuación, en **Tabla dinámica**. Esta opción nos ofrecerá un cuadro de diálogo como el siguiente:

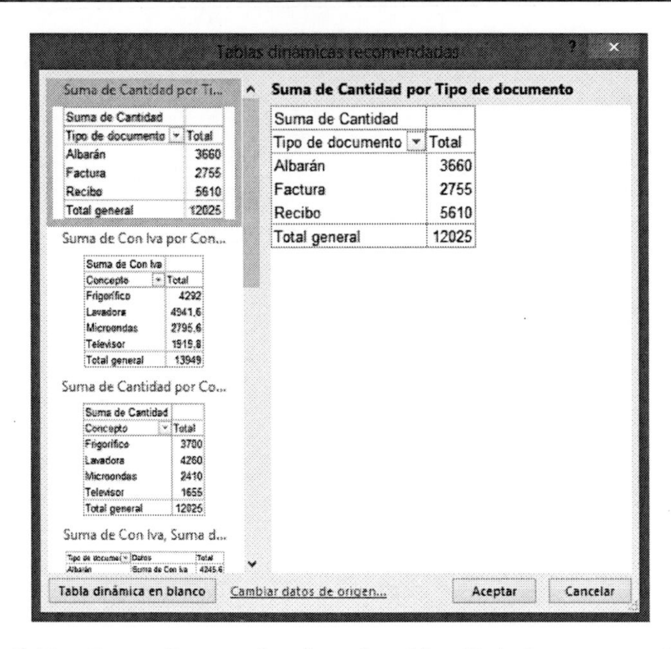

Con él, **Excel** nos ofrece varios tipos de tablas dinámicas que pueden adaptarse a los datos que tengamos en la hoja, de forma que la tabla ya estará casi completa a falta de modificar únicamente algunos detalles.

Sin embargo, podemos optar por emplear el botón Tabla dinámica en blanco que permite **diseñar una partiendo de cero**, tal como vamos a describir ahora.

Podremos, entonces, ver la tabla dinámica aún vacía en la hoja de cálculo. También puede observarse que ha aparecido el panel de tareas a la derecha y las pestañas **Opciones** y **Diseño** en la cinta de opciones con funciones para modificar y concretar la tabla dinámica.

Desde el panel de tareas puede arrastrar cada **campo** al área de la tabla que desee (o activar su casilla). Observe, en el mismo panel, que puede activar simplemente la casilla delante de cada **campo** de forma que el propio **Excel** colocará cada **campo** en el área que previsiblemente pueda ser la adecuada. Tenga en cuenta que podría no ser la distribución adecuada y que en muchos casos es preferible que sea el usuario el que la elija arrastrando los **campos** al área que se desee.

Pueden quitarse **campos** de la tabla arrastrándolos fuera de ésta.

El área más grande de la tabla (**Coloque los campos de valor aquí**) está pensada para contener **datos numéricos** con los que **Excel** puede operar. Encima de ella y a su izquierda (**Coloque campos de columna aquí** y **Coloque campos de fila aquí**) se sitúan habitualmente **datos de texto** que se puedan cruzar para obtener un informe coherente. Según nuestro ejemplo, en una podríamos colocar el *Concepto* y en la otra el nombre del *Cliente*. Existe incluso la posibilidad de arrastrar también un **campo** al área **Coloque campos de filtro de informe aquí** que permite filtrar los datos que muestra la tabla, por ejemplo, el **Tipo de documento**, para poder ver los datos completos, o bien, filtrarlos mostrando únicamente facturas o albaranes.

Cuando situamos los **campos** en la tabla, podemos apreciar que son desplegables: Marca ▾. Se despliegan para poder limitar los datos que muestre la tabla.

En la celda en que se cruzan los **campos** de filas y columnas se encuentra la función de cálculo que opera para ofrecer los resultados en la fila inferior y la columna derecha de la tabla. Haciendo doble clic ahí se obtiene un cuadro de diálogo con el que se puede elegir otra función de cálculo y teclear el rótulo que deseemos que se muestre (en **Nombre personalizado**):

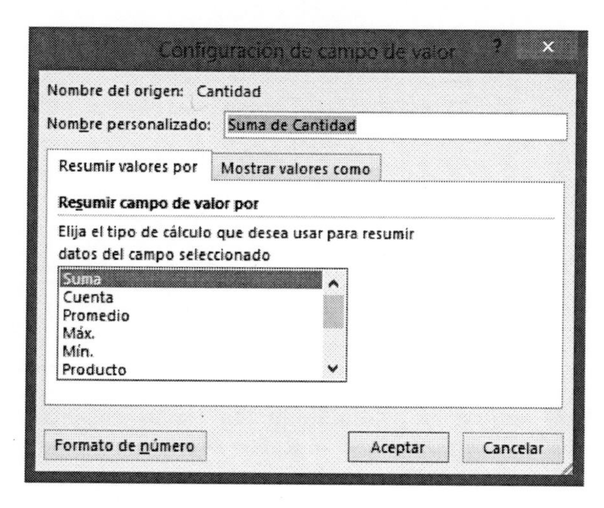

También se puede elegir el formato numérico con el que se mostrarán los datos mediante el botón Formato de número.

9.3.1 Opciones de tablas dinámicas

En la cinta de opciones dispone de otros botones con funciones útiles, concretamente en la pestaña **Opciones**:

Según el elemento de la tabla dinámica que activemos la cinta habilitará unos botones u otros.

1. El botón **Tabla dinámica** se despliega para **permitir que demos un nombre** a la tabla.
2. El grupo **Campo activo** ofrece:
    - El cuadro de texto **Campo activo** en el que podemos teclear un rótulo que se muestre en la tabla dinámica en lugar del nombre del **campo** correspondiente.
    - Con el botón Configuración de campo se accede a un cuadro de diálogo en el que se pueden añadir subtotales (en caso de que sus datos se repitan, como en los subtotales tradicionales):

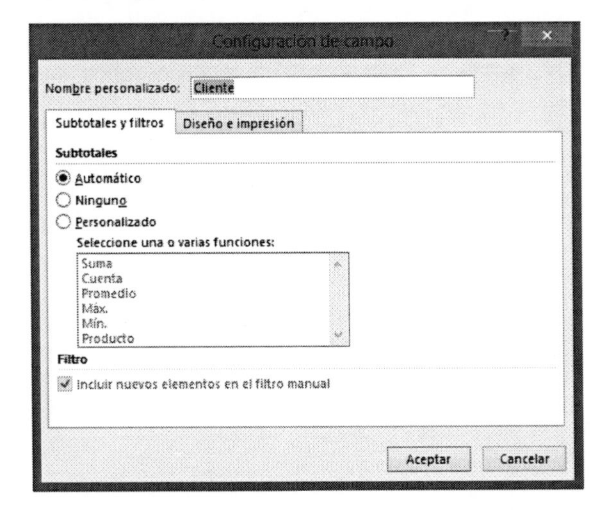

- El botón **Explorar en profundidad** muestra los elementos secundarios de un elemento, mientras que el botón **Rastrear agrupando datos** muestra el nivel superior del elemento seleccionado.
- Mediante los botones **Expandir el campo** y **Contraer el campo** podemos **desplegar y plegar los grupos** de los subtotales, en caso de que los añadamos.

3. Las opciones del botón **Agrupar** permiten **reunir o separar varios datos** de la tabla. Para ello hay que seleccionarlos primero, tanto si se encuentran juntos como si están separados.

   - Cuando haya seleccionado **los datos** que desea reunir, seleccione su opción **Agrupar selección**. Los datos quedarán reunidos bajo el nombre *Grupo1* (si agrupa más obtendrá los nombres *Grupo2*, *Grupo3*, etc.) y todos los datos aparecerán precedidos del botón ⊟ para poder plegarlos y desplegarlos.

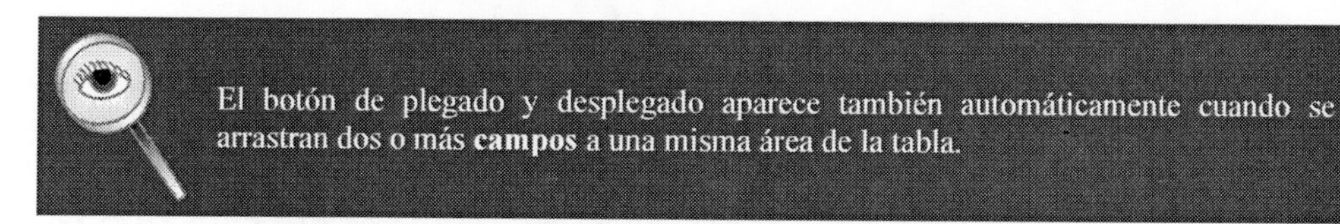

   - Si hay datos agrupados se pueden **Desagrupar**. Solo hay que seleccionarlos primero.

4. El grupo **Filtrar** permite **limitar los datos de la tabla que se desean ver**. Para ello disponemos de tres botones:

   - Insertar Segmentación de datos permite elegir uno de los **campos** que construyen la tabla para filtrarlos, de forma que podremos activar o desactivar sus datos y se mostrarán o no en la tabla dinámica. Al pulsarlo obtenemos un cuadro de diálogo en el que seleccionar **el campo**:

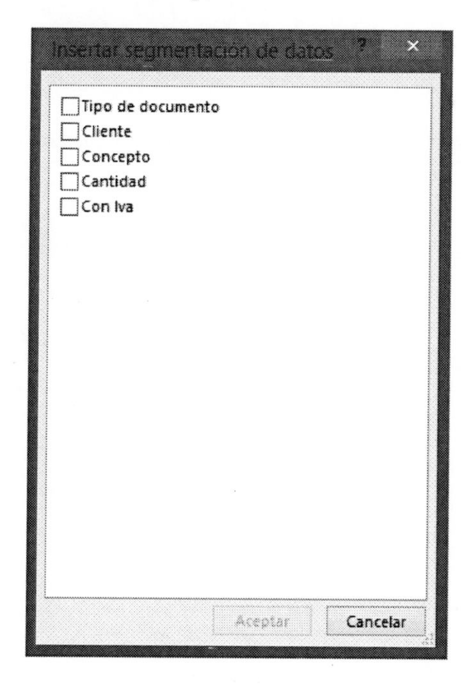

Se seleccionan **los campos** que se desean controlar:

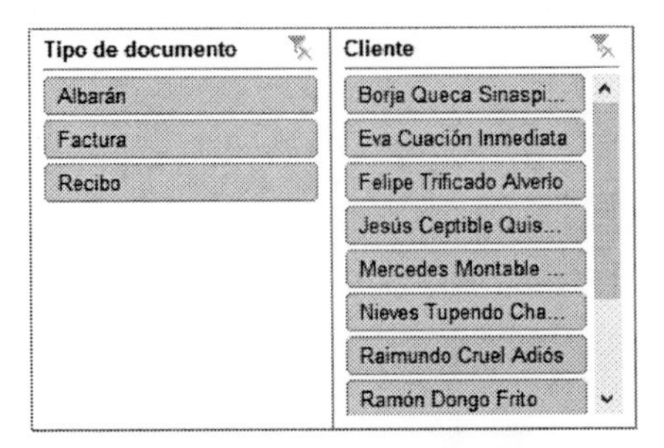

Y se marcan y desmarcan los **campos** que se desean ver en la tabla. Se pueden seleccionar varios a la vez mediante las teclas **MAYÚSCULAS** y **CONTROL**, haciendo clic en los **campos a elegir**.

- Insertar escala de tiempo permite **filtrar datos de fecha de la tabla** en caso de que los haya. Se selecciona **el campo** y el sistema muestra un panel de meses para seleccionar el que se desee. De esa forma la tabla mostrará solo los datos relativos a ese mes.

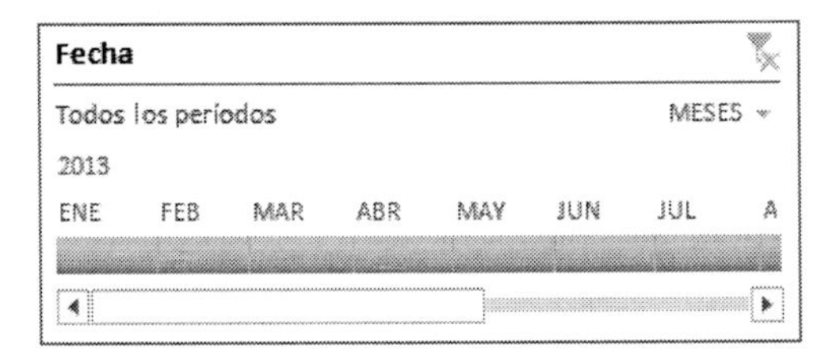

- Conexiones de filtro permite **activar y desactivar los filtros** diseñados con los otros dos botones.

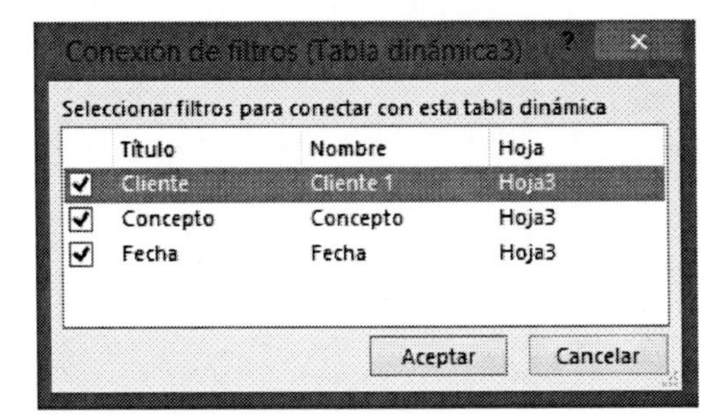

5. El grupo **Datos** contiene dos botones:

   - Desplegando el botón **Actualizar** puede **renovar la información de la tabla**, por si alguno de los datos de origen ha cambiado antes de abrir el libro de trabajo.

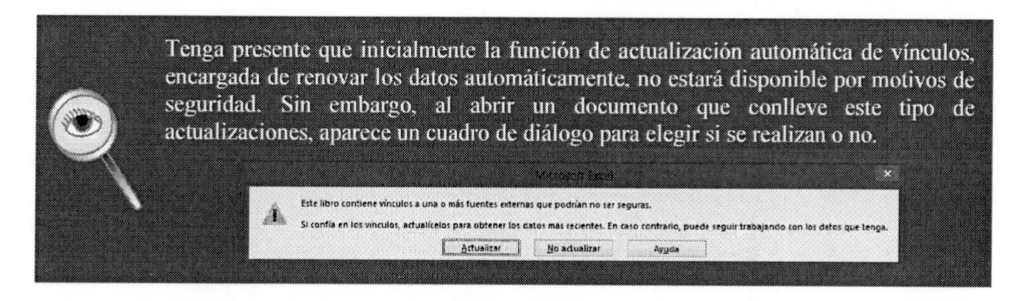

- El botón **Cambiar origen de datos** se utiliza para que la tabla dinámica **obtenga su información de otra fuente** distinta a la que hasta ahora empleaba. El botón lleva a un cuadro de diálogo con el que podemos volver a seleccionar **los datos** de origen:

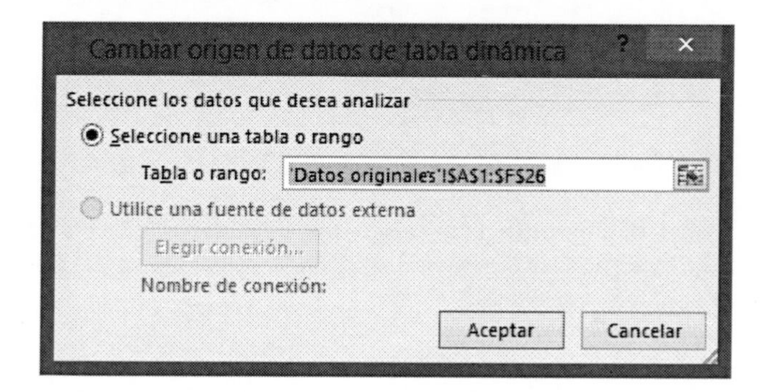

6. Con el botón **Acciones** disponemos de tres funciones para la tabla:

- **Borrar** permite quitar los **campos** de las áreas de datos (**Borrar todo**), dejando la tabla dinámica como se encontraba en el momento de crearla. También contiene una opción que permite **Borrar filtros** aplicados a la tabla.

- **Seleccionar** se emplea, como su nombre indica, para poder seleccionar los distintos elementos integrantes de la tabla, incluida ésta misma completa.

- **Mover tabla dinámica** permite **llevar la tabla a otra parte** del libro mediante un cuadro de diálogo.

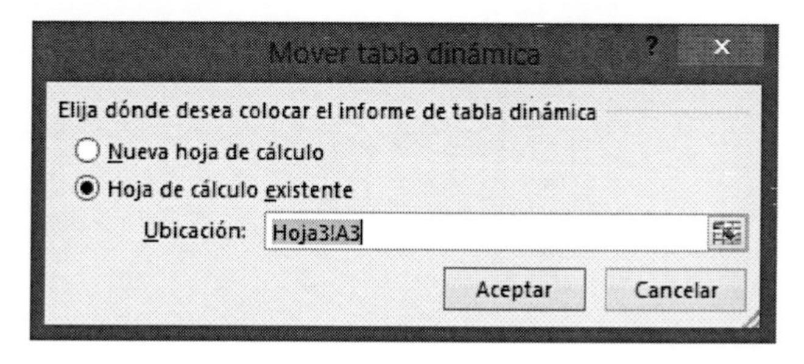

7. Podemos crear **Cálculos** empleando los elementos del grupo correspondiente. El trabajo que calcula los resultados ofrecidos por la tabla dinámica se realiza mediante la opción **Campos, elementos y conjuntos** que a su vez ofrece otra, **Campo calculado**, que, al ser elegida, ofrece un cuadro de diálogo:

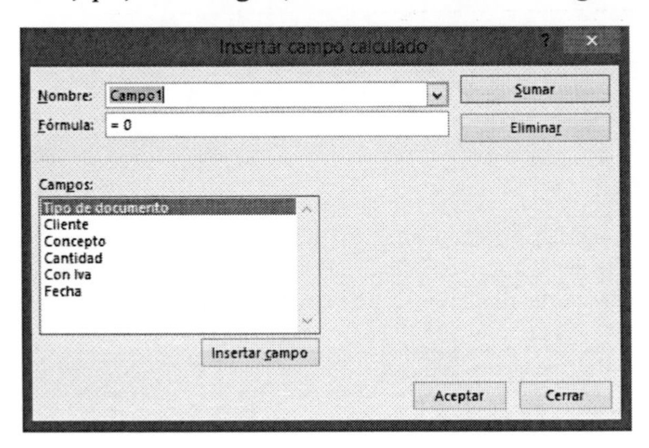

- Se le da **Nombre** al **campo** para reconocerlo fácilmente.
- Se teclea la **Fórmula** empleando los operadores clásicos de **Excel**. Si el cálculo va a emplear algún otro **campo**, se selecciona en la lista **Campos** y se pulsa el botón Insertar campo.
- Se pulsa el botón Sumar para agregar el **campo** a la lista de datos que se pueden usar en la tabla dinámica. También se podrá emplear el nuevo **campo** calculado para crear otros que utilicen su resultado en un nuevo cálculo.
- Si sobra un **campo**, se despliega la lista **Nombre**, se selecciona y se pulsa el botón Eliminar.

8. Con el grupo **Herramientas** podemos destacar la función de creación de un **Gráfico dinámico**. Un gráfico de este tipo, al igual que una tabla dinámica, ofrece la lista de **campos** para que podamos arrastrarlos a los ejes del gráfico y reconstruirlo en cualquier momento cambiándolos.

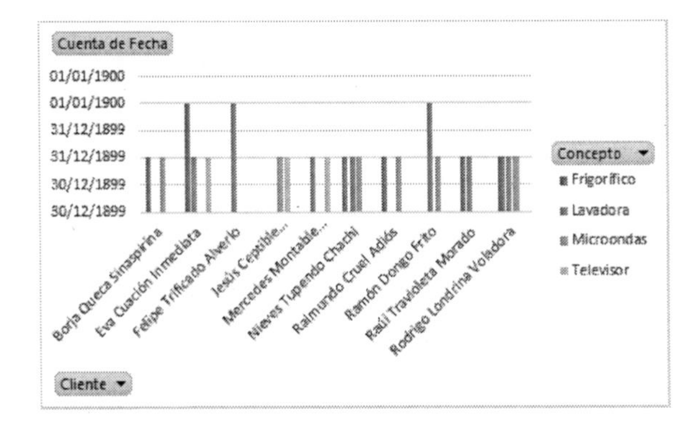

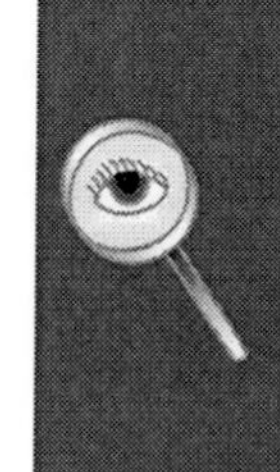

Si crea un gráfico dinámico de esta forma, estará vinculado a la tabla, de modo que todos los cambios que realice en ésta se verán reflejados en el gráfico y viceversa. Por ejemplo, si quita un **campo** de un área de datos en la tabla, lo estará quitando igualmente del gráfico, sea donde sea que esté colocado.

Si necesita que su gráfico dinámico sea independiente de una tabla, deberá crearlo desplegando del botón **Tabla dinámica** del grupo en la pestaña **Insertar** de la cinta de opciones y seleccionando **Gráfico dinámico**.

9. Los elementos del botón **Mostrar** permiten **ver o no ciertos elementos** de la tabla.

9.3.2 La pestaña Diseño

En el momento en que se crea una tabla dinámica o se hace clic dentro de alguna de sus **celdas**, además de disponer de la pestaña de **Opciones** que acabamos de detallar, también tenemos la pestaña **Diseño**, con más funciones útiles para este tipo de tablas.

1. El grupo **Diseño** contiene cuatro botones con otras tantas funciones:

   - Si hemos añadido subtotales a la tabla (pestaña **Analizar**, botón Configuración de campo), al desplegar ahora el botón **Subtotales** podemos mostrarlos, ocultarlos o ver sólo parte de ellos.

   - Los cálculos que muestra inicialmente la tabla dinámica en las últimas fila y columna pueden **ocultarse o volver a mostrarse** mediante los elementos del botón **Totales generales**.

   - Mediante las opciones del botón **Diseño del informe** podemos **cambiar la forma automática** con la que **Excel** muestra la tabla, cambiando así la legibilidad de sus datos. Sólo hay que elegir el modo con el que éstos se leen mejor.

   - Con las opciones del botón **Filas en blanco** conseguimos diferenciar mejor los grupos de datos separándolos o no con filas de celdas en blanco.

2. El grupo **Opciones de estilo** de tabla dinámica contiene cuatro casillas que permiten **destacar o no los encabezados** y las propias **filas y columnas**.

3. En el grupo **Estilos de tabla dinámica** disponemos de varios modelos de tabla con aspectos diferentes, de forma que bastará con elegir uno para reconstruir al detalle todo el aspecto general de la tabla. También ofrece la opción **Nuevo estilo de tabla dinámica** para que podamos diseñar a medida los que deseemos.

9.4 AUDITORÍAS

Permiten **localizar rápidamente datos que afectan negativamente a las fórmulas**. Las auditorías muestran flechas que señalan los datos que afectan a una fórmula, de modo que si ésta ofrece un dato erróneo o no esperado se pueda averiguar el motivo fácilmente.

	A	B	C	D	E	F
1		Sr. López	Sr. Gómez	Total		
2	Enero	100,00 €	80,00 €	180,00 €		
3	Febrero	110,00 €	100,00 €	210,00 €		
4	Marzo	120,00 €	120,00 €	240,00 €		
5	Abril	130,00 €	140,00 €	270,00 €		
6	Mayo	140,00 €	160,00 €	300,00 €		
7	Junio	150,00 €	180,00 €	330,00 €		
8				1.530,00 €	General	
9				1.530,00 €	General con IVA	
10						
11	IVA	16%				
12						

Sólo hay que situarse en la celda que contiene la fórmula, acceder a la pestaña **Fórmulas** de la cinta de opciones y seleccionar el botón Rastrear precedentes del grupo **Auditoría de fórmulas**. Esta acción revela flechas de color azul que apuntan a las celdas cuyos valores afectan a la fórmula.

Gracias a la auditoría podemos ver en el ejemplo de la figura como el cálculo del **IVA** falla debido a que la fórmula no utiliza la celda adecuada (**B11**) y en su lugar emplea una errónea (**B12**).

En el mismo grupo disponemos de otras posibilidades relacionadas:

1. Rastrear dependientes. Es similar a rastrear precedentes, pero hay que situarse en una celda para que se revele qué formulas utilizan su valor para calcular.

2. Quitar flechas. **Limpia las flechas** de la hoja de cálculo.

3. El botón **Mostrar fórmulas** () **muestra las fórmulas** en las celdas en lugar de sus resultados; para volver al modo normal de trabajo, sólo hay que volver a pulsarlo.

4. El botón **Comprobación de errores** () despliega varias opciones relacionadas con la **inspección de errores** en la hoja:

   - Comprobación de errores ofrece un cuadro de diálogo que permite navegar por todos los errores de la hoja ofreciendo una posible explicación sobre el motivo de su fallo.

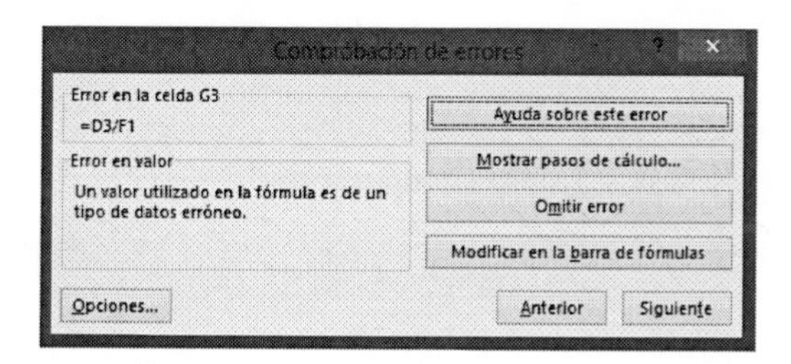

- **Rastrear error** permite mostrar las celdas que producen error en una fórmula (en la que hay que situarse antes de activar la opción).

- **Referencias circulares** muestra una lista de fórmulas que contienen una referencia circular: una fórmula que no puede resolverse porque se emplea en ella la misma celda en la que se va a calcular el resultado.

5. El botón **Evaluar fórmula** () muestra un **informe puntual sobre el error** de una fórmula escrita en una celda (en la que debemos situarnos previamente).

9.5 ESCENARIOS

Se emplean para **realizar previsiones de situaciones** posibles sin tener que modificar los datos originales de una hoja de cálculo.

Un escenario guarda información que afecta a una fórmula, por lo que es necesario disponer como mínimo de una. Si a esa fórmula le afectan ciertos valores variables y desconocidos, podemos guardar varios escenarios que contengan sus posibles valores para comprobar sus efectos sobre el resultado de la hoja de cálculo.

Para registrar escenarios, se accede a la pestaña **Datos** de la cinta de opciones. En su grupo **Herramientas de datos** se despliega el botón **Análisis de hipótesis** y se selecciona la opción **Administrador de escenarios**, lo que nos llevará al siguiente cuadro de diálogo:

Se pulsa el botón Agregar... para crear un nuevo escenario posible. Al hacerlo accedemos a otro cuadro de diálogo en el que hay que darle nombre al escenario (**Nombre del escenario**), indicar las celdas cuyo valor oscila, pudiendo provocar cambios (**Celdas cambiantes**) y escribir, si se desea, unos **Comentarios**.

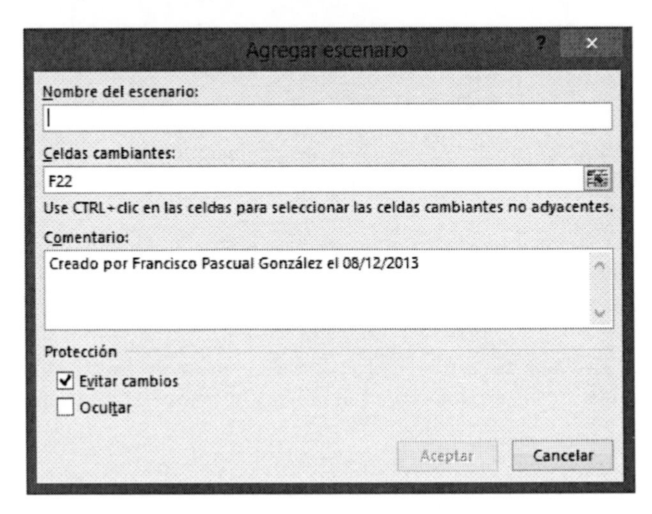

Al pulsar en Aceptar se han de establecer los valores de las celdas que afectan al resultado y cuyos valores reales son aún desconocidos, y para ello se nos ofrece otro cuadro de diálogo:

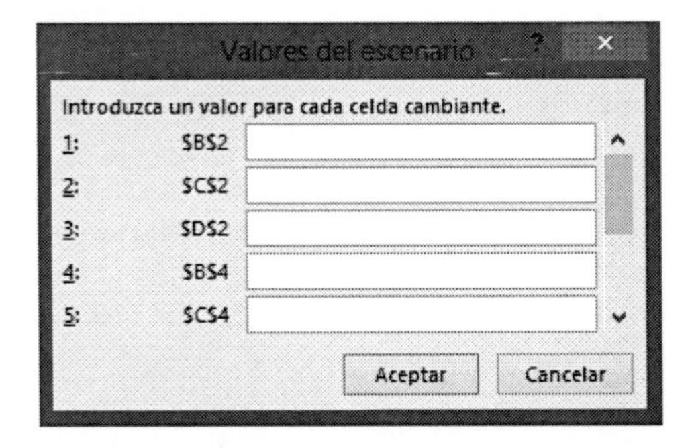

Cuando se sale de este cuadro volvemos al principal de escenarios en el que disponemos del botón Mostrar para poder observar los efectos que tendría escribir los valores cambiantes.

Si un escenario es incorrecto se puede Modificar... (con el mismo método empleado para crearlo) o Eliminar.

También podemos **generar un sencillo informe** con el botón Resumen.... Este informe contiene todos los valores de los escenarios, si bien tendremos que especificar, en el cuadro de diálogo que se obtiene, cuál es la celda que contiene la fórmula afectada por ellos (**Celdas de resultado**), para que también aparezcan en el resumen.

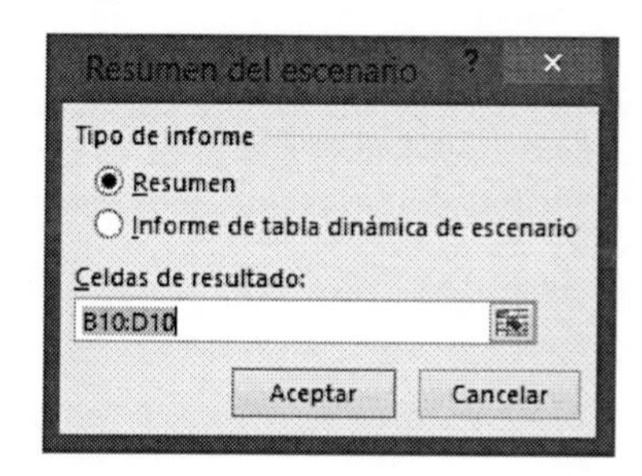

9.6 CONSOLIDAR

La consolidación permite **reunir datos que se encuentran repartidos por varias hojas** aplicando a sus valores una función de cálculo. Dichos datos deben estar colocados de la misma forma en sus respectivas hojas. De modo que el resultado de la consolidación tendrá esa misma forma igualmente, pero cada celda ofrecerá los datos ya calculados mediante una de las funciones más clásicas de las hojas de cálculo.

Supongamos que una empresa tiene varias sucursales en otros tantos países. Lo habitual es que, de cuando en cuando, se necesite reunir la información de todas para controlar la situación financiera y contable. En ese caso, sería muy práctico entregar a los responsables de cada sucursal una copia de la hoja de cálculo, idéntica a las demás pero con los datos propios de cada una vacíos. A lo largo del tiempo, en cada sucursal irán rellenando esa información según las ventas, gastos, etc. que las diferenciará. A la hora de recapitular la información cada sucursal envía a la central su hoja con la información renovada y en dicha central se realiza una consolidación con la información de todas las hojas de las sucursales, aplicando a los datos una operación: suma, promedio, etc., con lo que se obtienen totales generales de ganancias, impuestos, etc.

Para realizar la consolidación, es necesario mantener abiertos los libros que contienen la información a reunir, si bien, una consolidación puede aplicarse también a varias hojas de un mismo libro.

	A	B	C
1		Madrid	
2		Ingresos	510.000 €
3		Gastos	295.000 €
4		Bruto	215.000 €
5		Neto	182.750 €
6			
7	Porcentaje de impuesto		15%
8		Impuesto	32.250 €

	A	B	C
1		Barcelona	
2		Ingresos	550.000 €
3		Gastos	320.000 €
4		Bruto	230.000 €
5		Neto	184.000 €
6			
7	Porcentaje de impuesto		20%
8		Impuesto	46.000 €

	A	B	C
1		Bilbao	
2		Ingresos	450.000 €
3		Gastos	200.000 €
4		Bruto	250.000 €
5		Neto	220.000 €
6			
7	Porcentaje de impuesto		12%
8		Impuesto	30.000 €

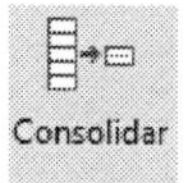

Una vez que los libros están abiertos, creamos uno nuevo en el que vamos a reunir la información y en ella, nos situamos en la celda en la que deseemos obtener los resultados y accedemos a la pestaña **Datos** de la cinta de opciones. En su grupo **Herramientas de datos** pulsamos el botón **Consolidar**.

Esto nos lleva a un cuadro de diálogo en el que, para empezar, se selecciona la **Función** de cálculo que se va a aplicar a los datos, por ejemplo, la **Suma**.

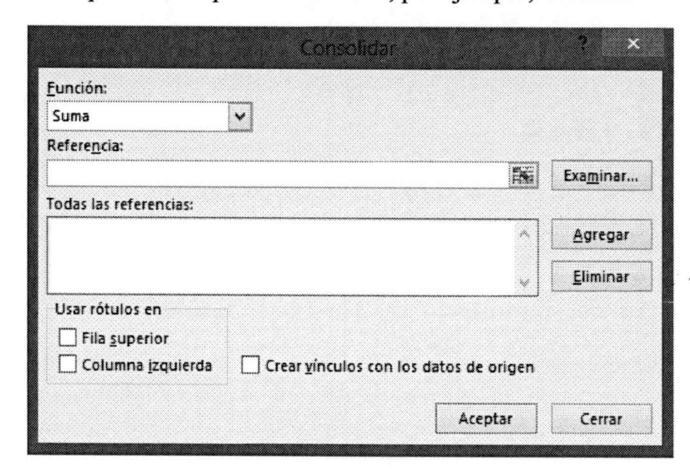

Luego, se utiliza el botón de referencia para plegar temporalmente el cuadro de diálogo y seleccionar **los datos del primero de los libros** (la primera sucursal, incluso aunque se encuentre en una ventana aparte). Después de haberlos seleccionado, se pulsa en el mismo botón para volver a desplegar el cuadro de diálogo y poder Agregar la información a la lista **Todas las referencias**. Con esto ya se ha añadido la información perteneciente al primer libro. El proceso se repite para los demás libros (las otras sucursales).

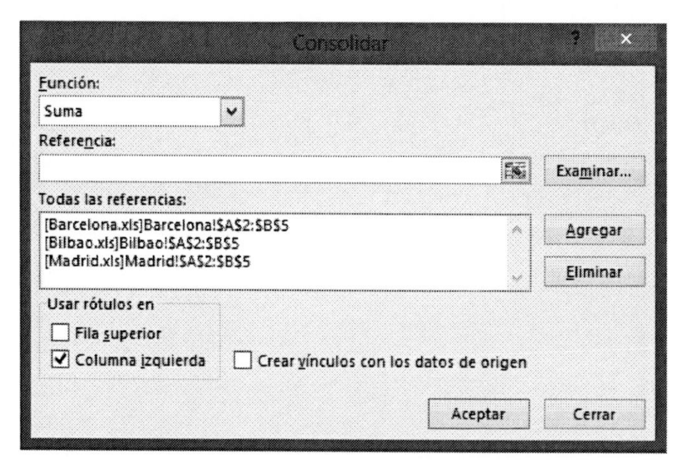

1. Si hemos incluido rótulos al seleccionar **las celdas** deberemos activar las casillas **Fila superior** o **Columna izquierda** (o ambas) dependiendo de dónde se encuentren dichos rótulos.

2. Podemos activar la casilla **Crear vínculos con los datos de origen** para que el libro final **mantenga un vínculo permanente** con los libros que contienen la información original. De ese modo, si los datos originales cambian, el libro final contiene siempre la información actualizada. Además, se **generan esquemas automáticamente** con los que se puede comprobar más detalladamente los valores.

3. Naturalmente, podemos añadir datos que no son calculables al libro final, como otros rótulos que informen y añadan legibilidad:

Observe cómo disponemos de elementos de esquema a la izquierda de la hoja.

Los datos de la consolidación se guardan en el libro para poder volver a emplearlos en el futuro.

1 2		A	B	C
	1		España	
+	5		Ingresos	1.510.000 €
+	9		Gastos	815.000 €
+	13		Bruto	695.000 €
	14		Neto	590.750 €

9.7 ELEMENTOS DE FORMULARIO

Los elementos de formulario **proporcionan interactividad** para que el usuario pueda **manejar información con mayor sencillez**. Se trata de los elementos habituales de las ventanas y cuadros de diálogos de **Windows**: botones de opción, casillas de verificación, listas desplegables, cuadros de texto, etc.

Todos los elementos tienen una parte común en cuanto al diseño: en cuanto se dibujan, contienen unas propiedades alterables para establecer su contenido y la celda que recibirá el resultado de su utilización por parte del usuario.

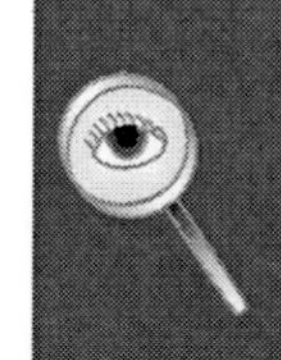

Para añadir objetos de este tipo a las hojas de cálculo es necesario mostrar la pestaña **Desarrollador**.

Para trabajar esta función se accede a la pestaña **Archivo** y se selecciona **Opciones**. En el cuadro de diálogo que se obtiene se activa la categoría **Personalizar cinta de opciones** y, en la columna derecha se marca la casilla **Desarrollador en la cinta de opciones**.

En la pestaña **Desarrollador** de la cinta de opciones disponemos del botón **Insertar** que despliega los diferentes elementos de formulario que se pueden añadir a la hoja en el primer grupo: **Controles de formulario**.

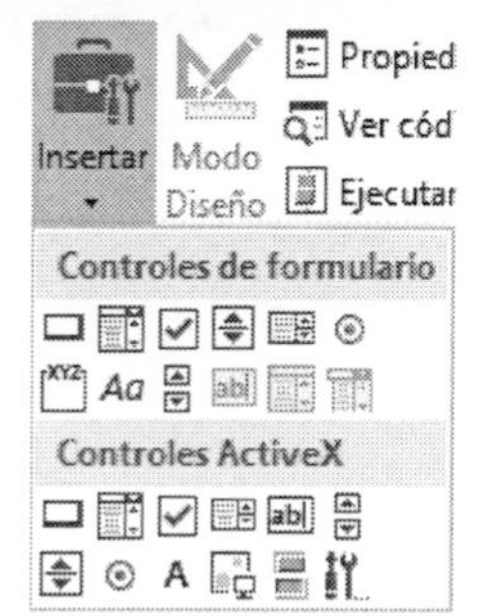

Sólo hay que elegir uno y luego dibujarlo en la hoja, haciendo clic y arrastrando en diagonal.

Antes de ver algunos de estos elementos, tenga en cuenta que si necesita seleccionar uno que ya esté dibujado, debe mantener pulsada la tecla de **CONTROL** y hacer clic en él. Cuando esté seleccionado, puede acceder a sus Propiedades en el mismo grupo de la pestaña **Desarrollador**. Este cuadro varía dependiendo del tipo de objeto.

Aquí tenemos los más destacados:

Etiqueta. Añade un **cuadro de texto flotante** que se puede arrastrar con el ratón hasta cualquier parte de la hoja (donde tal vez sería difícil escribir con celdas).

Cuadro de grupo. Añade un **marco con título** en el que se pueden añadir otros elementos. Es útil, sobre todo, para colocar dentro botones de opción.

Casilla de verificación. Se emplea para **añadir casillas** de este tipo a la hoja. Cuando se dibuja uno de estos elementos, se puede teclear un rótulo a su lado. El cuadro de Propiedades de un objeto de este tipo ofrece el contenido siguiente:

Valor
- Sin activar
- Activado
- Mixto

Vincular con la celda:

Sombreado 3D

1. **Sin activar** se encarga de que la **casilla aparezca desactivada**, aunque se puede optar también entre **Activado** (estará activada al abrir la hoja de cálculo) o **Mixto** (activado en color gris).
2. En **Vincular con la celda** se escribe la referencia de una celda que recibirá el valor que devuelva la casilla según esté activada (*VERDADERO*) o no (*FALSO*).
3. La casilla **Sombreado 3D** mejora el aspecto del objeto.
4. Estas casillas suelen combinarse con la función **SI**, que comprueba el valor dejado en la celda de la casilla y actúa en consecuencia.

Botón de opción. Se emplea para **añadir botones de este tipo** a la hoja. Cuando se dibuja uno de estos elementos, se puede teclear un rótulo a su lado. El cuadro de Propiedades de un objeto de este tipo ofrece el mismo contenido que las casillas, excepto la opción **Mixto**. Este tipo de objetos no devuelve *VERDADERO* o *FALSO*, sino el número de orden del botón (si hay tres botones, el primero devuelve *1*, el segundo *2* y el tercero *3*). Se suelen colocar dentro de un grupo para que, al activar uno de ellos, los demás se desactiven automáticamente. Suelen combinarse con la función SI para comprobar cuál de los botones está activado y obrar en consecuencia.

Cuadro de lista. Se emplea para **añadir listas estáticas de opciones** de forma que un usuario pueda seleccionar una o varias. El cuadro de Propiedades de un objeto de este tipo ofrece el contenido siguiente:

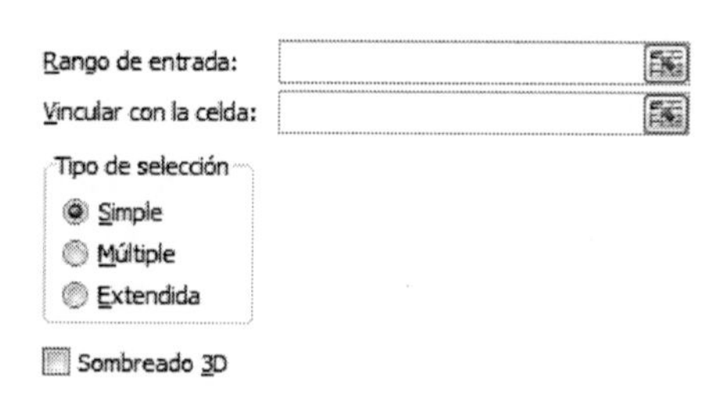

1. **Rango de entrada** se usa para seleccionar **las celdas que contienen los datos** que aparecerán en la lista.

2. En **Vincular con la celda** se escribe la referencia de una celda que recibirá el valor devuelto por la lista cuando el usuario haga clic en una de sus opciones, seleccionándola. En el grupo **Tipo de selección** podemos especificar si el usuario de la hoja de cálculo podrá seleccionar a la vez una sola opción (**Simple**) o varias (**Múltiple** y **Extendida**).

3. La casilla **Sombreado 3D** mejora el aspecto del objeto.

Cuadro combinado. Se emplea para **añadir listas desplegables** de opciones de forma que un usuario pueda seleccionar una. El cuadro de Propiedades de un objeto de este tipo ofrece el contenido siguiente:

Rango de entrada:
Vincular con la celda:
Líneas de unión verticales: 8
Sombreado 3D

1. **Rango de entrada** se usa para seleccionar **las celdas que contienen los datos** que desplegará la lista.

2. En **Vincular con la celda** se escribe la referencia de una celda que recibirá el valor que devuelva la lista cuando el usuario la despliegue y seleccione una de sus opciones.

3. **Líneas de unión verticales** se utiliza para **especificar cuántas opciones muestra la lista** a primera vista cuando el usuario la despliegue.

4. La casilla **Sombreado 3D** mejora el aspecto del objeto.

Barra de desplazamiento. Se emplea para **añadir barras de este tipo** (horizontales o verticales, según se dibujen) a la hoja. El objeto funciona mediante valores numéricos que oscilan entre un mínimo y un máximo que establece el propio diseñador. Sus Propiedades son:

Valor actual: 0
Valor mínimo: 0
Valor máximo: 100
Incremento: 1
Cambio de página: 10
Vincular con la celda:
Sombreado 3D

1. **Valor actual** se utiliza para establecer el valor inicial de la barra. Debe estar comprendido entre el **Valor mínimo** y el **Valor máximo**. Estos valores también los elige el usuario.

2. El **Incremento** establece el valor que aumenta o disminuye cuando se hace clic en las **flechas de los extremos** de la barra.

3. El **Cambio de página** establece el valor que aumenta o disminuye cuando se hace clic **entre las flechas** y el **botón interior** de la barra.

4. En **Vincular con la celda** se escribe la referencia de una celda que recibirá el valor devuelto por la barra cuando el usuario la utilice.

5. La casilla **Sombreado 3D** mejora el aspecto del objeto.

Control de número. Con él se agregan dos botones con flechas que **aumentan y disminuyen una cifra, respectivamente**. Ofrece las mismas Propiedades que las que proporcionan las barras de desplazamiento (excepto **Cambio de página**).

9.8 TABLAS

La función de **tablas** es una **herramienta de análisis de datos capaz de realizar operaciones de una o dos variables** (datos que pueden cambiar) cuando los resultados de aplicar esas operaciones son múltiples y se pueden organizar en filas y columnas.

Para aplicar estas estructuras de análisis necesitamos una fórmula que dependa de uno o dos valores que puedan cambiar. Si se dispone de eso, se teclea en una celda vacía una fórmula cuya única finalidad sea vincular dicha celda con la que contiene la fórmula. A su lado debe haber espacio libre para colocar datos para la tabla. Se seleccionan **todos esos datos** y se aplica la función de tablas.

Veámoslo con un ejemplo. Supongamos que vamos a realizar el análisis de pagos de la compra de un coche. El diseño de los datos podría ser el siguiente:

	A	D	E
1	Modelo		
2	Alhambra	Precio Base	24.965,00 €
3		Llantas de aleación	
4		Ninguno	
5		Pintura metalizada	
6			24.965,00 €
7			
8		Coche usado	3.600,00 €
9		Entrada	1.000,00 €
10		Señal	60,00 €
11			4.660,00 €
12			
13		Cantidad a financiar	20.305,00 €
14		Años	3
15		Interes	2,50%
16		Pago Mensual	-861,98 €

Observe que tenemos un precio base que podría variar en función de que sean añadidos algunos extras (como llantas de aleación, climatizador electrónico y pintura metalizada). Luego se descuenta el valor de un vehículo usado que se entrega a la compra, y la entrada y señal.

Con todo eso se calcula la cantidad que se va a financiar y se anotan dos datos variables para la tabla: la cantidad de años y el porcentaje de interés.

Los elementos desplegables de formulario (*Modelo* y extra) sólo están ahí para facilitar el trabajo al usuario y permitirle elegir un modelo de coche.

En otra parte de la hoja que disponga de espacio libre, teclearemos como primera celda de una tabla la fórmula *=E16* (así **Excel** sabe de dónde sacar la fórmula para calcular los resultados). A su lado tecleamos los valores variables de la tabla: uno para el dato *Años* y otro para el *Interés* (que son los datos variables anotados antes). Como se trata de una distribución en forma de tabla, los valores del primer dato variable los tecleamos a la derecha de la celda (la que vincula con **E16**) y los valores del otro, debajo de ésta (tiene que haber el mismo número de valores para ambos datos variables):

Celda que vincula con la fórmula — *Valores para el dato variable 1*

-657,15041	2,50%	3,00%	3,50%	4,00%	4,50%	5,00%
1						
2						
3						
4						
5						
6						

Valores para el dato variable 2

A continuación se seleccionan **todas las celdas** que abarcan esos datos, se accede a la pestaña **Datos** de la cinta de opciones, grupo **Herramientas de datos**, se despliega el botón **Análisis de hipótesis** y se activa **Tabla de datos**. Se obtiene un cuadro de diálogo en el que se indica cuáles son las celdas de los valores originales que utiliza la fórmula. Observe en la siguiente figura como los datos para las filas apuntan a la celda **E14** (donde está el número de años que utiliza la fórmula, puesto que en la tabla anterior dichos años están colocados por filas) y los de las columnas a la celda **E15** (donde están los porcentajes, puesto que en la tabla anterior dichos porcentajes están colocados por columnas).

	A	D	E
7			
8		Coche usado	3600
9		Entrada	1000
10		Señal	60
11			4660
12			
13		Cantidad a financiar	20305
14		Años	3
15		Interes	2,50%
16		Pago Mensual	-861,98 €
17			

Tabla de datos

Celda de entrada (fila): E14

Celda de entrada (columna): E15

Aceptar Cancelar

Al pulsar el botón Aceptar se obtiene el resultado: una tabla de datos que muestra el pago mensual para cada combinación de años y porcentajes de interés. A esos datos se les suele aplicar algún formato que los haga más legibles.

9.9 MACROS

En palabras sencillas, una macro es una **función que reúne varias**. Suelen utilizarse para procesos que requieren varias funciones que se emplean con frecuencia. La macro se encarga de **ejecutar automáticamente todas las funciones** que se hayan incorporado en ella.

Las macros en **Excel**, y en cualquier otro sistema de su categoría, forman todo un lenguaje de programación completo mediante el que se pueden llegar a construir funciones realmente complejas. Hace tiempo, **Microsoft** desarrolló un lenguaje de programación visual muy sencillo de utilizar y con una potencia verdaderamente considerable. Se trataba de *Visual Basic*. Con el tiempo, este lenguaje se ha ido adaptando a las mejoras que se han añadido a **Windows**, por lo que se trata de uno de los lenguajes más utilizados para el desarrollo de aplicaciones que funcionan bajo **Windows**.

Una parte de este lenguaje se ha añadido a **Excel**. Gracias a él podemos conseguir unas macros realmente potentes. Vamos a comenzar por describir la forma más sencilla de creación de macros con **Excel** y veremos qué relación poseen con *Visual Basic*.

9.9.1 Creación y edición de macros

Para crear una macro hemos de empezar por grabarla. Como con cualquier proceso de grabación de datos, es necesario iniciar la grabación, exponer los datos que se van a grabar y finalizar la grabación.

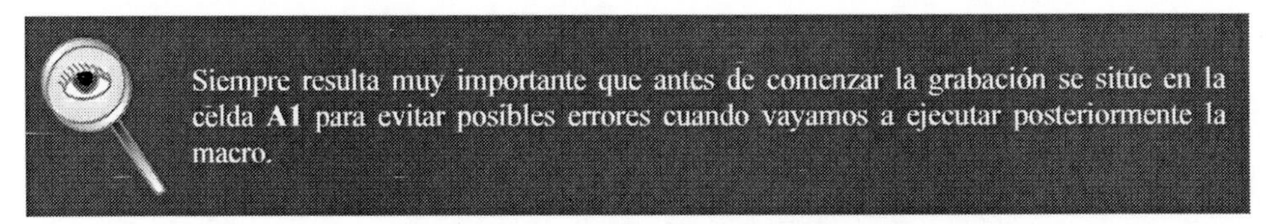

El inicio de la grabación se realiza mediante un botón de la cinta de opciones. Utilizaremos el botón **Macros** que aparece en la pestaña **Vista**. Esta opción muestra un menú en el que se elige **Grabar macro**. Al hacerlo, se obtiene un cuadro de diálogo:

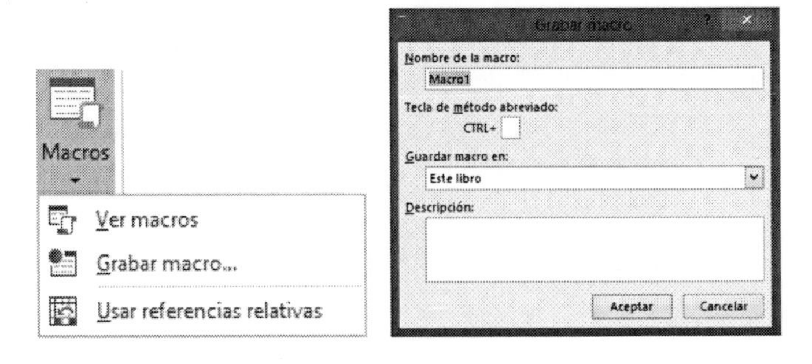

La nueva macro debe recibir un nombre que se teclea en el cuadro de texto **Nombre de la macro**, aunque **Excel** ya nos sugiere el dato **Macro1**. Como dato adicional, se puede añadir una pequeña **Descripción** de la actividad que realizará la macro.

En el cuadro de texto del botón **Método abreviado** podremos asignar una letra para que, al pulsarla precedida de la tecla **CONTROL**, se ejecute la macro. Si se teclea la letra en mayúsculas, la macro se activará pulsando las teclas **CONTROL** + **MAYÚSCULAS** + la letra elegida.

La lista **Guardar macro en** permite **establecer dónde se grabará la macro**:

1. Si se elige **Libro de macros personal**, la macro irá a parar a un **fichero aparte que contenga sólo macros**. Resulta aconsejable almacenar ahí todas las macros si éstas se van a utilizar en varios libros de trabajo distintos.

2. Si se elige **Libro nuevo**, la macro se **almacenará en un libro de trabajo diferente**, aunque también como hoja aparte en un módulo. **Excel** requerirá el nombre del archivo que contiene el libro de trabajo al que irá a parar la macro.

3. Utilice el botón **Este libro** si desea que la macro se añada en el libro de trabajo actual.

Cuando pulsemos el botón Aceptar, **comienza la grabación de la macro**. Todas las operaciones que hagamos a partir de ese momento y hasta el final de la grabación serán las acciones que integren la macro, por lo que será necesario hacer trabajar sólo las funciones que deseábamos incluir en ella.

El botón **Macros** de la cinta de opciones ofrece dos opciones útiles ahora:

1. **Detener grabación**, que la emplearemos para **finalizar la grabación** de la macro, y poder ejecutarla.

2. **Usar referencias relativas**. Este modo consigue que la celda **A1** sea la celda en que nos encontremos al ejecutar la macro. Gracias a este botón, los datos que creamos en la macro no tienen por qué aparecer en el mismo lugar en el que los definimos durante su creación, sino que aparecerán en la celda en la que nos encontremos al ejecutar la macro.

Pongamos un ejemplo completo de creación de macros. Supongamos que empleamos con frecuencia un formato con color de fondo para un grupo de celdas. Grabemos una macro para hacerlo automáticamente. Comenzaremos por pulsar el botón **Macros** que aparece en la pestaña **Vista** y elegir **Grabar macro**. Como ocurría antes, aparece un cuadro de diálogo en el que escribiremos el nombre de la macro. Escribiremos *Formato1*.

En **Método abreviado** escribimos la letra F, para que podamos ejecutar la macro pulsando las teclas **CONTROL + F**.

Al pulsar el botón Aceptar, **Excel** comienza la grabación de la macro e irá registrando las acciones que activemos a partir de ese momento. Lo primero es marcar el rango:

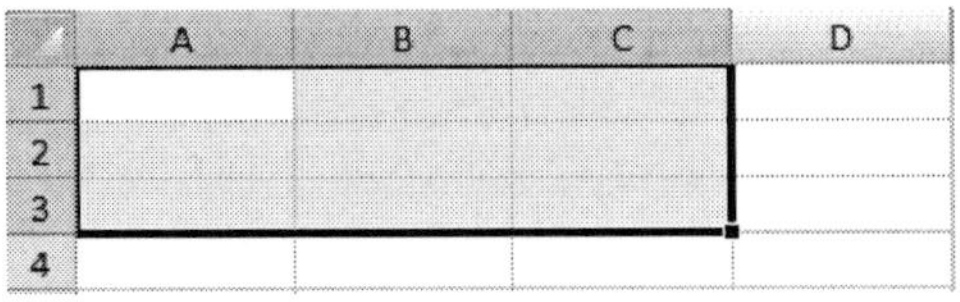

	A	B	C	D
1				
2				
3				
4				

Nosotros sugerimos este rango (**A1:C3**); no obstante, seleccione el que prefiera. Después nos desplazaremos hasta la pestaña **Inicio** de la cinta de opciones y desplegaremos el botón (**Color de relleno**) del grupo **Fuente**. Elegiremos un color de los que aparecen. Ese tono aparecerá inmediatamente como fondo del rango de celdas que hemos elegido:

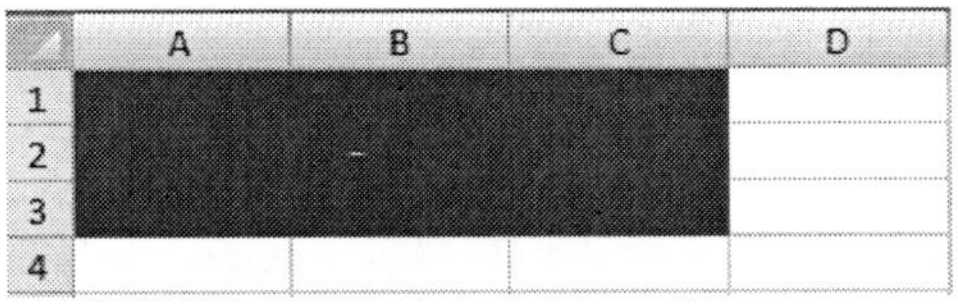

	A	B	C	D
1				
2				
3				
4				

Vamos, además, a seleccionar la **celda A1**, por ejemplo, para eliminar la anterior selección del rango. Para terminar la creación de la macro, pulsaremos el botón de **Detener grabación** desplegando el botón **Macros** de la cinta de opciones.

La grabación finaliza y a partir de ese momento, al pulsar las teclas **CONTROL + F** la macro se activará y realizará todas sus acciones.

Si al principio de la grabación hubiésemos activado la opción **Usar referencias relativas** del botón **Macros**, ahora podríamos ejecutar la macro (pulsando **CONTROL + F**) en cualquier celda y el trabajo se realizaría en ella. Si el botón **Referencia relativa** no se pulsa, el formato aparecerá siempre a partir de la celda en la que se diseñó.

Existe un modo vistoso y sencillo para la ejecución de las macros. Consiste en incorporar un botón **Windows** a la hoja de cálculo y asociarle una macro, de modo que, al pulsar el botón, la macro se ponga en marcha. Para ello, hemos de incorporar el botón a la hoja y eso requiere de la pestaña **Desarrollador** (que puede activar desde la pestaña **Archivo**, seleccionando **Opciones** y, en el cuadro de diálogo que se obtiene, eligiendo la categoría **Personalizar cinta de opciones** y, en la columna derecha, se marca la casilla **Desarrollador** en la cinta de opciones.).

Insertar Modo Diseño Propied Ver cód Ejecutar
Controles de formulario
Controles ActiveX

En el grupo **Controles** de esa pestaña despliegue el botón **Insertar** y pulse el botón (**Botón**). Trace un recuadro con el ratón. Ese recuadro será el futuro botón con el tamaño y forma que le dé.

En cuanto se dibuja el botón, aparece un cuadro de diálogo para asignar datos a la macro.

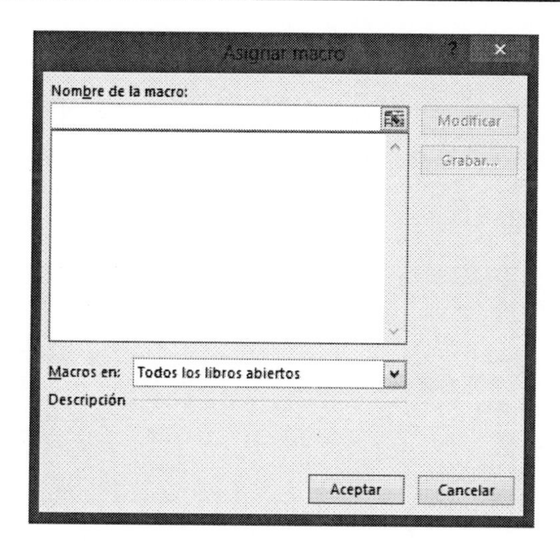

Utilizaremos el cuadro de texto **Nombre de la macro** para **escribir una de las macros que ya tengamos grabadas**, aunque también puede seleccionarse en la lista que aparece debajo.

El nombre del botón (que aparece por defecto como **Botón n**, donde *n* es el número de orden del botón) puede cambiarse sólo con pulsar el botón secundario del ratón sobre el botón dibujado y, una vez seleccionado, volver a pulsar sobre él, esta vez con el botón izquierdo. Aparecerá un cursor en la posición en que hayamos pulsado con el ratón y podremos cambiar el nombre del botón a nuestro gusto.

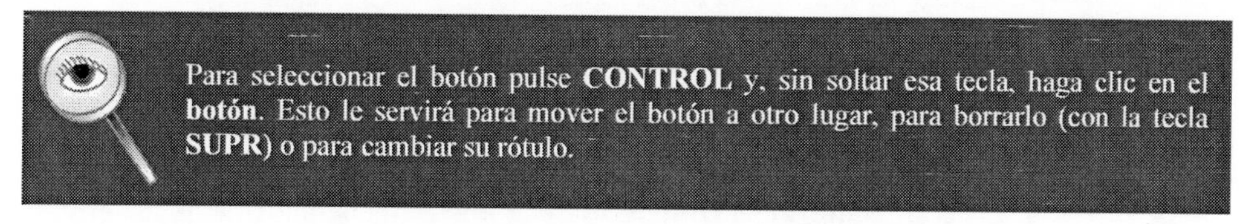

Para seleccionar el botón pulse **CONTROL** y, sin soltar esa tecla, haga clic en el **botón**. Esto le servirá para mover el botón a otro lugar, para borrarlo (con la tecla **SUPR**) o para cambiar su rótulo.

Pueden aplicarse otras funciones al botón mediante el menú que aparece al pulsar el botón secundario del ratón en él (véalo junto al margen derecho). Sus opciones más destacadas son:

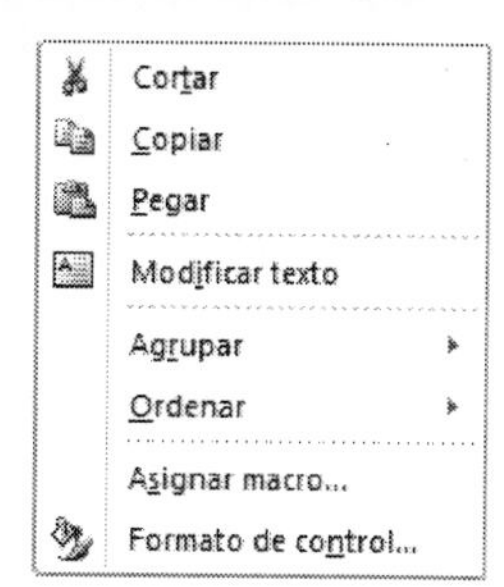

1. **Agrupar**, que **reúne en uno todos los objetos** previamente seleccionados (por ejemplo, varios botones), funcionando entonces como un solo objeto. Esta opción sólo está disponible si hemos seleccionado antes varios objetos.

2. **Ordenar**, que permite **colocar unos objetos sobre otros**.

3. **Asignar macro**, que vuelve a mostrar el cuadro de diálogo para **asociar una macro** (nueva o ya grabada) al botón (o botones) seleccionado(s).

4. **Formato de control**, que permite **modificar sus características** estéticas.

9.9.2 Gestión de las macros

Si ya dispone de macros, existe un centro de control desde el que se puede manipular. Para acceder a él se despliega el botón **Macros** de la pestaña **Vista** en la barra de opciones y se selecciona la opción **Ver macros**. Obtendrá un cuadro de diálogo en el que dispondrá de los siguientes botones:

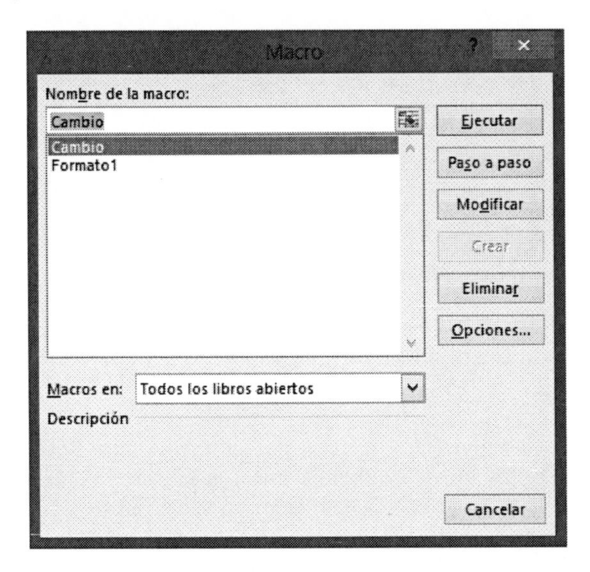

1. Ejecutar. **Pone en marcha la macro** que seleccionemos en la lista.
2. Paso a paso. También **ejecuta la macro**, pero **se detiene en cada instrucción** que la compone. Se trata de un depurador que permite saber en qué instrucción falla la macro.
3. Modificar. Permite **alterar el contenido de la macro**, generalmente, para corregir errores. De este botón hablaremos más en profundidad en el apartado siguiente.
4. Crear. Permite **definir una nueva** macro.
5. Eliminar. **Borra una macro** previamente seleccionada en la lista.
6. Opciones... Lleva de nuevo al cuadro de diálogo en el que podremos **asignar las teclas de ejecución** a la macro.

9.9.3 Introducción al manejo con Visual Basic

Cuando una macro queda registrada, con el anterior botón Modificar se ve su contenido diseñado con el lenguaje **Visual Basic** en una nueva ventana.

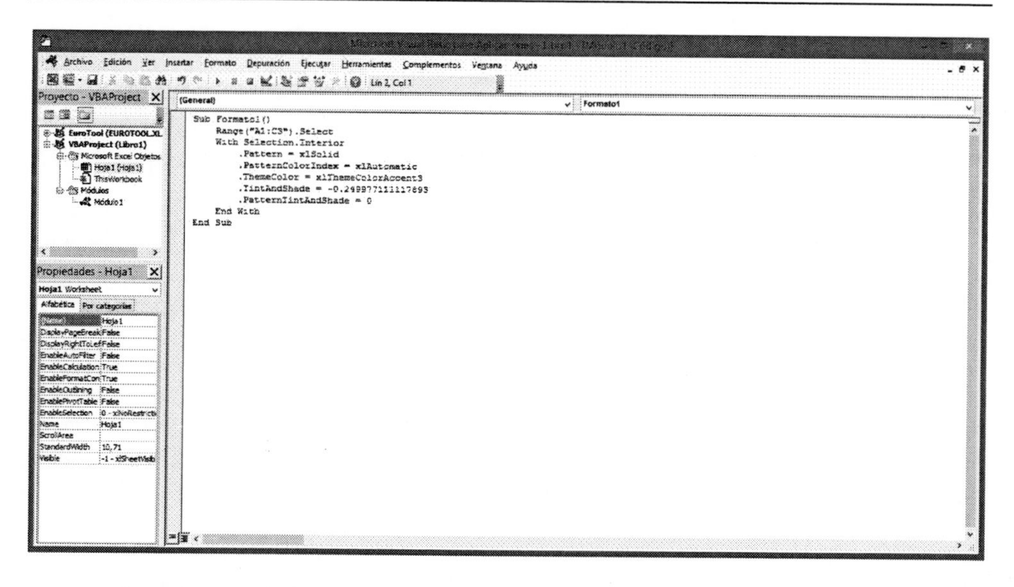

Por ejemplo, la instrucción *Range*(**'A1:C3'**)*.Select* es la que utiliza **Visual Basic** para seleccionar **el rango** en el ejemplo que hemos puesto.

Al tratarse de un lenguaje de programación completo, **Visual Basic** contiene una gran variedad de instrucciones y estructuras para la programación de la macro. Si este lenguaje se domina, se puede llegar a programar macros realmente complejas e interesantes.

El manejo del programa es sencillo, ya que funciona como si se tratara de un editor de textos. Por ejemplo, podríamos eliminar del procedimiento la instrucción *Range('A1:C3').Select* sólo con borrarla. Cuando grabemos el libro de trabajo en el disco, los cambios introducidos en la macro se grabarán igualmente.

9.10 SOLVER

Para emplear **Solver** es necesario, en primer lugar, que esté funcional. Esto se consigue accediendo a la pestaña **Archivo** y seleccionando **Opciones** y la categoría **Complementos**:

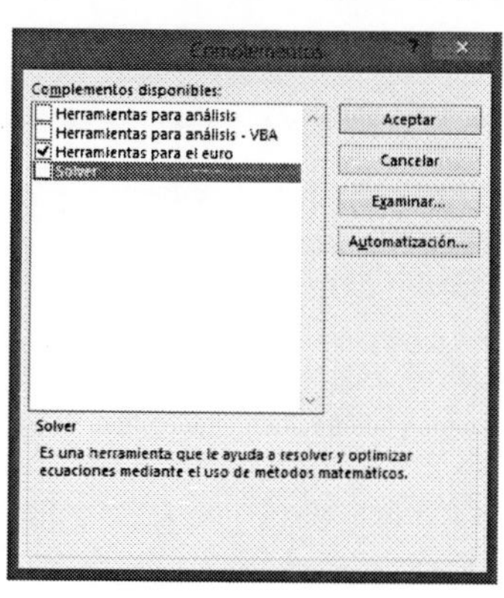

Hay que asegurarse de que la lista **Administrar** tenga seleccionada la opción **Complementos de Excel** y luego pulsar el botón Ir..., lo que nos lleva al cuadro que mostramos junto al margen.

Se debe comprobar si la casilla **Solver** está o no activada. Naturalmente, si no lo está, la activamos.

Es necesario que los datos de la hoja giren en torno a una fórmula como mínimo. Los datos que afecten a esa fórmula y a otras que se usen para resolverla son buenos candidatos para que **Solver** pueda aplicar sus cambios hasta dar con el resultado deseado.

Solver es una herramienta de análisis capaz de calcular los datos necesarios para que una estructura ofrezca un determinado resultado. Su función es similar a la que hemos visto en **Buscar objetivos**, pero en este caso permite encontrar la información deseada incluso cuando se desconoce más de un dato que, por otra parte, pueden estar limitados a ciertas condiciones, que llamaremos restricciones.

Para poner en marcha **Solver** se pulsa el botón Solver en el grupo **Análisis** de la pestaña **Datos** en la cinta de opciones. Este botón lleva al siguiente cuadro de diálogo:

En el cuadro **Establecer objetivo** se escribe la celda que contendrá el valor que se desea alcanzar. Dicho valor puede ser uno concreto (que escribiríamos en **Valor de**), el mayor posible que se calcule (**Máx**) o el menor (**Mín**).

En el cuadro **Cambiando las celdas de variables** se escriben o seleccionan aquellas cuyo **contenido deseamos variar** para alcanzar el valor que es nuestro objetivo.

Para establecer las condiciones que guíen a **Solver** a resolver el problema, se pulsa Agregar, que solicita que establezcamos qué clase de limitación deben tener los valores de esas celdas. Para ello, muestra el siguiente cuadro de diálogo:

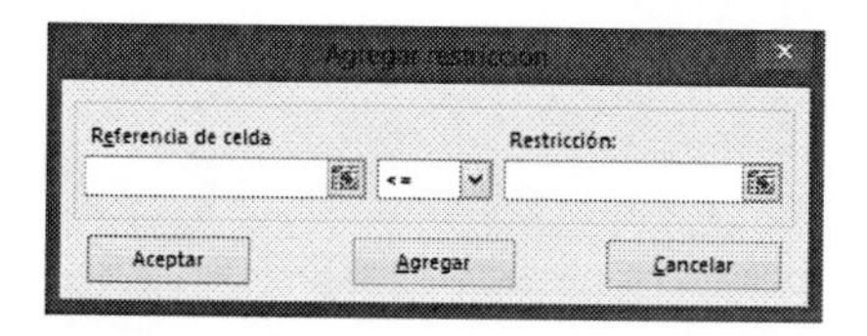

Se elige la celda (en **Referencia de la celda**) y se establece cómo debe ser su valor desplegando la lista <= (si debe ser mayor, menor, igual, etc.) y escribiendo un dato con el que se comparará para que sea válido o no.

Cuando están establecidas todas las restricciones y todos los demás datos, se pulsa el botón Resolver para que **Solver** se ponga a trabajar y ofrezca sus resultados.

9.11 EJERCICIOS

9.11.1 Una macro sencilla

1. Abra un nuevo libro de trabajo.
2. Mediante las opciones pertinentes genere una macro que escriba los meses del año en columna a partir de cualquier celda de la hoja (despliegue por tanto el botón **Macros** y active **Usar referencias relativas**).
3. Realice el mismo trabajo generando los meses en fila en lugar de en columna.

9.11.2 Validación

1. Abra el libro *Gastos* con el que ha trabajado en ejercicios anteriores y seleccione los **valores numéricos** pertenecientes a los empleados para todos los meses del año.
2. En la pestaña **Datos** de la cinta de opciones pulse el botón **Validación de datos** (grupo **Herramientas de datos**).
3. Asigne una restricción que impida valores negativos en esas celdas.

9.11.3 Escenarios

1. Abra el libro *Muebles* que ha ido desarrollando en los ejercicios anteriores y añada un escenario en el que se aprecie cómo cambiarían los datos en caso de que el valor del **IVA** fuese de un **17%**.
2. Realice otro escenario en el que el **IVA** fuese un **16,5%**.
3. Aplique un resumen de escenarios para realizar una comparativa.

9.11.4 Consolidación

1. Abra un nuevo libro en **Excel** y escriba en él los datos que puede ver en la figura junto al margen. Tenga en cuenta que el *Bruto* se calcula restando los *Ingresos* de los *Gastos* y que el *Neto* consiste en restar al *Bruto* el **15%** de impuesto.

	A	B
1	Madrid	
2	Ingresos	510.000 €
3	Gastos	295.000 €
4	Bruto	215.000 €
5	Neto	182.750 €

2. Guarde el libro en el disco con el nombre *Madrid.*

3. Duplique el archivo del libro y llámelo *Barcelona*, modificando en él los valores de ingresos y gastos. Haga lo mismo con un tercer libro al que llamará *Valencia.*

4. Aplique una consolidación a las tres hojas que sume los valores de las tres vinculando los datos con los libros originales.

ÍNDICE ALFABÉTICO

A

B

C

D

E

F

G

H

I

L

N

O

P

R

S

T

V

Z